사진·고창수

혼자 눈뜨는 아침

이경자 장편소설

혼자 눈뜨는 아침

상

푸른숲

혼자 눈뜨는 아침 〈상〉.

첫판 1쇄 펴낸날·1993년 1월 11일/26쇄 펴낸날·1994년 8월 1일
지은이·이경자ⓒ/펴낸이·김혜경/펴낸곳·푸른숲
서울시 서대문구 충정로 3가 270 백왕인쇄문화 4층, 우편번호 120-013
출판등록·1988년 9월 24일 제 11-27호
전화·(편집부)364-8666 (영업부)364-7871~3/팩시밀리·364-7874

값 5,800원

✱ 잘못된 책은 바꾸어 드립니다.
ISBN 89-7184-016-1 03810

차 례
상

작가의 말

　결혼은 여성으로 하여금 자신의 과거를 부정하게 한다. 어린 시절 자신을 낳고 길러주시고 교육시킨 부모님은 물론이고 한 여성의 유년기와 사춘기와 청춘기에 지녔던 자기 인생에 대한 여러 가지 꿈과 기대, 자부심과 이상… 따위와도 어떤 형태로든 결별하거나 소원한 관계가 되어야 한다.

　한 남자와 한 여자가 함께 살아가자는 형식으로서의 결혼이, 여성에겐 남성과 달리 이런 요구를 숙명처럼 짊어지게 한다. 그래서 아내와 어머니와 가정주부가 된 여성은 그가 결혼하기 전에 어떤 재능이나 능력을 가졌건, 그 개인적인 능력은 아내·어머니·주부… 등의 역할에 '종속'되는 것이다. 바로 이런 종속 구조의 토대에서 한 여성의 '인간적 삶의 질'이 결정된다. 결혼하기 이전에 이미 익숙해진 친가 쪽의 기질이나 생활 풍속, 감각을 버리고 남편 쪽의 그것을 익히고 그것에 젖어들어야 하며, 자신의 개성이나 재능을 전혀 무시한 채 '주어진 역할'을 남편 쪽의 요구에 맞춰 살아내는 것이 결혼한 여자의 삶이다.

　이렇게 자기 개성과 재능을 버리고 주어진 역할을 죽은 듯이 살아내는 동안 한 개인의 인권, 자아는 아주 천천히 혹은 눈에 띄지 않게 소모되거나 마멸되거나 매장되어 간다.

이 소설은 바로 이런 삶을 살던 한 여성이 어느 날 '부덕'으로 박제된 '자아', 그래서 정체되어 있던 '자기'를 발견하게 되고, 마침내 한 인간으로서 세계 속에 서고자 하는 과정을 '사랑'을 통해 보여주었다. 남성 시각으로 고정되어 있던 여성의 연애 감정·성애의 감흥들을, 주제넘긴 하지만 '음악을 듣는 기분'으로 전달하려 애썼다.

나의 주인공 태경과 호준이 여러분들의 사랑을 받게 되길 바란다.

이 글을 쓰는 데 도와주신 많은 분들께 깊이 감사드린다.

나를 낳아주신 어머니, 내 형제들, 내 딸들과 남편에게도 감사해야지.

1992. 12. 21
수유리 작업실에서
이경자

그 낯선 빛

　비행기가 뜬다고 했을 때, 태경은 문득 '운명'을 느꼈다. 자신이 여태껏 잡고 있던 여러 개의 망설임은 아무 소용도 없다는 걸 깨달았다. 비는 여전히 세차게 내렸고, 바람은 쉬지 않고 나뭇가지를 곤두박아서 비에 젖어 몸이 무거운 잎사귀들의 혼을 빼었다.

　태경은 주섬주섬 가방을 챙겼다. 남편이 원하지 않는 시간에 예고 없이 들이닥쳐 보라고 강력히 충동질하던 수정은 '예쁘게' 꾸며야 한다고 강조했지만, 이미 예쁘게 꾸밀 시간은 지나가고 없었다.

　"어미야, 갈래?"

　태경의 친정어머니 전씨가 칠순의 인생살이만큼 깊어진 눈길로 딸을 바라보며 물었다.

　"비행기가 뜬다네요."

　태경은 어머니를 외면한 채 남의 일처럼 말했다.

　"날 좋을 때 가려무나."

　전씨는 딸의 오랜 우울과 그 속에 비낀 파리한 분노를 감지한 어머니만이 가질 수 있는 슬프고도 따뜻한 목소리로 말했다.

　"괜찮아요, 엄마."

　태경은 어두운 땅 빛깔의 코트를 입고 서서 어머니의 낮은 어깨에 손

11

을 없었다. 그리고 웃어 보였다.

"비행기야… 어련하겠냐만… 가거든 김서방 몸 상했나 잘 살펴봐라. 조강지처 맘만한 눈이 어디 있다구…."

태경은 어머니의 이런 말을 들으며 신을 신고 우산을 들었다.

"돈은 찬장 서랍에 있어요."

태경이 현관문을 열었다.

"닿자마자 전화해라. 애들은 걱정 말구."

"나오지 마세요. 앞에 택시 많을 거예요."

태경은 신발을 꿰는 어머니의 손목을 힘주어 잡아보고 이렇게 말했다. 그리고 밖으로 나와 현관문을 닫았다. 그래도 전씨는 문을 열고 나와 우산을 펴고 빗속으로 들어서는 딸을 복잡한 표정으로 바라보았다.

우산으로 비를 가린다는 게 장난 같았다. 택시를 잡기도 전에 그의 발은 비에 흠뻑 젖어들었다.

"비행기가 좋긴 좋군요."

택시 기사가 이런 날 여수로 간다는 태경에게 말을 붙였다.

"그쪽 날씨는 괜찮나 봐요."

"그렇겠지요. 강북에는 비가 와도 강남엔 먼지만 이는 때가 있으니까요."

기사가 말했다. 그는 왜 여수로 가느냐, 여수가 고향이냐 등등을 물었지만 태경이 시큰둥해 하는 걸 눈치채곤 교통방송에 다이얼을 맞췄다.

태경의 친구들은 찬수가 벌써 두어 달이 지나도록 상경하지 않는다면, 필경 무슨 곡절이 있을 테니 늦기 전에 덜미를 잡으라고 했다. 찬수야 조심하겠지만 '실수'로 아이가 생기면 문제가 지저분해진다는 것이었다.

"그인 낚시광이잖니. 바다 낚시를 시작했대. 송광사에 가서 법정 스님도 만났나 봐."

그때마다 태경은 이렇게 말했지만 친구들의 걱정에 한사코 태평할 수는 없었다.

"나야, 태경이."

탑승 수속을 끝낸 태경은 시간이 남아 수정에게 전화를 걸었다.

"야! 너 안 갔구나!"

수정이 그럼 그렇지 하는 말투로 소리쳤다.

"여기 공항이야."

"그래? 비행기 뜨니?"

"그쪽 날씨가 괜찮다나 봐."

"잘됐다 야. 오늘 밤 회포 좀 풀어봐라. 내가 가르쳐줬지?"

수정은 제 기분에 겨워 키득거렸다. 태경은 수정의 웃음소리 뒤로 탑
승 안내 방송을 들었다.

"들어가야겠어. 멸치 사오랬지?"

"멸치가 문제냐?"

"그래 알았어."

태경은 수정의 웃음소리를 들으며 수화기를 놓았다.

날이 궂은데도 비행기 손님은 많아 보였다. 태경의 앞에 선 사람들이
날씨 얘기를 했다. 어떤 사람은 정작 곡창지대에 내려야 할 비가 엉뚱한
데에 내린다며 투덜거렸다.

멀미를 한다고 부탁해서 받은 태경의 자리는 앞쪽에서 네번째 줄 창
가였다.

태경의 옆자리는 아직 비어 있었다. 그는 창 밖을 바라보며 비어 있는
자리를 생각했다. 애당초 비어 있었을까? 누군가가 예약을 취소했을까?

태경은 이런 생각을 하면서 주위를 둘러보았다. 비어 있는 자리가 별
로 눈에 띄지 않았다.

창 밖으로 이륙을 준비중인 비행기가 보였다. 태경은 남편을 생각했
다. 그는 외지에서 독신으로 지내는 남자들의 외도를 걱정하는 아내에
게, 자신은 이미 늙었고 또한 철이 들었다고 말했다. 젊어 한때 바람 피

지 않는 남자 보았느냐고, 모든 게 다 부질없다고. 애들 교육이나 잘 시킨 다음 노후에 우리 부부 동반 여행이나 다니며 편히 지내는 것밖에 무슨 꿈이 더 있겠느냐고….

찬수는 지난해 봄, 중역으로 승진을 하면서 여수의 본공장 책임자로 내려갔다. 본격 가동을 시작한 지 몇 년 되었건만 아직 이익을 내지 못하는 회사여서 찬수는 머리가 무겁다고 했다.

태경과 찬수는 가족이 함께 움직이는 문제도 검토했지만 중3이 되는 근우를 생각해서 '참고 살자'고 서로를 달랬다.

찬수는 처음엔 한 달에 두 번만 올라오겠다고 하더니 일주일에 한 번씩 올라왔다. 회의가 있을 때도 많았지만 낯선 곳에 맘을 붙이지 못한 탓이 더 컸다.

그러나 그의 적응력이 마냥 더디기만 한 것은 아니었다. 밑반찬을 걱정하는 아내에게 찬수는, 전화로 파출부가 음식을 잘한다고, 오동도의 갓김치도 얻어다 먹는다고 자랑하면서 상경 횟수가 줄어들기 시작했다.

"미안합니다."

태경은 한 남자의 목소리를 듣고 문득 고개를 들었다. 허둥지둥 달려온 기색이 뚜렷한 젊은 남자가 다리를 걸게 된 통로 쪽 승객에게 인사하며 태경의 옆자리로 들어오는 것이었다.

순간, 태경의 눈동자가 그 남자의 얼굴에서 멈췄다. 그러나 태경은 자신의 시선을 눈치챈 그의 눈길이 다가올 때, 짐짓 전혀 알지 못한다는 듯이 고개를 돌려버렸다. 하지만 처음 본 그 남자의 낯익은 인상은 쉽사리 지워지지 않았다.

태경은 비 내리는 창 밖을 바라보았다.

기내 방송은 이륙을 안내하기 시작했다.

언제 만났지? 어디서 보았을까?

태경의 마음은 비 내리는 벌판에 나앉아서 불확실한 기억의 한 귀퉁이를 열심히 더듬기 시작했다.

"저어… 미안합니다… 제 안전 벨트가…."

남자가 이렇게 말했다.

태경은 이내, 그가 무엇 때문에 그런 말을 하는지 알아냈다. 얼굴이 화끈 달아올랐다. 허겁지겁 깔고 앉은 자리에서 흔적 없이 숨어 있던 그쪽 자리의 안전 벨트를 찾아냈다.

"죄송해요… 정말…."

태경은 자신의 무신경이 부끄러워져서 이렇게 더듬거렸다.

"아니요. 저두 가끔 그러니까요."

남자가 말했다. 부드럽고 따뜻하게 들리는 목소리였다.

태경은 다시 창 밖의 비 내리는 벌판으로 얼굴을 돌렸다. 마치, 어디서 본 듯한 낯선 남자의 목소리로부터 도망치듯이.

느닷없이 나타나면 놀랄 거야….

태경은 부적을 꺼내들 듯 남편을 생각했다.

찬수는, 직원 체육대회가 있어서 못 올라간다고 했다. 태경이 내려가겠다는 것도 말렸다. 와봤자 빈집에 혼자 있게 될 거라는 것이었다.

대체 부부라는 건 무얼까. 어떤 여자가 있어서 조석 뒷바라지를 하고 갈아입은 옷 빨아주고 잠자리 청소해 주면, '아내라는 여자'는 없어도 된단 말인가.

"신문 보시겠습니까?"

자신은 이미 신문 한 장을 들고 남자가 물었다.

"네…."

태경은 얼결에 대답했다. 그리고 문득 자신의 화장하지 못한 얼굴에 신경이 쓰여서, 태경은 그를 이내 외면하고 싶었다.

"이거 보시겠어요?"

그러나 그가 자꾸 말을 걸었다.

"아무 거나요."

"바꿔 보지요."

두 사람은 서로 다른 석간을 나눠 가졌다.

태경은 신문의 맨 뒷면 전체를 차지한, 때이른 냉장고의 천연색 광고를 구경하다가 사회면을 펼쳤다. 만화를 읽고, 커다란 제목을 훑었다. 사연에 빠진 남편이 내연의 처와 함께, 아내를 암매장한 기사를 읽었다. 죽은 아내는 마흔두 살, 살인자 남편은 마흔다섯이었다.

이럴 수도 있을까?

태경은 끔찍한 생각이 들어 신문을 접었다.

갑자기 창으로 햇볕이 침략군처럼 쏟아져 들었다. 태경이 놀란 듯, 창을 닫았다. 그리고 창 쪽으로 틀었던 자세를 바로 고쳐 앉았다. 사람들이 음료수를 받아들고 커피 향기는 벌써부터 기내로 솔솔 퍼지고 있었다.

태경은 반가움으로 커피를 시켰다. 옆자리의 남자도 그렇게 했다.

"여수에 사십니까?"

남자가 물었다.

"아니요. 여수에 사세요?"

"저두… 아닙니다."

남자가 흉내내듯 말했다. 태경이 웃었다. 그도 따라 웃었다.

"그럼… 친정이… 거기군요!"

남자가 친정이… 에서 태경의 눈치를 살피며 말했다.

"아니요. 틀리셨어요."

"아… 시댁이 있군요!"

다시 스무고갤 넘듯 남자가 말했다.

태경은 웃음진 얼굴로, 눈을 감고 고개를 저었다. 한 남자의 낯선 여자에 대한 상투적 상상력이 정말 우스웠다.

"그럼… 여행을 가시나요?"

남자는 이렇게 말하며 처음으로 자세히 중년 부인을 바라보았다. 귓등으로 흘러내린 머리카락과 뽀얀 귓밥, 그리고 볼과 콧날, 속눈썹과 검은 눈썹.

16

몇 살쯤 되었을까… 사별한 과부인지 몰라.

"여행 가세요?"

남자가 이런 생각 속에 잠겨 있을 때, 태경은 여전히 재미있어 하는 얼굴로 남자를 돌아보며 물었다.

"여행… 은 아니구요. 일이 있습니다."

"출장?"

"글쎄요. 일종의 출장이 되겠네요."

"'일종의 출장'두 있나요?"

"전 아직 출장이라구 생각해 본 적이 없어서요."

"회사에 다니시는 건 아닌가 봐요?"

"회사는… 회사라고 할 수 있겠죠. 몇 사람이 함께 일하니까."

"무슨 일인데요?"

"건축입니다."

"건축요? 집 짓는 거 말이죠?"

태경은 남자를 말끄러미 쳐다보며 물었다.

"그렇죠. 집이죠."

남자가 대답했다.

"그럼 건축가인가요? 설계하시는…."

"일종의 건축가죠."

남자가 말하며 웃었다. 그는 건축을 다만 '집 짓는 일'이라고 생각하는 여자에게 '건축가'라는 자기 소개가 웬지 민망했다.

"'일종의'란 말을 즐겨 쓰시네요?"

태경이 물었다.

"그렇습니까? 아마… 자신이 없어서 그렇지 않을까요?"

남자는 무엇을 설명하듯 말했다.

"전혀… 내숭처럼 들리네요."

"아니요. 정말 그래요."

17

남자가 웃으며 말했다.

그럴까?

어쩌면 나도 '일종의' 자신없는 여자는 아닐까? 하지만 처음 보는 젊은 남자와 스스럼없이 지껄이는 나는 또 무엇일까. 서로 모르고, 또 알 필요도 없기 때문에?

태경은 벌써 신문을 접어 주머니에 넣어두고 이런 생각을 했다.

잠시 후 착륙하겠다는 기내 방송이 들렸다.

뒤로 눕혔던 의자를 바로 올리는 소리가 여기저기서 들리고, 이제 내릴 준비를 하는 사람들의 기색이 냄새처럼 퍼졌다.

"건축가는… 예술가지요?"

태경이 갑작스럽게, 그러나 작은 목소리로 남자에게 물었다.

남자는 그 말에 잠깐 숨을 멈춘 표정이더니,

"아마 예술가일 때, 건축가는 행복할 겁니다."

라고 진지하게 대답했다.

태경은, 입술을 깨물었다. 건축가라는 남자의 말이 언뜻 이해되지 않았지만, 왠지 가볍지 않은 느낌이 끼쳤다. 태경은 오래 전부터 닫혀 있던, 그리고 잊고 있었던 창을 열었다. 흐린 날이 보였다. 비행기는 널뛰듯 바퀴를 땅에 던졌다.

죽지 않았네.

태경은 생각했다. 비바람 때문에, 암행하듯 남편을 찾아 나서는 죄로 추락사하는 게 아닐까 하는 불길한 예감에 시달리던 때가 생각나 불쑥 쑥스러웠다. 어쩌면 죽는 건 그리 쉬운 일이 아닐는지도 모른다는 생각이 들었다.

"어느 쪽으로 가세요?"

덕분에 즐겁게 왔다는 인사 끝에 남자가 물었다.

태경은 왠지, 대답하기가 어려워졌다.

"숙소는 정하셨어요?"

그가 다시 묻자, 태경은 네, 라고 짧게 대답했다.

그들은 사람들의 줄 속에 끼어서 나란히 섰다. 태경은 바로 뒤에 바싹 붙어 서서 천천히 움직이는 남자와의 아주 하찮은 부대낌에도 신경이 쓰였다. 그의 옷자락이나 숨결이 느껴질 때, 태경은 한 번도 경험한 적이 없는 이상한 느낌을 감득했다. 어색하고 쑥스러우며, 감미롭고 안타까운 감정이 바람이나 안개처럼 태경의 몸을 휘감았다고나 해야 할지.

대합실에서 어떤 사람들은 마중 나온 사람과 반갑게 만났다.

태경은 갑자기 뒤가 허전해지는 걸 느꼈다. 바로 뒤에서 걸어오던 그 발길이 느껴지지 않았다. 그런데도 태경은 뒤돌아볼 수가 없었다. 웬지 확인하기가 싫었다.

자신의 이런 터무니없는 기대나 안타까움이 얼마나 부질없는 것인가, 스스로에게 말하며 태경은 아주 천천히, 눈에 보이는 모든 것을 풍경처럼 스치듯 지나치며 택시 정류장으로 걸었다.

사람들의 감정 중에 아쉬움과 반가움만 크게 부풀리는 공항의 분위기는 이미 대합실 밖에서는 대기에 녹아버리듯 차라리 하찮았다. 태경은 '그 남자'를 잊었다.

그리고 남편을 생각했다. 괜찮을까? 화를 내진 않을까? 10여 년 함께 산 남편을 만나러 예고 없이 내려온 처지가 웬지 어색하고 부끄럽고 주눅이 들었다. 차라리, 어디 해변가에 가서 하루 묵다 올라갈까? 밤기차를 탈까?

"벌써 여기 오셨어요?"

태경은 귀에 익은 이런 말소리에 고개를 돌렸다. 담배를 입에 문 젊은 남자였다.

"잠깐 담배를 샀는데… 영원히 못 만나나 했습니다."

젊은 남자가 말했다.

아, 이건 무슨 뜻이지? 태경은 눈이 부실 때처럼 얼굴을 찡그렸다. 그러나 그는 지금 눈이 부신 게 아니라 가벼운 현기증을 느낀 것이었다.

19

"어디로 가세요?"

태경은 마치 방어막을 치듯 말했다. 그냥 말이라도 해보는 게 편해서였다.

"타시죠. 제가 모셔다 드리겠습니다."

젊은 남자가 태경이 차례의 택시 문을 열어주며 말했다. 문득 태경은, 이건 안 된다고 속으로 말하면서, 그러나 차 안으로 발을 얹었다. 택시 기사와 줄을 지어 기다리는 알지 못하는 사람들의 시선도 태경의 망설임을 허락하지 않았다.

이 남자는 누구지? 나한테 무슨 일이 일어나고 있는 거야? 내가 왜 터무니없는 친절에 질질 끌려다니지. 이 남자는… 사기꾼일까? 아니… 건축을 한다지 않았던가….

태경은 차창 밖의 풍경에 시선을 던진 채 이런 걷잡지 못할 생각에 시달리기 시작했다.

결혼한 여자라고 말할까. 내 나이가 마흔네 살이라고…. 혹시 내가 천한 구석이라도 보였던가?

"참, 어디 가신다고 하셨죠?"

젊은 남자가 물었다.

"저는… 여수 시청 쪽이에요…."

이렇게 대답하는 태경의 목소리가 떨렸다.

"아, 그러시군요. 전… 왜 그랬지? 내 생각만 하구…."

젊은 남자는 이렇게 자책감 섞인 목소리로 중얼거리며 팔목시계를 들여다보았다. 태경은 그가 시계를 보며 무언가 생각에 잠긴, 그 짧은 침묵 사이로, 남자를 훔쳐보았다. 깨끗하고 부드러운 모습. 아무래도 사기꾼이나 제비족은 아니었다.

"기사 아저씨. 저는 여천 안산동엘 가는데, 아무래도 제가 중간에 내려야겠지요? 공단 입구에서 갈아타면 되니까. 아저씬 이분 모시구 시청 쪽으로 가시고요…."

"그럽시다."

기사는 아무래도 괜찮다는 목소리로 대답했다.

"안산동이면… 거기에 선소가 있지요? 이순신 장군 어머니도 와서 살았다구…."

태경은 마치 연고지 얘기라도 되는 양 갑자기 반갑게 말했다. 그는 남자가 중간에서 내린다고 하자, 자신의 은근한 걱정이 헐겁게 해결되어 민망하고 개운하던 차에, 찬수의 기사가 관광지라고 한바퀴 돌며 설명해준 기억을 떠올린 것이었다.

"네, 제가 짓고 있는 별장에서 내려다보이지요. 이곳을 잘 아십니까?"

젊은 남자가 태경을 바라보며 물었다. 그러면서 지갑을 꺼내 택시비를 계산하고 명함 한 장을 꺼냈다.

"필요친 않겠지만…."

남자가 쑥스러운 웃음을 지으며 태경에게 건넸다.

"아니요."

태경은 자기가 하는 말이 무슨 의미인지도 모른 채 반갑게 명함을 받아들었다.

택시에서 만난 남자 호준은, 다른 사람들 속에 끼어 건널목을 걸어갔다. 태경은 명함을 쥔 채 멍한 얼굴로 호준의 걸어가는 모습을 바라보았다. 그러나 태경이 호준의 걸음걸이조차 제대로 살펴보기 전에 신호등이 바뀌고, 차는 냉정하게 달려나갔다. 태경은 숨이 막힌 듯 헉 소리내며 뒤를 돌아보았다. 그의 눈앞은 커다란 트럭에 가로막혔고 머지 않아 택시는 전혀 다른 풍경 사이를 달렸다.

태경은 명함을 들여다보았다.

어디선가 만난 적이 있는 것만 같은 젊은 남자의 친절과 관심 그리고 너무나 싱거운 헤어짐, 이 모든 것이 태경에겐 이해할 수 없는 경험이었다.

태경은 아직도 손에 들고 있던 명함을 다시 읽었다.

이걸 어쩌지?

가볍고 작은 명함 한 장이 지금 태경에겐 힘에 버겁고 너무 컸다. 그
래서 차창 밖으로 던져버릴까, 차 바닥에 떨어뜨릴까 하는 생각도 했지
만 그런 생각보다 더 질긴 힘으로 그는 명함을 가방의 속주머니에 숨겼
다.

여수는 흐린 날씨에 묻혀서인지 참하고 조용한 느낌이었다. 택시는 여
서동의 아파트 앞에서 멈췄다. 태경의 마음은 자꾸만 켕겼다. 그러나 그
는 습관처럼 엘리베이터를 탔다. 태경이 현관문을 열었을 때, 그는 맨 먼
저 여자의 검정 구두 한 켤레와 남자의 슬리퍼가 나란히 놓인 것을 보아
야 했다. 그것만으로도 태경은 피가 거꾸로 솟아, 하마터면 쓰러질 뻔했
다. 그때, 파출부가 분명해 보이는 30대의 여자가 현관 쪽으로 나왔다.
한 손에 걸레가 들려 있었다.

"누구세요? 혹시… 사모님 아니신가요?"

파출부는 자신의 짐작에 확신을 가지면서도 이렇게 확인을 했다. 태경
은 파출부라기엔 너무도 단정한 인상과 그 여자의 서울 말씨가 싫었다.

"네, 그래요. 아줌마가… 반찬 솜씨 좋다는 부인이군요."

그러나 태경은 자기 감정을 숨기고 이렇게 말했다.

"뭘요… 들어오세요. 예 거기가 안방이구요. 예 저긴… 화장실은 거기
예요…. 그런데… 이사님은 오늘 밖에서 식사하신대요. 기별 받으셨겠지
요…."

파출부는 느닷없이 나타난 '사모님' 때문에, 그리고 그런 사모님에 대
해 아무런 준비도 해두지 못한 것이 자신의 책임이라도 되는 양 어쩔 줄
을 몰라했다.

태경은 허드레 옷으로 갈아입고 손을 씻었다.

"… 저어 그래두 모르니까 회사에 전화 걸어보시지요. 사모님 오셨다
면… 빤한 바닥이니 어디 계셔두 연락이 될 거라구요. 저녁 준비를 안
해놔서…."

"괜찮아요. 김치는 있지요?"

"있기야 하지만…."

"그럼 됐어요. 객지에 나와서 그래두 입맛에 드는 반찬 얻어먹는 것두 행운이라구… 우리집 양반이 칭찬하시대요."

"이사님은 아침엔 밥을 안 드세요."

"신경 쓰지 마세요. 여기 어디 시장이 있겠지요. 슈퍼두 있을 거구…."

태경은 파출부를 돌려보낸 다음, 목욕을 했다. 그리고 찬찬히 마흔 평은 될 아파트의 구조를 살펴보았다. 대충 놓여야 할 가구들이 제자리에 있었고, 깨끗한 침대와 몇 개의 화분 그리고 옷장에는 50이 다된 남자의 옷이 있었다. 주방에도 웬만한 살림에 불편이 없을 만큼 여러 가지 요리기구와 그릇이 놓여 있었다. 냉장고에서 김치 냄새가 진동을 했다. 먹다남은 반찬들, 장조림과 나물 무침이 그대로 들어 있었다. 태경은 그런 것은 꺼내어 랩을 씌우고, 어떤 것은 버렸다.

비록 한 사람의 남자가 생활하는 데 불편함이 없게끔 배려된 공간이라 해도 태경에겐 한겨울의 빈잠방을 보는 것처럼 엉성하고 을씨년스러웠다. 그러나 지금 당장 태경의 숙련된 보살핌을 필요로 하는 것은 아무것도 없었다.

태경은 거실 유리문에 서서 밖을 내다보았다. 멀지 않은 곳에 바다가 보였다. 그리고 도심지의 불빛이 소박하게 빛나기 시작했다.

남편은 어디 있을까.

태경은 찬수를 생각했다. 여수엔 '원치 않는 홀아비'들이 많다고 했는데, 그 홀아비들과 어디서 무얼 하는지… 사람도 풀씨와 같아서 어디라도 날아가 때가 되면 뿌리를 내리게 되는지… 태경은 하늘이 맺어준 연분이라는 부부의 끈이, 사실은 얼마나 하찮은 것인가 하는 생각이 들자, 갑자기 등뒤가 너무도 허전해서 무섬증이 느껴질까 봐 마음을 곧추 먹었다.

찬수는 아내가 없는 집에 들어오길 싫어했다. 아내가 없으면 집 안이 쓸쓸하다는 것이었다. 그래서 태경은 친구를 만났다가도 해지기 전에 돌아오곤 했다. 자신을 잡아두려는 찬수의 욕심이 태경에겐 늙은 아이 투정처럼 여겨져 그다지 싫지 않았고 남자는 아내에게 으레 그런 사랑을 바란다고 믿었던 것이다. 그러나 지금 찬수는 투정 부리는 아이도 아니며, 아내 없는 빈집을 두려워하는 '사랑받는 남편'도 아니었다. 또한 '한마음 한몸'인 부부도 아니었다.

태경은 더 이상 낯선 도시의 살쪄가는 밤풍경을 바라볼 수 없었다. 그는 침대에 와서, 베개를 포개고 누웠다. 그러나 그는 백열등에 비친 침대머리, 흰 시트 위에서 반백의 머리카락 하나를 주워들었다. 부드러움보다는 까끌함이 더한, 남자의 머리카락이었다.

그래. 그이의 머리카락이야.

태경은 마치 혼이라도 잡은 양 머리카락을 가슴에 묻었다. 조금 전의 회의와 허망함은 다 어디로 가고, 지금은 그저 연민만이 출렁거렸다. 처자식 먹여 살리자고 머나먼 객지에 나와 외롭게 지내는 남편을 의심한 자기의 처신이 차라리 추잡스럽게 느껴졌다.

그리고 시간이 흘렀다. 태경은 문득 병처럼 고요한 집 안을 발견했다. 그는 서둘러 텔레비전을 켰다. 이때, 전화벨이 울렸다. 반갑고 당황스럽기도 했다. 하지만 저쪽은 서울의 전씨였다. 태경은 어머니의 노파심이 부담스러웠지만 천연덕스레, 김서방도 잘 있으니 걱정 마시라고 말하고 전화를 끊었다.

이날, 찬수는 자정이 가까워서야 돌아왔다.

태경은 문고리에 열쇠가 잘 들어가지 않아 한동안 딸그락거리는 소리를 들으며 안에서 문을 열었다.

"… 아… 아… 니 이게…."

태경이 문을 열자마자 찬수는 당황스럽고 낭패해서 이렇게 중얼거렸다. 그가 그렇게 중얼거리는 동안 태경은 찬수의 술냄새와 그리고 그의 뒤에 따라온 '아가씨'를 보아버렸다. 물론 아가씨도 한눈에, '사모님'이 분

24

명해 보이는 태경을 발견하고 짐짓 태연을 꾸미고 있었다.

이런 그들의 교감은 10초도 걸리지 않아 끝났다.

"당신이… 갑자기 웬일이지? 말두 없이… 미스 김 들어올래? 내가 취했다구 바래다주러 온 건데…."

찬수는 술김에도 가장 좋은 변명을 찾아냈다.

"들어오세요. 기왕 오셨으니까."

태경은 자신이 늙었지만 '주인사모님'이라는 사실을 잊지 않으려 애썼다. 그러나 이런 노력도 그의 시리고 쓰라린 마음과 그런 표정을 감추지는 못했다.

"들어와, 들어오라구. 괜찮아. 언니 같잖아?"

찬수는 술에 의지하고 아내의 인내심과 자존심에 의지하여 이렇게 말했다.

"들어오세요. 차나 한잔 하구 가요. 뭐가 있는지…."

태경은 말끝에, 나야 손님이니까… 라고 덧붙이고 싶은 걸 참았다. 그리고 주방 쪽으로 몸을 돌렸다. 그러나 그는 자신이 등을 돌리는 순간 찬수가 아가씨의 등에 손을 얹는 걸 투시안처럼 보아버렸다. 정신이 아찔했다. 아, 이럴 수가. 태경은 모멸감 때문에 차라리 이 순간 지구에서 사라지고 싶었다.

"이사님 전 그만 갈게요."

"괜찮다니까. 우리 언니는 얼마나 이해심이 많다구…."

'우리 언니…' 불성실한 찬수의 지칭에 태경은 참을 수 없는 모욕감을 느끼며 냉장고에서 주스를 꺼내고 두 개의 유리잔에 그것을 따랐다.

그들은 거실 의자에 앉았다. 아가씨는, 긴 의자에 다리를 벌리고 팔을 등받이에 걸치고 앉은 찬수의 맞은편에 다소곳이 앉아 있었다. 태경은 탁자에 주스 두 잔을 내려놓았다.

"드세요."

태경이 말했다.

"당신두 거기 앉지."

"사모님두 드세요."

그들이 태경에게 말했다.

"난, 방금 전에 마셨어요. 아가씬 집이 시낸가 보죠?"

"네…"

아가씨는 찬수의 눈치를 살피며 작은 소리로 말했다. 짧은 치마 밖으로 나온 다리는 길었고, 꼬불거리는 긴 머리는 어깨에 흘러내렸고, 등을 굽히지 않아도 젖무덤이 훤히 들여다보였다.

"당신은 집을 비워두 돼?"

찬수는 담배 연기를 뱉어내며 아내를 경멸하는 목소리로, 약점을 잡힌 제왕이 신하에게 거드름을 피우듯 말했다. 태경은 아무 말도 할 수 없었다. 그는 앉을 수도, 그대로 서 있을 수도 없어서 고통스러웠다.

잠깐 동안 무겁고 잔혹한 침묵이 흘렀다.

답답하고 고통스럽긴 아가씨도 마찬가지였다.

잠시 후에, 아가씨가 벌떡 일어섰다. 그는 인사도 없이 현관으로 나가 신발을 신었다. 높은 굽이 시멘트 바닥을 때리는 소리가 경멸처럼 퍼졌다. 찬수가 자리에서 일어섰다.

찬수가 태경의 존재를 전혀 느끼지 못하는 사람처럼 현관 밖으로 달려나간 다음, 태경이 그런 사실을 현실감으로 받아들이기까지는 약간의 시간이 필요했다. 태경은 아가씨가 나가고 잠시 후 찬수가 따라나갔음에도 불구하고 그 두 사람 사이의 시차를 하나로 묶어 생각하는 데 아주 둔감한 반응을 보였다.

그러나 곧 그것의 의미를 깨닫는 순간, 사람에게 생각과 행동을 따져보게 하는 이성이라는 것이 마비되었다. 태경은 태풍처럼 달려나갔다. 그는 한밤중에, 현관문을 열어젖혀 둔 사실도 알지 못했다.

태경은 순식간에 아파트 마당에 섰다. 드물게 거리에 달려 있는 보안등은 마당의 어둠을 전혀 걷어내지 못했다.

어디 있지?!

태경은 살쾡이 같은 눈으로 어둠 속을 훑었지만 그들의 모습은 보이지 않았다. 순간 그의 발은 끝없는 절망 속으로 빠져들어갔다. 아, 이제 세상은 어떻게 되는 거지…. 태경은 그 자신도 모르는 사이에 짐승 같은 신음을 내었다. 그러다가 그는 아파트 정문 밖으로 보이는 길가의 가로등 밑에 붙어 있는 결코 헤어지기 싫은 모습의 두 사람을 발견했다.

태경은 꿈 속에서처럼 발이 떨어지지 않아 마음만 졸였다.

그는 가로수 옆에 택시가 멈추는 장면을 보았다. 한 남자가 한 여자를 차에 태워 배웅하는 것도 보았다. 그리고 홀로 된 남자가 천천히, 공허하게 이쪽으로 걸어오는 장면도 지켜보았다.

공허한 남자는 어둠 속에 발이 박혀 있는 자신의 아내를 알아보지도 못하고 스쳐 지나갔다. 살아 있는 사람끼리라도 감정이 닿지 않으면 물체가 되고 말았다.

어둠 속에 얼마나 서 있었을까.

절망과 분노가 어둠을 녹여, 태경의 발을 해방시켰는가. 태경은 천천히 무언가에 떠밀리듯 집으로 들어갔다.

그 사이 집으로 들어갔던 찬수는 아내가 사라진 걸 알고 밖으로 나오다가 태경과 마주쳤다.

"나갔었어!"

찬수가 현관으로 들어서는 태경에게 위협적인 목소리로 소리쳤다. 태경은 아무 말도 하지 않았다. 찬수는 현관문의 보조 장치까지 걸고 들어왔다. 태경은 의자에 주저앉아 한 손으로 이마의 살이 벗겨지도록 움켜잡고 있었다. 찬수는 아내의 눈치를 살폈다. 심사가 보통 뒤틀린 게 아니라고, 그는 아내를 바라보며 생각했다. 그렇지만 뒤틀린 걸 풀어주고 싶지는 않았다. 조강지처가 남편을 내탐하러 느닷없이 나타난 소행은 아무래도 괘씸했다. 아내가 이런 따위의 천한 행동에 길이 들어서는 안 된다는 게 그의 생각이었다.

찬수는 갈아입을 속옷을 들고 화장실로 들어갔다.

그가 목욕을 끝내는 시간은 길지 않았지만 기분은 썩 개운했다. 그는 아내도 미스 김도 잊었다. 시원한 맥주 한잔을 마시고 침대에 눕고 싶었다.

"당신두 마실래?"

찬수는 아직도 석고처럼 한 가지 모습으로 굳어 있는 아내에게 일상적인 목소리로 물었다.

태경의 모습은 한겨울 저녁 같았다. 그러나 찬수에겐 그런 형상이 다만 속 좁은 여자의 심통처럼 보였다. 그는 자신이 한 모금에 비운 술잔에 맥주를 따라서 아내 앞에 디밀었다.

"마셔! 시원하구 좋네!"

찬수가 말했다. 그리고 그는 하품을 했다. 하품을 하면서, 아아 내일 아침 골프를 어떡하나아… 하고 혼잣말을 중얼거렸다. 그때, 태경이 자신의 얼굴 앞에 있는 술잔을 손으로 쳤다. 무방비 상태이던 찬수의 헐거운 손아귀에서 술잔은 함부로 마룻바닥에 떨어지고 술과 유리 조각이 사방으로 흩어졌다.

"미쳤군."

찬수가 낮디낮은 목소리로 뱉었다.

그러자, 얼어붙었던 겨울이 한순간에 몸을 풀었다.

"미쳤다! 이렇게 미쳤어!"

태경이 짐승처럼 소리쳤다.

찬수는, 정말 어처구니없는 아내의 비이성적인 도발에, 일단 참기로 했다. 우선 밤이 깊었고, 주위 사람들에게 자신의 체면도 지켜야 했기 때문이었다.

그는 잠시 깨어진 유리잔을 바라보다가, 그런 광경을 능멸하듯 아무것도 보지 못하는 사람처럼 천천히 방으로 들어갔다. 그는 잠옷으로 갈아입고 침대에 누웠다. 하지만 그가 몸을 채 다 눕히기도 전에 닫히다 만

문짝이 열어젖혀지며 태경이 무섭게 일그러진 얼굴로 나타났다.

"남편이 뭐야! 날 이렇게 모욕해두 되는 거야! 나는 모욕해두 괜찮은 인생이야?! 내가 어떻게 살아왔는지 몰라? 십수 년을 쓰던 물건이라도 이렇게 천대할 수는 없을 거야! 나도 인격이 있는 사람이라구!"

태경은 거품을 물었다. 찬수는 태경을 잠깐 노려보다가 문득 떠오르는 생각에 잠겼다. 그는, 미친 개는 우선 입에 재갈부터 물려야 한다고 생각했다. 아내가 더 악머구리로 짖어대기 전에. 치미는 대로 마구 뱉어대기 전에.

"조용히 해. 여긴 아파트야."

찬수가 무섭도록 고요한 목소리로 말했다. 하지만 태경은 여느 때처럼 겁먹지 않았다. 이상했다.

"너 맘대로구나. 넌 하구 싶은 대루 막 뱉구… 난… 난 뭐야. 니가 언제 날 사람으로 취급했니?! 개새끼…."

마귀 같은 표정의 태경이 찬수를 노려보며 소리쳤다.

찬수는 더 이상 참을 수 없어서, 이런 상황을 오래 방치하는 것은 가장으로서 옳지 않기 때문에, 아내의 뺨을 힘껏 갈겼다. 아내의 얼굴은 자동 인형처럼 맥없이 휙 돌아갔다.

"입 가졌다구 말 함부로 하지 마."

찬수가 말했다. 여전히 고요한 목소리였다. 그리고 그는 또 한번 다른 쪽에서 아내의 뺨을 갈겼다.

태경은 힘없이 픽 쓰러졌다.

찬수는 기분이 언짢았다.

젊은 여자를 데려왔으니, 불쾌했겠지….

찬수는 쓰러진 아내를 내려다보며, 처음으로 아내의 입장에서 아내를 이해해 보았다. 그러나 그는 지금 아내가 흘리고 있는 코피는 보지 못했다.

그는 침대에 누울까, 이불을 꺼내어 다른 방으로 갈까, 잠시 망설였다.

태경은 고개를 젖혔다. 입으로 코피가 넘어왔다. 태경은 경황 중에도 이것을 삼켜야 할지, 뱉어야 할지 생각했다.

찬수는 침대에 눕고 있었다. 이런 선택은 사실, 전혀 내키지 않는 것이었으나 그는 여러 가지를 고려해서 그렇게 했다. 그러다가 그는 자연스런 시선의 방향 때문에 아내가 흘리고 있는 붉은 피를 보았다. 머리맡에 놓인 휴지통에서 휴지를 두어 장 뽑다가, 통째로 던져주었다.

"닦어. 미련 떨지 말구. 당신 손해야."

찬수가 어느새 술기운이 가셨는지 일상적인 목소리로 말했다. 그는 태경의 앙칼진 짓거리가 한편 우스웠다. 코피를 마냥 흘리고 앉아 있는 건, 아무래도 유치하게 보였다.

태경은 찬수의 습관 같은 친절에 냉담했다. 그는 휴자통이 앞에 놓이자마자 발딱 일어나 화장실로 갔다. 그가 앉았던 자리와 그리고 걸어가는 대로 핏방울이 떨어졌다.

여자는 양순해야 한다…. 찬수는 언젠가 아버지가 하던 말을 기억했다. 그리고 그는 벽을 향해 돌아누웠다. 아무 잇속도 없는 까탈을 만드는 아내의 어리석음이 자꾸만 신경에 걸렸으나, 더 이상 생각하지 않기로 했다. 아내라는 동물은 아마 어떤 시기부터는 성숙을 멈추는 속성을 갖지 않았을까? 찬수는 이런 생각도 했다. 세상이 어떻게 돌아가는지, 남편이 어떻게 일해서 돈을 버는지, 남자의 외로움이 무엇인지… 어느 것 하나 헤아릴 능력도 갖추지 못한 것이 '조강지처'였다. 십수 년을 함께 살았다지만 '대화'라는 게 되지 않았다. 밥 먹었느냐, 술을 마시지 마라, 일찍 들어와라, 생활비가 딸린다, 누구는 남편에게 어떤 선물을 받았다더라, 아이들이 이러저러하다, 시숙과 동서는 이렇다저렇다….

아내라는 건 작은 집안일밖에 모른다. 그런 주제가 확실하니까, 집 밖의 남자 세상에 대해 간섭할 자격이 없다.

찬수는 이런 생각을 하다가 슬그머니 잠이 들었다. 그는 낮고 밭은 소리로 코를 골다가 잠잠해지곤 했다.

태경은 창백한 자신의 얼굴을 보았다. 세수를 하고 틀어막은 왼쪽 콧구멍에선 더 이상 피가 흐르지 않았다.

태경은 왼쪽 뺨이 부어오는 걸 알아보았다. 그는 뺨을 만졌다. 손이 가볍게 닿아도 통증이 느껴졌다. 태경의 목구멍에서 흐느낌이 흑, 하고 넘어왔다. 눈물이 눈시울을 뜨겁게 적시며 흘러내리기 시작했다. 저 가슴 밑바닥, 태경이 살아낸 십수 년의 결혼생활 갈피갈피에서 분노가 연기처럼 피어올랐다.

나는… 최선을 다했다.

남편과 시집 식구들에게 나를 낮추고 나로 인한 분란이 일지 않도록 조심했다. 한 번도 낭비한 적이 없다. 친구들이 헬스 클럽을 다녀도, 나는 그렇게 나다니지 않았다. 자동차도 사지 않았다. 아, 나는 저 남자만을 위해 살아왔다. 이렇게 살면 남편이 곧 내가 되는 줄 알고…

태경은 거울 속에 비친 처량한 바보에게 이렇게 말하며 울었다.

이날, 태경은 결국 거실의 소파에 웅크리고 동냥잠을 잤다.

태경은 잠 속에서 날카롭게 떨리는 금속성을 들었다.

누가 왔나? 전화소린가? 시계일지 몰라…

태경은 흡사 늪 같은 잠 속에서 이런 생각을 했다.

"아, 박 지점장. 접니다… 정신없이 잤어요… 글쎄, 내리 잘 뻔했네요 … 날은 괜찮지요? 비 오면 술이나… 그럽시다. 곧 나갈게요. 그때 뵙겠습니다."

태경은 이런 말소리를 들으며 잠에서 깨어났다. 어슴푸레하던 방 안은 잠이 깰수록 훤하게 밝아 보였다.

태경은 습관적인 기계적 동작으로 일어나 앉았다. 찬수는 부산하게 움직이고 있었다. 태경은 벽시계에서 5시가 된 것을 알았다.

"당신 어떡할 거야. 난 기관장들하구 골프 나가는데."

찬수는 옷을 입으며 아직도 잠들었던 소파 한 귀퉁이에 유령처럼 앉아 있는 아내에게 말했다.

태경은 입이 떨어지지 않았다. 그는 왼쪽 볼을 손으로 감싼 채 탁자 위에 시선을 박고 있었다.

찬수는 그런 모습의 아내가 싫었다. 아내가 물건이라면, 그는 지금 당장 쓰레기통도 아닌 먼 밖으로 내던졌을 것이다. 그러나 아내는 물건이 아니었고 아내가 품고 있는 독기의 근원이 자신에게 있을지도 모른다는 생각을 어렴풋이 가졌으므로, 그는 짜증을 일단 참았다.

"돈 있어?"

찬수가 나갈 채비를 끝내고서 말했다. 그리고 그는 시선도 주지 않는 아내에게 10만 원짜리 수표 두 장을 꺼내 탁자 위에 놓았다.

"노조놈들 때문에 머리가 터질 지경이야. 당신이 그런 거나 알겠어?"

찬수는 현관으로 걸어나가며 커다란 목소리로 말했다. 지난주 초에 한 달 반이나 끌던 노사 협의가 매듭이 지어졌지만, 골수 '빨갱이' 같은 놈들은 아무래도 솎아내야겠다는 것이 그의 생각이었다.

그는 아내가 이해하든 말든, 자신의 가장 어려운 일을 내세움으로써 아내의 성깔을 무디게 할 작정이었다. 그러나 그는 아내의 반응을 살피지 못했다. 우선 시간이 없었다.

"아줌마 올 거야. 오동도나 가보든가."

찬수는 여전히 붙박여 있는 아내에게 이렇게 말하고 현관을 나섰다. 아내란 존재는 정말 '필요악'인 게 분명하다고 생각하면서.

현관문이 덜컹 소리내며 닫힐 때, 태경은 비로소 자기 자신이 무거운 시간 속에 갇힌다는 걸 깨달았다. 이런 건 안 돼. 태경의 가슴속에서 절박한 목소리가 부르짖었다. 그러나 그는 여전히 붙박인 모습 그대로였다.

태경은 멀어져가는 발소리, 그리고 저 밑 어딘가에서 들리는 듯한 자동차 시동 거는 소리도 들었다. 이제, 어쩌면 무엇인가를 빠뜨려서 허둥지둥 돌아올지도 모를 것 같던 남편에 대한 허황한 기대는 지워야 했다.

마침내 태경은 혼자가 되었다. 남편은 '기관장'들과 필드에 있을 것이고 자신은 남편의 의지대로 여기 있는 것이었다. 남편의 감정과 기분 그리고 생각에 따라 살아가고, 살아가야 할 것이다. 그가 모욕하면 모욕을 당하고, 그가 때리면 맞았다. 그리고 남편은 자기 기분대로 할말을 다하고, '필드'로 떠났다.

그러면… 나는, 나, 나는 뭐지? 나는 사람이 아닌가? 내가 인간의 탈을 쓴 벌레와 다를 게 뭐야? T산업의 이사 부인. 그게 난가? 그런 명함이 내 존잰가? 그러나 그것도 남편이 나를 버리면 써먹을 수 없는 명함이 잖아. 아무때나 버릴 수 있는 존재. 갈아입을 수 있는 옷. 음식 잘하는 파출부와 젊은 여자가 있으면 그다지 필요치 않은, 아내라는 여자. 그게 난가? 그래도 아이들 때문에… 그래, 난 보몬가?!

태경은 어지러웠다. 머리가 깨어질 것같이 쑤셔대었다. 진통제를 먹어야겠는데, 약을 사러 밖으로 나가기가 싫었다. 그는 문득 '수면제'를 생각했다. 아, 이럴 때, 사람들은 수면제를 먹겠지….

태경은 자리에서 일어섰다.

침대는 찬수가 자고 나간 모양 그대로 있었다. 태경은 그곳에 들어가 눕고 싶지 않았다.

태경은 비행기 시간을 알아보았다.

30분 안에 오시면 자리는 있다고 안내원이 말했다. 그러나 그건 불가능했다. 태경은 수화기를 내려놓으며 다섯 시간의 기차 여행을 생각했다. 달리는 기차 속에서 '모든 것을' 정리해 보고 싶었다.

태경은 서울집에 전화를 했다.

"엄마야? 아빠랑 같이 있어?"

둘째 소영이가 굴러가는 목소리로 반가워했다.

"오빠두 잘 있지? 외할머니두? 아침 먹어. 엄만 저녁 때 도착할 거야. 기차 타구 갈게. 아빤 골프 치러 갔단다. 그래, 잘 있어."

태경은 딸 소영이와 통화를 하고 나자 기분이 한결 가벼워졌다. 아직은 나를 필요로 하는 자식이 있다는 게 위안이 되었다.

태경은 더운물을 욕조에 가득 받아놓고 그 속에 몸을 담그었다. 다시 남편 생각이 떠올랐다.

뻔뻔스런 이기주의자.

언제나 잘난 남자….

새록새록 욕이 치밀었다.

태경은 머리를 감고 이빨도 닦았다.

거울 앞에 앉았다.

창백하고 어두운 표정의 얼굴이 보였다. 탄력을 잃은 살은 이마로부터 흘러내려 조금씩 늙은 표정으로 바꿔놓았다.

태경은 거울 속의 여자를 인정하고 싶지 않았다. 그는 손바닥으로 얼굴을 가렸다.

싫어!

태경은 속으로 외쳤다.

가슴이 자꾸 울먹거렸다. 손가락 사이로 눈물이 스며 내렸다.

난… 이렇게는… 싫어! 정말 싫다….

태경은 재처럼 그 자리에서 허물어졌다. 그는 바닥에 엎드려 오래도록 흐느꼈다.

늦봄

태경은 수정과 약속을 했다. 수정은 우체국 맞은편의 자매식당에서 계를 하는데, 와서 세 몫 든 자기 밥을 먹자는 것이었다.

태경은 시계를 보았다. 10시 5분이었다. 그는 오늘 외출할 생각이 아니었다. 수정을 집으로 불러 여수에서 일어난 일을 의논하고 싶었던 것이다. 그는 여수에서 돌아온 즉시 며칠을 내리 앓아 누웠다. 몸살도 아니고 감기도 아닌데 춥고 기운이 없었다. 밥도 먹히지 않았고 깊은 잠도 들지 못했다.

전씨는 딸이 아무래도 이상스러워서 무슨 일이 있었느냐고 물었지만, 태경은 '고단해서' 그런다고 얼버무렸다. 그러나 전씨는 맘이 편치 않았다. 김서방은 별일 없느냐고 여러 번이나 이참저참 짬 보아 떠보았으나 태경은 그때마다 회사일이 무척 바쁘더라고만 말하고 지나쳤다.

태경은 부시시 뜬 머리를 틀어올려 핀으로 고정시켰다가 다시 풀어헤치기를 몇 번이나 했다. 풀어헤치면 청승맞아 보이고 틀어올리면 너무 늙어 보였다. 귀찮아서 머리에 물을 대지 않으려던 마음을 고쳐먹고, 머리를 감았다. 시들었던 퍼머 기운이 살아나서 인상에 생기를 주는 것 같았다. 눈두덩엔 넓게 갈색을 칠하고 눈꼬리가 위로 올라가 보이게 선을 그었다. 어색했다. 몇 번 지웠다 다시 그렸으나 결국엔 예전처럼 한 둥만 둥 살짝 아이섀도만 칠하고 그만두었다. 입술도 슬쩍 문질렀다.

화장을 잘해야겠어. 눈이 중요해.

태경은 손가락으로 머릿속을 털어 말리며 생각했다. 제대로 되지 않은 화장이라도, 화장에 몰두할 땐 아무것도 몰라서 좋았다. 머리 손질을 하고 입술칠을 하고 나니까 기분도 상큼해졌다. 태경은 옷장에서 입고 나갈 옷을 골랐다. 세일할 때마다 한두 벌씩 사들인 옷이지만 선뜻 맘에 내키는 게 없었다. 원피스는 아랫배가 너무 튀어나와 보였다. 투피스로 갈아입었다. 국민학교 선생님 같아서 싫었다. 결국 치마와 블라우스에 재킷을 걸쳐 중년의 몸매를 감추었다.

"어디 갈래?"

우울한 목소리로 전씨가 물었다.

"수정이랑 점심을 먹기루 했어요. 저녁 장 봐가지구 올게요."

"그렇게 차리니… 아직두 한창 나이다…"

전씨가 말했다. 마흔네 살의 딸이 화창하게 웃는다고 웃는데 웃음 속에 그늘이 주름살처럼 밀리었다.

"어머니, 한창 나이가 뭐예요?"

태경은 신을 신다 말고 전씨에게 물었다.

"그게 궁금하니?"

전씨는 궁금증 많은 어린 딸에게 말하듯 물었다.

"난 그런 말 처음 듣는 것 같아서…"

태경이 씩 웃었다. 그리고 신발을 마저 신었다.

"다녀올게요. 맛있는 거 다 찾아 드세요."

"알았다. 늦지 말구."

전씨는 '예쁘다'라고 말하고 싶었지만 웬지 입 밖에 내기가 겁났다. 제 새끼 예쁘지 않은 어미가 없다는 심정과는 달랐다. 그는 현관 밖까지 나가 딸이 걸어가는 모습을 한동안 지켜보았다. 누렇게 뜬 얼굴로 싸고 누운 것보다 천번 만번 보기 좋았다.

36

볕바른 쪽 목련은 그예 꽃망울을 터뜨렸고 비에 씻긴 거리와 집은 해맑아 보였다.

태경은 햇살에 머리가 흔들리는 걸 느꼈으나 이내 진정이 되었다.

자매식당은 지하에 있었다. 거침없이 얘기하고 웃는 소리가 무더기로 문을 밀고 계단까지 터져 나왔다. 태경은 마치 빨려들 듯 그 속으로 들어갔다. 한때, 지접기만 해서 물들까 겁내 하던 아줌마들의 수다 속으로.

수정이 먼저 태경을 알아보았다.

"좀 빠졌나?"

수정은 태경을 살펴보며 말했다.

"야위었니? 그렇게 보여?"

태경은 가볍게 물었다.

"좀 그래. 여수는 잘 다녀왔구?"

"글쎄."

태경은 심드렁하니 대답하고 수정의 맞은편에 앉았다.

"몸이야 개운하게 풀었겠지? 히히히."

수정은 얼굴을 바짝 태경에게 대고서 응큼한 목소리로 물었다. 순간, 태경은 자신도 모르게 얼굴을 찡그렸다.

"뭐 먹을래?"

수정은 아무것도 모른 채 즐거운 기색이었다. 태경은 돌솥밥을 시켰고, 수정은 밥이 나오는 사이에 곗군들과 제비 뽑기를 하고 곗돈도 챙겼다.

"저 여자 머리 괜찮다."

수정이 밥을 먹으러 자리에 와 앉자마자 태경이 말했다.

"빨간 재킷?"

"아니 그 옆에, 회색 투피슨가?"

"그래 그래. 자연스럽네. 좋아 보이니? 너두 그렇게 하려무나. 어울릴 거야."

"나 같은 아줌마가 뭐."

"이건 허구헌날… 그러지 말랬지? 자기를 낮춰봤자 바보되는 건 너 자신이라구. 얼굴 보니까 여수도 잡친 거 같다야."

수정은 미끼를 던지듯 태경의 눈치를 살피며 말했다.

"남잔… 지저분한 동물 같애."

태경이 불쑥 뱉었다.

"여자 생겼니?"

"몰라."

"말해 봐. 친구 좋다는 게 뭐냐. 속으루 골병 들면 암으로 죽어요. 직사하게 고생하다가. 알겠니?"

"자궁암으루만 안 죽어두 좋겠네."

"말하는 꼬라지두…."

태경과 수정은 1시 30분쯤 자매식당에서 나왔다. 그들은 근처의 카페에 들어가 커피를 시키고 마주앉았다.

"무슨 일 있었니?"

수정은 조심스럽게 물었다.

태경은 고개를 떨구고 아랫입술을 깨물었다.

수정은 여전히 조심스럽게 친구의 가슴이 열리기를 기다렸다.

"싸웠어."

이윽고 태경이 어둡고 우울한 목소리로 말했다.

"그랬구나…."

수정은 이미 알고 있었기나 한 듯 나직이 중얼거렸다. 마치 예정되어 있던 일을 확인이라도 한 듯이.

남자라는 게 그렇지. 한 지붕 밑에서 밤마다 살 대고 살아도 어느 사이에 외도를 하는데… 수백 리 떨어진 곳에 혼자 있으니….

수정은 고개를 수그리고 있는 태경을 건너다보며 이런 생각을 했다.

"어떤 여자야? 같은 회사 여직원은 아니디?"

38

수정이 짜증스런 목소리로 물었다.

"다방 레질 거야."

"다방 레지야? 아이 그런 건 괜찮다 야. 다방 레지라는 게 일종의 상품
인데 하루 사는 건 괜찮지 않니? 객고 푼다구 그러잖니. 남자들 말루 말
이야. 내가 보기엔 신경 안 써두 되겠다. 살 만큼 산 조강지처가 그런 건
이해해야 된다 너. 안 그래?"

수정이 수다스럽게 말했다. 태경은 얼굴을 들고 수정을 빤히 바라보았
다. 수정의 말은, 듣기엔 그럴 듯도 하나 현실을 제대로 들여다보지 못한
사람의 해설 같아서 가슴에 닿지를 않았다. 다방 레지가 왜 하찮아야 하
는지, 그리고 모처럼 내려온 아내를 방에 두고 그 여자를 뜨겁고 애틋하
게 배웅하던 장면을 그저 객고 풀이라고 봐야 하는지, 태경은 이해할 수
가 없었다. 그러나 자신의 이런 기분을 수정에게 설명하고 싶지는 않았
다.

"신경 쓰지 마. 알았지? 남자들 말이야. 접객업소 여자들을 심심풀이
로 돈 주고 산다고 생각해. 아내는 그저 병이나 안 옮기만 바랄 수밖에
없어. 안 그래?"

수정의 자신에 찬 말에 태경은 쓰게 웃었다.

"자긴 잤냐?"

수정이 짓궂게, 아까부터 궁금했던 것을 겨우 이제야 물었다. 부부라
는 건 아주 묘해서 티격태격 다투다가도 한바탕 뒤섞여 땀을 흘리고 나
면 가시 돋힌 심정도 비단결같이 된다는 게 그의 평소 생각이었다.

"한 번… 했니?"

수정은 벙어리 시늉만 하고 있는 태경이 답답해서 다시 물었다.

"따루 잤어."

태경은 낮고 차가운 목소리로 대답했다. 태경의 말이 끝나기 무섭게
수정이 때릴 것처럼 팔 하나를 추켜들었다.

그래도 태경은 수정을 생각 없는 표정으로 바라보았다. 수정은 태경의

그런 낯선 얼굴을 뒤늦게 알아보았다.

"난 애 어디 가구 싶다!"

갑작스럽게 태경이 말했다.

"너 같은 앤 갈 데두 없다. 그런 아줌마 행색으루 갈 데라군 시장밖에 더 있냐? 멸치 사러 중부시장 갈래, 인삼 사러 경동시장 갈래. 아니면 생선 사러 노량진 수산시장으루 갈래. 한 군데 또 있지. 마장동 고기시장."

태경은 수정의 넉살이 우스웠다. 차라리 우스운 게 좋았다. 수정이라도 있다는 게 얼마나 다행인지.

"정말 어디 가구 싶니?"

수정이 짐짓 진지한 얼굴을 하고 물었다.

"그렇다니까."

태경은 숨도 안 쉬고 대답했다.

수정은 태경을 바라보며 나름대로 이해한다는 표정으로 고개를 끄덕거렸다.

"홧김에… 그렇지… 홧김에 서방질하겠다는데야 뭐…."

수정이 중얼거렸다.

태경은 수정의 그런 표현이 마땅찮았으나 아무 말도 하지 않았다. 수정은 고개를 한쪽으로 갸웃한 채 숫된 태경을 어떻게 다뤄줘야 할까 궁리했다.

"난… 이 머리… 이걸 어떻게 하구 싶어."

태경이 자신의 머리를 만지며 말했다. 별특징 없이 목에 닿는 퍼머 머리였다.

"그래. 그거다! 우선 미장원에 가서 머리 모양을 바꾸자. 좋은 생각이야. 기분이 달라질테니깐. 잠깐 기다려. 나 우리 아줌마한테 저녁 반찬 좀 시키구 올게."

수정은 10원짜리 동전을 챙겨들고 일어섰다.

"머리 제대루 할려면 시내루 나가야 해. 이 머리 만지는 것두 기술만

가지구 안 된다. 전문가다운 안목이 있어야지. 왜 여성지에 나오는 헤어
디자이너들 있지? 거기 가서 얼굴형에 맞게 해달라구 맡기는 거야. 우아
하게, 아니면 젊고 발랄하게. 주문만 하면 된단다."

전화를 걸고 온 수정이 말했다.

"비쌀 거 아니니."

"야, 비싸봤자 너희 남편이 다방 레지한테 주는 팁만 하겠니? 그럼 너
동네서 할래? 지금 같은 그 모양으루?"

"시내루 가자!"

"진작 그래야지."

수정은 앞장서 걸으며 말했다.

"우리가 지금 몇 살이니? 곧 50 되는 거 몰라? 머리 좀 제대로 했다구
이혼당하지 않아."

택시를 타자마자 수정이 다시 태경을 세뇌시키기 시작했다.

"얘! 누가 이혼당하니? 난 그렇겐 안 산다!"

태경은 지나치게 펄쩍 뛰었다.

"아저씨, 차 잘 빠지는 쪽으루 가세요. 우리 롯데 쪽에서 내려두 되고
요, 충무로나 퇴계로 쪽두 괜찮아요."

수정이 운전 기사에게 말했다. 그리고 그는, 이렇게 길이 막히기 때문
에, 주차도 마땅찮기 때문에 차가 있어도 이용하지 못할 경우가 있다고,
기사 들으라고 말했다.

"그래. 너 그 여잔 봤어? 레지 말이야."

수정이 작은 소리로 물었다.

태경은 눈살을 찌푸리며 고개를 끄덕거렸다.

"보나마나 일회용일 거야. 근우 아버지두 나이가 있으신데…"

수정은 오로지 태경을 위로하기 위해 이렇게 말했다.

태경은 수정의 그런 마음을 읽었다. 그러나 위로가 되진 않았다. 만약
… 다방 레지가 일회용이었다면, 찬수는 그 여자를 따라나가선 안 될 것

이었다. 그렇게 애틋한 배웅을 할 수도 없었을 것이다. 하지만 태경은 수정에게 그런 얘기까지는 차마 해줄 수가 없었다. 그건 남편의 얼굴에 침을 뱉는 것일테니까. 침 뱉어 마땅한 남편과 살고 있다는 걸 까발리기가 죽도록 싫어서. 남편에게 철저히 무시당하고 있다는 걸 친구가 알면, 너무 처참해지니까…. 그래서 태경은 다만 우울한 낯빛으로 입을 다물고 있었다.

"그래두 비행기에서 친절한 남잘 만났단다."

태경은 전혀 준비도 없이 불쑥 말했다.

"뭐라구 그랬니? 난 잘 못 들었다 얘."

수정이 물었다.

그러나 택시가 미도파 앞에 닿았기 때문에 결국 그는 명동 지하도에서 태경의 말을 들을 수 있었다. 태경은 비행기에서 만난 '어떤 남자'에 대해 생각나는 대로 설명했다. 노총각인 게 틀림없는 남자가 자기에게 끝없이 친절을 베풀었으며, 방향이 다른데도 합승까지 했다….

태경은 거의 한 시간 반 동안 일어난 일 중에서, 자신의 경험들로 받아들이는 부분들만 3, 4분 동안 얘기했다.

"괜찮다. 그거 정말이니?"

"정말이라니깐."

"너 그날 무슨 옷 입구 갔니? 다이아 끼구 갔었니?"

"아니."

"그런데 너한테 특별한 관심을 보였단 말이지?"

"그렇다니깐."

"확실히 제비는 아니구?"

"제빈 야. 건축가라는데."

"건축가? 그게 뭐야?"

"건축가두 몰라? 집 짓는 사람. 아니 설계하는 사람인가? 나두 잘 모르겠네."

"확실해?"

"명함두 받았어."

"어디 보자."

"그래, 볼래?"

태경은 걷다 말고 손가방을 열었다. 그러다가 자기가 가방을 바꿔 들고 나온 걸 깨닫고 크게 실망했다. 실망이 크기는 수정도 마찬가지였다.

"총각이라구?"

"그래. 총각 같애."

"잘생겼어?"

"글쎄. 난 똑바루는 못 봤는데… 아니 잘 봤지… 어디서… 처음에 비행기루 올라왔을 때, 꼭 어디서 본 듯하더라구… 어디서 보았을 리가 없거든… 그런데 이상하게 얼굴이 아리송하네."

태경은 말하고 나서 애매하게 웃었다. 자신의 말이 아무래도 앞뒤가 맞지 않아서였다.

"야. 여행을 다니면 그런 일두 생기는구나. 영화 좀 봐라. 처음에 눈이 맞는 장소가 다 어디디? 안 그렇니?"

수정은 태경을 툭툭 치며 말했다.

태경은 눈을 흘겼다. 수정의 '눈이 맞았다'는 표현은 옳지도 않을 뿐 아니라 너무 천박스럽게 느껴졌던 것이다.

"그래서, 다시 만나기루 했어?"

수정은 호기심 때문에 참을 수가 없었다.

"애는 참, 비약두 심하다. 만나긴 뭘 만나니."

태경은 딱하다는 투로 말했다.

덩치는 큰데 여자 역할을 한다고 소문난 동성연애자 남자 미용사는 대단한 인기를 끌었다. 여자 미용사도 있었지만 수정은 태경에게 '이름 있는' 전문가에게 하라고 강력히 권했다. 순서가 돌아오자면 한 시간 반은 기다려야 했다.

43

"놀랍다. 너같이 영락없는 아줌마한테…."

수정은 머리 모양 전문 잡지를 뒤적이다가 말고 태경을 쳐다보며 또다시 킬킬거렸다. 아까는 태경의 반응이 너무도 거칠어서 호기심이 중절된 상태였다.

태경은 아무 말도 하지 않았다.

"근우 아버진 언제나 올라오신대? 마나님 심기도 풀어드릴 겸해서."

"남의 일이라구… 마냥 한가하지?"

태경은 약이 올라 이렇게 비아냥거렸다.

그러나 태경이 차례가 와서 거울 앞에 앉았을 때, 수정은 조언을 아끼지 않았다.

"선생님, 사람을 확 좀 바꿔주세요. 아줌마가 아니라, 왜 우아한 여성 있잖아요. 선생님이 전문가시니까…."

미용사는 아무 말도 하지 않고 태경의 머리끝을 잡고 이렇게저렇게 모양을 재보았다.

"근우야. 난 옷구경 좀 하다 올게."

수정은 태경의 머리가 잘리기 시작할 때, 이렇게 말하고 자리를 떴다.

태경은 은근히 겁이 났다. 머리 모양을 바꾼다고 모든 것이 달라지는 것은 아니지만, 웬지 비싼 머리 손질이 상쾌하지만은 않았다. 하지만 수정이 돌아오고, 머리 손질이 끝났을 때, 태경은 두렵기도 하고 기쁘기도 했다.

"몰라보겠다. 진작 이랬어야 하는 거야. 건강은 건강할 때 지키라구. 젊음도 젊었을 때 가꿔야 한다. 알겠느냐?"

수정은 개그맨의 말투까지 흉내내며 태경을 추켜세웠다.

태경은 결혼식날 이후 처음으로 아깝지 않은 팁을 주고 미장원을 나왔다.

거리엔 저녁 기운이 넘치고 있었다.

사람들은 명동으로 꾸역꾸역 몰려들었다. 대부분 젊은 사람들이었다.

"요새 애들은 어쩌면 저렇게 다들 이쁘지? 남자두 그렇구 여자두…."

태경은 정말 놀라웠다. 집 안과 동네에만 있다가, 특별한 볼일 없이 저녁의 명동 거리에 휩쓸린 기분은 야릇했다

"넌, 옷두 바꿔야 해."

수정이 말했다.

"그렇지?!"

태경은 기다렸다는 듯이 큰소리로 대답했다. 그는 이내 자신의 비밀 통장 잔액을 떠올리고 서너 달 후에 만기가 되는 천만 원짜리 적금도 생각했다. 하지만 지금은 옷까지 사고 싶진 않았다.

두 사람은 그들 나이의 그늘에서 어느 사이엔가 슬그머니 자라나기 시작하는 야릇한 흥분을 느끼며 길가의 경양식집으로 들어갔다.

"어머. 이 노래!"

경양식집 입구에서 태경이 앞선 수정의 어깨를 잡으며 소리쳤다.

"내가 옛날에 좋아했던 노래야!"

태경이 감동 어린 목소리로 말했다.

수정은 아무 말도 하지 않았다.

그들은 벽 쪽의 아늑한 자리를 잡았다.

"제목이 뭐더라? 정말 늙었나 봐. 저걸 배우느라구… 어제 같은데…."

태경은 식탁 모서리를 손가락 끝으로 하염없이 더듬으며 중얼거렸다. 문학 소녀 시절, 감상에 젖어 시를 짓고 편지를 쓰고 유행가를 배우고 명동 성당 동굴의 성모상 앞에서 공허한 소망을 기도하곤 했던 때가 이젠 오직 추억만으로 한꺼번에 떠오르는 것이었다.

내가… 정말 그런 시절을 살았었나?

이미 지나간 세월인가?

이제 나는, 다시는 그때를 살아볼 수 없단 말인가?

태경은 너무도 오랜만에 세월의 존재와 맞닥뜨렸다. 그리고 시간이라는 것이 그것 자체만으로는 만져지지도 않고 눈에 보이지도 않는다는

것을 소스라치게 깨달았다.

…나에게도 아름답고 좋은 시절이 있었던가….

태경은 가슴속에서 뜨거운 덩어리가 울컥거리는 것을 느꼈다.

내가… 도대체 44년을 어떻게 살아왔지? 어디서! 무얼 하면서! 그리고 지금은!

"맥주 한잔 마셔라. 괜찮겠지?"

태경이 너무 멀리 떨어진 추억에 빠져들고 있는 사이에 수정은 식사와 술을 주문해 두었다.

태경은 기운이 빠진 손으로, 아무런 힘도 없이 거품이 이는 잔을 잡았다.

"《러브 미 텐더》야! 그 쉬운 걸…."

갑자기 태경이 소리쳤다.

"얘는… 머리 좀 바꿨다구 아주 정신까지 돌았구나."

"넌 좋아하지 않았니? 엘비스 프레슬리가 불렀잖니. 얼마나 감미롭니? 난… 그렇게 감미로운 게… 언제나 그런 게 좋단다…."

태경은 젖은 목소리로 말했다. 그들은 서툴게 보이는 건배를 했다. 태경은 단숨에 잔을 비웠다. 반 잔도 마시지 않은 수정이 놀란 얼굴이 되었다.

"하기야… 늦게 들어간다구 누가 뭐라겠니, 얼굴 뻘겋다구 누가 뭐라겠니… 넌 야 세상 편하다 야. 남편 없는 것두 잠깐 생각을 바꾸면 얼마나 좋으니? 그렇지?"

수정은 태경을 구경하는 게 즐거웠다. 태경은 말이 없었다. 그리고 두 잔째의 맥주도 비웠다.

"야… 겁난다…."

수정이 중얼거렸다.

"괜찮아. 내 나이가 몇이라구… 허튼 실수야 하겠니…."

태경은 이미 기운을 잃은 석양처럼 말했다. 지금처럼 집 밖에 나와서 자식과 남편 그리고 집안 살림을 깡그리 잊은 적은 결혼 후 단 한 번도 없었다. 그런데도 이런 상태가 태경에겐 전혀 낯설지 않았다.

문득, 수정이 눈을 빛내며 태경을 쳐다보았다.

"그 남자… 이름이 뭐니?"

수정이 새로운 걸 발견한 사람의 활기찬 목소리로 물었다.

"그 남자가 뭐야?"

"저런 내숭!"

수정이 소리쳤다.

태경은 수정을 빤히 바라보았다.

"비행기에서 만났다는 총각!"

수정이 역정을 섞어 소리쳤다.

"이름이 뭐냐구?"

그러나 태경의 목소리는 너무 차분해서 수정의 역정이 차라리 우스워 졌다.

"이름이 뭐더라…"

태경이 중얼거렸다. 수정은 눈을 흘기며, 밥삼아 안주삼아 시킨 돈까 스 조각을 입에 넣었다. 다 식었잖아. 그가 투덜거렸다.

"호… 무슨… '호'자가 들어갔었는데… 준호던가? 아니… 호정… 호철 … 정호… 어쩌면… 내가 명함을 받구… 혹시… 그래. 택시 바닥에 그냥 버린 게 아닌가… 모르겠어."

태경은 중요하지 않아 아무렇게나 버린 메모 쪽지를 찾는 사람처럼 희미한 기억을 들췄지만 제대로 떠오르지 않아서 안타까웠다.

"난 또 뭐 대단한 거나 되는 줄 알았더니… 그럼 그렇지 무슨 대수가 생겼겠니. 부엌 냄새 화악 풍기는 아줌마한테."

수정이 빈정거렸다.

태경의 얼굴이 화끈 달아올랐다. '부엌 냄새'라는 말이 그에게 수치와 모멸감을 덮어씌웠다.

"좀 먹어봐라. 맛은 없지만 아깝잖니."

수정은 태경의 기분을 전혀 헤아리지 못해서 돈까스 안주 접시를 가리키며 한가한 말을 했다.

이때, 태경이 느닷없는 소나기처럼 눈물을 주르르 흘렸다.

"얘. 너…."

맥없이 태경을 바라보던 수정이 놀라서 더듬거렸다.

중년 남자와 젊은 여자가 옆으로 지나가며 그들을 흘깃거렸다.

"내가… 혹시… 기분 상하게 했니?"

당황한 수정이 엷게 떨리는 목소리로 물었다.

태경은 여전히 눈을 아래로 내려뜬 채 소리없이 눈물을 흘리고 있었다. 마치 산 채로 표본되어, 그가 자신의 의지로 할 수 있는 것은 우는 것밖에 없는 것처럼.

"왜 그래. 난 그냥… 너랑 있는 게 편하구… 즐거운 마음뿐이라서…."

수정은 태경의 옆으로 자리를 옮겨 앉아서, 그의 손을 잡고 이렇게 젖은 목소리로 말했다.

"아니 아니 아무것두 아니야. 그냥… 그 인간이… 나를… 나를 때렸거든…."

태경이 더듬거리더니 '나를 때렸거든'에서 어깨를 들먹이며 마침내 손으로 얼굴을 감싸고 소리 죽여 울기 시작했다.

비로소 수정은 모든 것을 훤하게 이해할 것 같았다.

때리기까지 하다니. 나쁜 놈. 아내가 불원천리 찾아갈 때, 그 심정을 제 발가락 사이의 때만큼만이라도 여겼다면 그럴 수가 없어…. 개새끼.

"어떻게 그럴 수가 있어?"

수정은 울고 있는 태경을 달래며, 남자들은 다 짐승이라고 혼자 욕하다가 태경에게 말했다. 어떤 지식인 남자는 아내에게 치욕감을 높여주고 싶어서 때릴 때는 꼭 발가벗겨 놓고 방문을 안으로 걸어 잠근다는 얘기도 했다. 또 어떤 남자는 한 지붕 밑에 살면서도 동침을 하지 않는 것으로 아내를 학대하기도 한다는 얘기도 해주었다.

태경은 손수건을 꺼내 얼굴을 정리했다. 그는 콧물도 훔쳐낸 다음, 더 이상 울지 않았다.

"괜찮니?"

모처럼 개인 날씨 같아진 태경에게 수정이 물었다.

"응, 그냥… 좋아…"

태경은 다소 쑥스럽고 겸연쩍었다. 그는 손수건을 끝없이 접었다 펴기를 계속했다.

술을 더하시겠습니까? 네. 한 병만 더 주세요. 팝콘두요. 맛있네요. 더 주실 수 있어요?

태경은 수건을 한쪽으로 펴면서 수정과 종업원이 나누는 얘기 소리를 아득하게 들었다.

"한잔 더할래? 얼굴이 말짱하다 얘."

수정이 말하며 반응도 보지 않고 태경의 잔에 술을 따르었다. 태경은 갈증난 듯 한 모금에 잔을 비웠다.

"니가 확실히 속이 허하긴 허한 모양이구나."

수정이 중얼거렸다.

"속이 허하다구?"

태경은 말을 따라 읽는 학생처럼 되받아 중얼거렸다.

"어떻게 때리디?"

"뺨을 때렸는데, 코피를 많이 흘렸어… 그런데 이번엔 이상해. 맞은 것이 분한 건 아니구… 그냥 전체적으로 한 인간에 대해… 아이를 둘이나 낳고 10여 년 함께 산 남편이라는 남자에 대해 왜 이렇게 '모르는 사람' 같다는 느낌이 들지?"

태경은 천천히 쌀에서 뉘를 골라내듯 말했다.

"난 야 뭔 말인지 잘 모르겠다. 근우 아버지가 옛날에두 바람 폈잖니."

"크게 한 번 그랬어. 10년 전인가 봐. 같은 직장 여직원하구 그랬거든. 깊이 사귀었던 것 같아. 지금은 그런 관계는 아닐 거야. 그런데두 내 기분은 더 나빠. 설명하기 어렵지만…."

태경은 여수에서 돌아온 다음 야릇한 비현실감에 빠져 지내던 걸 기억했다. 무엇이 자신의 현실이고 어떤 것이 자신의 현실이 아닌지 구별할 수가 없었다. 그런 가수면 상태에서 지친 듯 며칠을 앓고 지냈다.

"신경 쓰지 마. 너만 손해야. 내 말대루 생활을 바꿔봐라. 갱년기라는 걸 잘 넘겨야 추하게 늙지 않는다잖니."

"이혼하라구?"

태경이 눈을 반짝 뜨고 물었다.

"이런 맹꽁이! 누가 그러래? 너의 생활 감각을 바꾸라는 거야. 어떤 여자 소설가가 쓴 글에서 봤는데, 여성은 삶의 중심을 뭐 자기한테 두는 훈련을 해야 한다나?"

태경은 아직도 수정을 빤히 바라보고 있었다.

"이런 말 아닐까? 남편이 나에게 물을 주지 않으면 햇볕에 말라 죽어버리는, 그런 식물처럼 살지 말라는…. 우리는 식물이 아니잖아. 욕구가 공간과 시간을 뛰어넘을 수 있잖니. 우린 집 근처에서 만나서 명동에 왔지. 머리 모양을 바꿨지. 마땅한 카페에 와서 술도 마시고…."

첫아이 낳기 전까지 중학교에서 생물을 가르친 수정은 마치 이해력이 부족한 학생의 둔한 머리를 집요하게 파고들 듯 태경의 눈을 보며 말했다.

식물이라고?

태경은 여전히 씁쓸함에 젖은 낯빛으로 수정이 말한 식물에 대해 생각하기 시작했다. 언젠가, 그래. 할머니였던가? 딸은 집안의 '화초'라고 했었어.

그러나 태경은 수정의 말뜻을 확연히 받아들일 수 없었다. 화초란, 사랑스럽다는 것이 아닌지?

이날 태경은 9시가 다되어 술내를 풍기며 돌아왔다. 이건 가족들에게 쿠데타 같은 경악감에 빠지도록 했다.

"아이구. 전화두 없이 웬일이냐?"

전씨가 걱정으로 한껏 오그라든 목소리로 말했다.

"엄마 너무했어! 아빠보구는 전화 안 한다고 하면서!"

소영이가 눈을 흘기며 당당하게 따지고 들었다.

태경은 술냄새가 날 것 같아 마음놓고 입도 열지 못했다. 전씨는 한눈에 딸의 얼굴빛이 다른 걸 눈치챘지만 사위가 없는 것만 다행이어서, 달리 내색하지는 않았다.

태경은 씻고 방으로 들어갔다. 그는 얇은 잠옷을 갈아입고, 화장수만 바른 맨얼굴로 누웠다가, 어떤 생각이 떠올라 벌떡 일어나 앉았다.

택시 바닥에 버렸나? 가방에 넣었을지 몰라.

태경은 호준의 명함을 생각했다. 만일 버렸다면…. 태경은 갑자기 숨이 가빠졌다. 그는 여수에 가져갔던 갈색의 손가방을 꺼내왔다. 가방 안에는 휴지와 비행기표, 비닐 봉투와 립스틱, 거울 등이 어지럽게 담겨 있었다. 명함 같은 것은 어디에도 없었다. 너무도 안타깝고 서운했다. 태경은 가방 속을 생선 내장처럼 뒤집어 벌려서 방바닥에 털었다. 그러자 어디선가, 마치 '기별' 같은 느낌으로 직사각형의 명함 한 장이 떨어졌다. 태경은 반가움과 안도로 그것을 집어들었다.

준 건축.

정호준.

그리고 주소와 전화 번호, 팩스 번호가 적혀 있었다.

"정호준이구나."

태경은 옆에 누가 있기라도 한 듯이 고개를 들고 이렇게 말했다. 방문은 굳게 닫혔고 방 안엔 태경이 혼자뿐이었다. 그런데도 얼굴이 붉어졌다. 반가움과 안도의 감정은 어디로 갔는지, 지금은 웬지 '누군가가' 자꾸만 신경 쓰였다. 명함을 이제 어떻게 처리해야 할지, 그것도 걱정이 되었다. 버린다는 것은 생각하기 싫었고, 그러나 이것을 어디에 두어야 할지, 사람들 눈에 띄지 않고 그러면서도 없어지지 않게 두는 방법이 떠오르지 않았다.

우선 태경은 자신의 수첩에 호준의 전화 번호를 그저 이름 없이 붉은 글씨로 적어두었다. 그리고 가계부를 꺼내, 여수로 떠나던 날짜의 맨 위쪽에 비행기라고 쓰고 전화 번호를 적어두었다. 이러다가 이름은 아주 잊으면 어쩌지? 문득 그런 염려도 되었으나 웬지 번호의 임자, 정호준은 쓸 수가 없었다. 그는 '외간 남자'였다.

이때 전화벨이 울렸다.

태경은 기다리기나 한 듯이 첫번째 벨소리가 미처 끝나기도 전에 수화기를 들었다.

"별일 없지?"

수정이었다. 하지만 태경은 수정의 목소리와 수정을 떠올리는 데 한 호흡이 멎었다. 호준이 전화할 리도 없고 그는 자신의 집 연락처도 모른다는 걸 알면서도, 태경은 수정의 목소리와 호준을 순간적으로 혼동해야 했다.

"응."

태경은 힘없이 대답했다.

"금방 전화할려구 했는데 애들이 오무라이스를 해달라잖니. 얘, 기분은 어때? 괜찮지?"

수정은 따뜻하고 섬세했다.

"좋아."

태경은 좋다는 것이 무엇인지도 모르는 채, 떠오르는 낱말이 그것밖에 없어서 '좋아'라고 대답했다.

"다행이다. 다 잊구 활기를 찾아. 서방이라는 건 어쩌면 측은한 존재 아니니? 자기들 잘난 체하지만 마누라가 보살펴주지 않으면 물에 빠진 생쥐 꼴이지 뭐."

태경은 수정의 말을 들으며, 그 말소리 사이사이로 스며드는 빛살 같은 외간 남자 '정호준'을 생각했다. 그렇게 친절한 남자도 있을까? 나는 마흔네 살. 마흔아홉된 남편과 두 아이를 둔 아내요 어머니며 주부인데. 어쩌면… 그 남자는 천성이 따뜻할지 몰라. 그래서 모든 사람에게 친절을 베풀겠지. 명함이 무슨 소용이야. 내가 부자로 보였나? 집이라도 지을까 하구.

"난 말이야. 명함을 찾았단다."

태경은 수정의 말에 엉뚱한 대답을 했다.

"명함이라니… 아… 비행기… 그래…."

수정은 갑자기 즐겁고 들뜬 목소리가 되어 소리쳤다.

"연락해 볼려구?"

"글쎄. 연락하라구 준 걸까?"

"난 모르겠다. 난, 사실 남잘 잘 모르겠어. 돈 많은 여자, 젖 큰 여자 좋아하구 젖비린 아이 좋아한다는 거 말구. 히히히."

수정은 자기 말이 우스웠다.

"연락은 무슨. 찢어버려야지 뭐."

태경이 질겁하듯 말했다.

수정과 전화를 끝낸 태경은 무슨 주술에 걸린 사람처럼 명함을 갈기갈기 찢었다. 그리고 그것을 휴지에 만두속처럼 싸서 휴지통에 버렸다.

다음날, 태경은 아이들이 학교로 가고 집안일을 끝내고 난 11시쯤 되었을 때, 갑자기 집 안이 답답하게 느껴졌다. 어딘가로 나가야 될 것만 같았다. 허겁지겁 수정에게 전화를 걸었다. 그러나 수정은 벌써 집을 나가 수영장에 있다는 것이었다. 태경은 야릇한 소외감이 느껴져서 불안했다. 머리를 감아 손질하고 화장을 오래도록 정성들여 했다. 그리고 집을 나섰다.

과일가게 진열대엔 아직 철이른 수박과 참외가 딸기, 토마토와 함께 놓였고 그 옆의 야채가게에선 파와 배추를 사는 부인이 주인 여자와 무슨 이야기를 나누고 있었다.

태경은 낯익은 가게 주인들과 눈이 마주치면 인사를 했다.

"요새 왜 안 들르세요. 새 거 많이 들어왔는데요!"

수입상품 가게 앞에서 타파웨어를 내놓고 있던 주인이 태경에게 반가운 낯으로 소리쳤다. 태경은 웃기만 했다. 그리고 고개 숙인 채 도망치듯 시장 거리를 빠져나왔다.

태경은 찻길가에 섰다. 신호등에서 발이 멈췄던 차들이 다시 달리기 시작했다. 태경은 길가의 버스 정류장과 옆의 신문 가판대, 공중 전화 부스와 드문드문 서 있거나 걸어가는 사람들 속에 선뜻 끼어들지 못하고 시장 골목 모퉁이에 섰다. 어디로 가야 할지, 알 수가 없는 것이었다. 이 사실은 너무도 놀라웠다. 40년을 넘게 살아온 사람에게 갈 데가 없다니. 태경은 도무지 받아들이고 싶지 않았다.

그러나 태경의 이런 조바심은 겉으로는 한 방울도 드러나지 않았다. 그는 마치 급한 약속이라도 있는 듯이 허겁지겁, 다가온 좌석 버스에 올라탔다. 버스는 시내의 백화점을 통과해 한강을 건너는 차였고, 태경은 백화점 정류장에서 내렸다.

백화점은 아직 한가했다. 태경은 매장의 여기저기를 구경했다. 여러 가지 장신구들과 색색의 손수건과 화장품들…

태경은 화장 용구를 파는 작은 진열장 앞에서 발이 묶였다. 그는 눈화장을 하는 크고 작은 여러 개의 붓과 스폰지들을 샀다. 그러다가, 작은 거울에 비친 자신의 얼굴을 보았다. 태경의 허리 높이에 놓인 거울에 어린 그의 옆얼굴은 늘어진 살갗으로 골이 잡혔고 요사이 불편한 몸 때문에 살이 빠진 볼따구니는 정나미가 떨어졌다. 태경은 필사적으로 눈길을 돌렸다. 갑자기, 자신이 지금 고른 화장 용구들이 부질없게 생각되었다.

나는 늙었다.

태경은 자신의 마음속에서 울리는 메아리를 들었다.

그는 에스컬레이터를 타고 지하로 내려왔다. 식품부와 간이 음식을 파는 곳엔 사람들이 북적거렸다. 태경도 초밥, 김밥, 피자, 냉면, 국수, 오뎅, 비빔밥, 튀김, 전기 구이 통닭, 만두 따위를 파는 매장 사이를 누볐다. 그러다가 그는 호박죽을 먹고, 1번가로 나왔다. 옷들을 구경했다.

마흔네 살.

아름답게 살고 싶다.

태경은 쉬폰의 여름옷들을 바라보며 생각했다. 그리고 마침내 머리 모양과 딱 어울린다는 검은색의 옷을 한 벌 샀다. 가슴이 울렁거렸다.

옛날에, 나는 시인이 되려고 했었지. 태경은 모퉁이의 커피숍에 앉아서 유리벽 밖의 사람들을 바라보며 이런 생각을 했다.

꿈이 있었지. 시를 쓸 때면, 그리운 세상과 사람들을 거침없이 원고지 속에 박아놓곤 했어. 왜 나는 과거가 없는 것처럼 살았을까?

태경은 과거를 보고 싶었다. 그것은 태경이 늘 현재에 붙잡혀 지내느라 한 번도 눈길을 주지 못했던 자신의 '지난날'의 인생이었다. 그런데 지금, 태경에게 그 과거, 지난날이 마치 수상스런 바람에 이는 먼지처럼 한꺼번에 마구 고개를 들기 시작하는 것이었다.

부끄러움 같던 사춘기, 설레이던 대학 시절 그리고 결혼을 위해 만난 찬수. 찬수에게 태경은 티끌만한 불만도 없었다. 첫아이를 사산했을 때의 공포와 절망도 찬수 때문에 이겨낼 수 있었다. 남편과 아이가 있는 집안의 아내이며 어머니이며 주부일 때, 그런 몫을 사는 데만도 하루가 늘 부족했다. 빵과 과자를 굽고, 요리를 배우고, 목적 없이 요리사 자격증까지 따놓고, 아이들 옷을 뜨개질하고…. 찬수는 워낙 바빠서 자주 늦고 외박도 했지만, 그리고 국내외 출장도 잦았지만, 태경은 불평하지 않았다. 너무도 바쁜 찬수가 건강을 잃게 될까 봐, 그것만이 늘 걱정이었다.

그러던 어느 날, 찬수가 같은 회사의 여직원과 사랑에 빠졌을 때, 누군가의 연민 어린 고자질로 그것을 알아냈을 때 태경은 자기가 남편에 대해 아는 것이 아무것도 없다는 사실을 깨달았다. 그러나 찬수는 허겁지

접 용서를 빌었다. 아내와 '외도'는 다르다고. 당신과 '그 여자'는 위치가 다르다고.

그때, 찬수가 몰아붙이는 속죄와 용서의 기운이 너무도 드세어서, 태경은 제정신도 아닌 채 찬수를 다시 믿고 의지하기 시작했다.

하지만 찬수의 능력은 한계가 있어서 태경의 영혼에 입은 배반의 상처와 능멸당한 기억을 아주 없애지는 못했다.

이제 태경은 호준을 생각하기 시작했다.

우연히 만난 그 젊은 남자는 태경의 가장 가까운 과거가 되어, 바로 등뒤 쪽에 서 있었다. 뒤로 손을 뻗으면 손끝에 닿는 과거. 지금 태경의 손은 등뒤의 과거에 놓여 있었다. 아직도 따뜻한 기운이 느껴질 것만 같은 시간이었다. 그리고 부드러움도 감촉되는 과거에서, 태경은 손을 떼고 싶지 않았다.

태경은 눈을 감았다.

슬픔이 그의 마음에서 물이랑처럼 번졌다.

미안합니다.

그가 한 첫번째의 말은 이것이었어.

태경은 호준을 떠올렸다.

목소리가 어땠더라? 굵었던가? 차분했었나?

태경은 갑자기 호준의 목소리가 어떤 소리였는지 기억해 내고 싶어졌다. 그러나 도무지 생각나지 않았다.

아, 그래.

그는 '일종의…'라는 말을 잘 썼지.

일종의 출장이 되겠네요.

일종의 건축가죠.

태경은 호준의 말을 떠올렸다. 그리고 그를 만나고 싶었다. 만나고 싶은 마음은 담쟁이처럼 태경의 그리움을 타고 자라나기 시작했다. 슬픔과 기쁨이 뒤섞이고 두려움과 생기가 한꺼번에 태경의 욕구를 채우려 했다. 태경은 가방 속에서 작은 수첩을 꺼냈다. 거기에 호준의 전화 번호가 있었다. 통로 구석에 매달린 공중 전화는 비어 있었다. 태경은 수화기를 들고 동전을 넣었다. 신호음이 모기소리처럼 울렸다. 그는 국번호를 눌렀다. 그리고 나머지 숫자도 눌렀다. 곧 발신음이 울렸다.

"준 건축입니다."

젊은 여자의 여린 목소리가 들렸다. 태경은 순간적으로 기겁을 해서 수화기를 제자리에 걸었다. 그리고 소질 없는 도둑처럼 휙 돌아섰다. 하지만 자리로 돌아와 앉아서도 놀란 가슴은 가라앉지를 않았다. 엽차를 마시고 찬 우유 한 잔을 시켜 다 마셨지만 쿵쾅거리는 뜨거운 가슴은 진정되지 않았다. 귓가에선 여린 여자의 목소리로 '준 건축입니다'라는 말이 끝없이 맴돌았다. 고통스런 질병의 초기 징후 같았다.

집으로 돌아오는 길에 동네의 작은 시장에서 생선을 사고 장미와 안개꽃을 섞어 살 때도 문득문득 귓가에서 그 소리가 들려오곤 했다.

"어디 갔었니?"

힘없이 들어서는 태경에게 전씨가 걱정스럽게 물었다.

"그냥… 뭐…."

태경은 어머니를 외면한 채 얼버무렸다. 그리고 텔레비전 앞에 앉아 만화를 보는 소영이에게, 그거 끝나면 더 이상 텔레비전 보지 말고 숙제하라고 이르고, 근우가 학원에 간 것을 확인해 보았다.

이날 태경은 여수에 다녀온 이후 처음으로 반찬을 정성들여 만들었다. 싱싱한 병어를 졸이고 아이들 도시락 반찬으로 우엉도 볶았다. 애호박 넣은 뚝배기도 끓여서 저녁을 즐겁게 먹었다. 소영은 자기네 담임 선생님 흉을 보았다. 체육 시간에 남자애들만 발야구를 시키고 여자애들은 가만히 앉아 있게 했다는 것이었다.

"여자애가 드세지면 나빠서 그러시는 거야."

외할머니가 손녀딸에게 말했다. 소영은 드세진다는 게 무슨 뜻인지 알 수 없었지만, 웬지 할머니가 남자 편을 드는 것 같아 기분이 나빠서 눈을 내리깔았다.

"엄마, 아빠한테서 전화왔어!"

갑자기, 소영이가 심통 부리는 목소리로 말했다. 태경은 반갑지 않았다. 도리어 화가 스물스물 기어나왔다.

"주말에 오신대. 엄마가 전화 걸어보든가…"

반응이 없는 태경에게 아이가 여전한 목소리로 다시 말했다. 하지만 태경은 할말이 없었다. 그는 말없이 저녁일을 끝내고 욕조에 더운물을 받아놓고 그 안에 푹 잠겼다. 살갗이 천천히 더워지고 뼛속도 무르는 기분이었다. 그리고 긴장들이 풀려서 편안해졌다. 이대로 잠이 들면, 더 이상 바랄 것이 없을 것 같았다.

하지만 태경의 평안은 오래가지 못했다. 그는 잠자리에 들자마자 남편을 생각했다.

니가 오겠다고?

태경은 속으로 경멸했다. 아주 잔인하리 만치 가라앉은 마음으로.

얼마나 지났을까.

가라앉은 태경의 마음이 해동 무렵의 산기슭이나 밭두덩의 흙이 햇살에 몸을 풀 듯이 살포시 풀어지기 시작했다. 아주 희미한 움직임이어서 처음에는 태경조차 자신의 감정을 알아채지 못했다. 그러나 차츰, 그의 마음은 어떤 낯선 기운, 웬지 싱그러운 느낌이 드는 기운에 배어드는 걸 감지했다.

태경은 벌떡 일어나 앉았다.

누구였지?

미라보 다리 아래 세느 강이 흐르고 우리들의 사랑도 흘러간다….

그래 맞아. 그렇게 시작되었어. 줄줄 외우고 다녔지. 그런데 그걸 누가 지었더라? 보들레르? 랭보? 아니야. 아니야. 누구지?

태경은 손바닥으로 양쪽 볼을 감쌌다. 가슴속에서 뜨거운 것이 확확 번지는 게 느껴졌다. 1분이 지나도록 그는 〈미라보 다리〉의 시인을 알아내

58

지 못했다. 어쩌면 마리 로랑생. 마리 로랑생은 여자야. 그 여자의 애인이었던 남자 시인… 이름이 뱅뱅 돌았는데… 플로베르….

태경은 참을 수 없어서 책장 앞에 섰다. 오래도록 잊고 있던 책장 속의 책들을 훑어보았다. 남편이 사들인 전집류와 사서류뿐이었다. 자신의 시집들은 눈에 띄지 않았다.

태경은 아들 방으로 갔다. 문을 열자마자 벽에 붙은 최진실과 소피 마르소의 브로마이드가 눈에 들어왔지만 여느 때처럼 낯을 찡그리지 않았다.

"애. 너 혹시 시집 있니?"

문제집을 풀고 있던 근우가 어머니의 너무도 '어머니답지 않은' 질문에 눈을 둥그렇게 떴다.

"시집이라니?"

근우는 자신의 말과 어머니의 말이 일치하지 않는 느낌이어서 저도 모르게 이렇게 물었다.

"애! 넌 시집두 모르냐? 시, 시, 시 말이다!"

태경이 큰소리로 말했다.

"아니 엄마가 왜 갑자기 그런 걸 찾아요?"

"넌 야… 엄마가 하마터면 시인이 될 뻔한 거 모르니? 소녀 시절엔 교내 백일장을 휩쓸었다 애."

태경은 거침없이 뻐겼다.

"야… 안 어울린다."

근우가 장난기도 없이 중얼거렸다.

태경은 눈을 흘겨주었으나, 아이에게도 시집은커녕 시에 대한 자신의 '그리움'이 전혀 전달되지 않는 데 실망하고 다시 시집 없는 책장 앞에서 눈이 아리게 책 제목들을 읽었다.

결국 그는 내일 서점에 가기로 작정하고 자리에 누웠다.

그는 잠을 청했다.

2인용 침대에서 혼자 잠잔 지 오래된 그는, 어둠만으로도 불충분해서 이불 속에 얼굴을 묻고 눈을 꼭 감았다. 마치 잠은 그래야 오는 것처럼. 그러나 이런 노력과는 반대로 그에게는 잠 대신, 까맣게 잊고 있었던 그의 지나간 삶의 어느 한 시절이 냄새처럼 스며들었다.

　난 시인이 되고 싶었다. 태경이는 반드시 시인이 될 거라고 말해 줬던 담임 선생님을 생각했다. 태경은 모로 누워서 다리를 오므렸다. 그는 마치 태중의 아이 같은 모습으로 몸을 웅크린 채, 깊이 모를 슬픔과 그리움 그리고 아쉬움에 빠져들었다. 그러다가 그는 아주 문득, 아폴리네르! 하고 소리 죽여 소리쳤다. 그는 울고 싶었다. 태경은 아폴리네르라는 그물에 걸려 현재로 끌어올려지는 자신의 지난날의 '꿈'을 송두리째 보았던 것이다. 숨이 막히고 가슴은 터질 것 같았다.

　　　미라보 다리 아래 세느 강이 흐르고
　　　우리들의 사랑도 흘러간다
　　　그러나
　　　괴로움에 이어 오는 기쁨을
　　　나는 또한 기억하고 있나니

　　　밤이여 오라 종은 울려라
　　　세월은 흐르고 나는 여기 있다

　　　손과 손을 잡고 얼굴을 마주보자
　　　우리들의 팔 밑으로
　　　미끄러운 물결의
　　　영원한 눈길이 지나갈 때

　　　밤이여 오라 종은 울려라

세월은 흐르고 나는 여기 있다

흐르는 물결같이 사랑은 지나간다
사랑은 지나간다
인생이 느리듯이 희망이 강렬하듯이

밤이여 오라 종은 울려라
세월은 흐르고 나는 여기 있다

날이 가고 세월이 지나면
흘러간 시간도
사랑도 돌아오지 않고
미라보 다리 아래 세느 강만 흐른다

밤이여 오라 종은 울려라
세월은 흐르고 나는 여기 있다.

… 세월은 흐르고 나는 여기 있다… 세월은 흐르고 나는 여기 있다…
세월은….
태경은 마지막 구절을 밧줄처럼 잡고 매달렸다. 언제부터인가 그는 울
고 있었지만, 그는 자신의 울음을 알지 못했다. 그리고 언제 잠이 들었는
지, 어떻게 잠들 수 있었는지, 그것도 알지 못했다. 아침에 문득 눈을 떴
을 때, 그의 기분은 영롱했다. 그는 몇 시간밖에 잠자지 못했지만 가볍게
일어나 창의 커튼을 젖혔다. 그는 순간적으로 놀라움에 사로잡혀 버렸
다. 한 번도 마주친 적이 없는 밝고 투명한 아침이 세상에 가득 차 있는
것을 보았기 때문이었다.
세상에. 아침이 저런 모습이었던가?

창 밖의 끝없는 허공으로 뻗어나간 밝고 투명한 아침. 왜 나는 여태 저런 아침을 만나지 못했지?

태경은 자신의 살갗 숨구멍마다에 들어찬 아침의 기운을 느끼며 하루를 시작했다. 그는 즐겁게 식구들의 아침 준비를 하고 아이들을 깨워 학교에 보냈다. 그의 어머니 전씨는 오랜만에 딸이 무거운 우울을 털어낸 모습이 그저 기뻐서, 그도 밝은 기분이었다.

"어머니, 저 이 머리 괜찮죠?"

태경은 외출 준비를 하고 나설 때, 어머니에게 물었다.

"산뜻해 보인다."

전씨는 밝은 목소리로 대답했다.

"오늘 저녁 먹구 올게요."

"이웃집들 눈총 살라. 남편두 외지에 나가 있는데…."

"그런 염려는 마세요. 제 나이가 마흔이 넘었어요."

태경은 웃으며 어머니에게 말했다.

"잘 갔다와라."

전씨는 이렇게 하는 것이 자신에게 주어진 대사인 것처럼 말했다. 태경은 어머니의 팔을 잡았다. 걱정 마시라니까요, 라고 말하려던 것이었다. 그러나 말보다 먼저 자기의 손바닥에서 아무렇게나 밀리는 어머니의 늙은 살갗이 확인되어 그만 말문이 막혔다. 그래서 그는 인사도 못 하고 어머니와 헤어졌다. 골목길로 나와 한참을 걸어내려올 때까지, 태경은 어머니의 늙은 살갗의 감촉 때문에 마음이 어수선했다. 늘 같이 지내면서도 어머니의 늙음이 느껴지지 않았던 까닭이 무엇인지….

태경은 책방으로 가면서 내내 '세월'을 생각했다. 어머니가 살아낸 삶의 세월은 어디로 가고 어머니는 그저 한 늙은 여자로, 지금은 딸네에 얹혀 사시는 것이었다. 어머니가 세월 속에서 살아왔을 삶은 다만 '늙음'으로 어머니의 몸에 남아 있을 뿐이었다.

책방 주인 남자는 중년 부인을 무심히 바라보며 말없이 책장 맨 윗줄에서 먼지 쓰고 있는 시집 한 권을 꺼내놓았다. 저런 여자들 중엔 학교 선생님들한테 돈을 주기 민망해 시집 갈피에 봉투를 끼워넣으려고 책을 사간다고, 습관적인 생각을 하면서 그랬다.

태경은 손이 떨렸다. 그는 책장을 넘겨 목차를 보았다. 낯익은 시인의 이름들이 보였다. 가슴이 뛰었다.

언제였지?

20년 전? 20년이 뭐야. 벌써 30년이 다 되었잖아?

어머니의 늙은 살갗도 태경의 감각 속에서 사라졌다.

지금은 그저 수십 년 전의 자기 자신을 만난 것 같은 벅찬 감동 때문에 흥분해서 현실을 잊은 것 같았다. 그는 거리에 나와 가로수를 쳐다보았다. 가로수 잎이 새로운 생명의 연초록 빛깔을 하고 있었다. 태경은 그 빛깔이 그립고 반가웠다.

"난 말이야. 사실은 시인이 되구 싶었어. 여학교 땐 상두 여러 번 받았거든."

태경이 가로수에게 속삭였다.

제자리 혹은 거짓

소영은 현관에서 도시락 가방을 들며 늘 하듯이 안녕히 다녀오겠습니다, 인사하고 현관문을 여닫고 나가다가 다시 들어와 엄마아! 오늘 아빠 오는 날이지? 하고 소리쳤다.

이때 정작 엄마인 태경은 현관에선 보이지 않는 주방에서 눌은밥을 끓이려 솥에 물을 붓고 있었다. 그래서 그는 딸의 소리치는 목소리만 들었다.

"그럼 아빠 오시구 말구!"

아이를 바래고 섰던 외할머니가 기쁜 얼굴로 아이에게 맞장구를 쳤다.

"야아! 신난다아!"

아이는 다시 이렇게 소리치고 나갔다.

전씨는 아이가 마음뿐이 아니라 몸도 신이 나서 마구 달려가는 발소리를 들으며 한동안 마루 끝에 서 있었다.

"부모 자식이 뭔지…."

전씨는 딸과 함께 끓인 눌은밥 한 공기씩을 놓고 아침을 먹으며 중얼거렸다.

태경은 아무 말도 하지 않았다.

"아빠가 온다구··· 친구들한테 자랑할 거다. 아빠가 온다구···."

전씨가 다시 말했다.

태경은 두어 숟갈 남은 눌은밥을 마저 먹지 못하고 자리에서 일어났다. 그는 이제 어머니가 찬수에 대해 무슨 말을 꺼낼 것 같아 피하고 싶은 것이었다. 남편에 대한 얘기를 하고 싶지 않았다.

"시장은 니가 갈래? 아침결에 나가야 싱싱한 걸 살텐데···."

기어이 전씨가 사위에 대한 말을 이렇게 꺼내었다.

태경은 수도꼭지를 한껏 들어올렸다. 물이 쏴아 소리내며 쏟아졌다. 수돗물 소리는 이미 주방과 식탁 쪽의 모든 소리도 빨아 마셨다.

전씨는 딸의 언짢은 심사를 눈치챘다. 여수를 다녀온 후 딸이 눈에 띄게 달라지는 게 염려되고, 웬지 불길하게도 느껴져 마음이 편치 않았다. 그는 아내란 절대로 '딴마음'을 품으면 안 된다고, 마치 '신탁(神託)'이라도 내리듯이 딸에게 말하고 싶었다. 그러나 딸은 그럴 틈을 주지 않았다.

태경이 빈 그릇을 다 씻고 수돗물을 잠갔다.

전씨는 식탁의 밑반찬 그릇들을 덮었다.

"해물이야 여수만큼 더 싱싱하게 먹을 데가 있을라구···."

전씨가 저녁거리 생각을 하며 중얼거렸다.

"엄만 오늘 뭐 큰손님이라두 치르는 것처럼··· 왜 그래요?"

태경은 참다못해 퉁명스런 목소리로 웅얼거렸다.

"큰손님 중에 큰손님이잖구!"

전씨는 참지 못하고 소리쳤다.

태경은 대꾸도 하고 싶지 않았다.

"꼭 올는지 알기나 해요?"

태경은 다시 쏘아붙였다.

"마음을 그렇게 쓰면 안 된다."

전씨가 엄한 목소리로 말했다.

"내가 무슨 마음을 썼는데 엄마?"

태경이 성깔 부린 낯을 전씨에게로 돌리며 따져 물었다.

"남편이 두어 달 만에 집으로 온다는데… 아내된 도리로 마음가짐이 그래서야…"

태경은 이런 유의 대화를 피하고 싶었다. 그는 화장실로 가서 치약 묻힌 칫솔을 입에 넣다가 거울 속의 자신을 발견했다. 까칠하고 기쁨 없는 얼굴이 자신을 바라보고 있었다. 그는 그 얼굴이 낯설고 싫어서 얼굴을 찡그렸다. 왜 저런 표정이 생겼는지 이해할 수가 없었다.

태경은 거울을 외면했다.

허리 굽혀 양치를 끝내고 나왔다. 그런데 불쾌감이 벌써 그의 몸 전체로 퍼져 있었다.

태경은 아침 신문을 들고 안방으로 들어갔다. 방문을 닫는데 전화벨이 울렸다. 2동의 전씨 친구였다. 태경은 친정어머니에게 전화를 건넸다.

오늘 사위가 올라오는데 놀러갈 시간이 있겠느냐고… 전씨는 이런 얘기를 했다.

"엄마, 나갔다 와요. 엄마까지 뭘 그래요?"

태경은 방에서 나와 어머니에게 말했다. 전씨는 수화기를 든 채 태경을 빤히 바라보았다.

"내가 뭘 안 해두 되겠니?"

전씨가 풀죽은 목소리로 물었다.

태경은 걱정 마시고 다녀오라고 어머니를 내몰다시피 하였다.

태경은 빈집에 혼자 남자, 갑자기 이제부터 무엇을 해야 하는지 막막했다. 그는 신문을 펴 들었지만 읽히지 않았다. 오늘은 남편이 온다지? 남편이 온다고? 자꾸만 이런 생각이 떠올라 그는 어수선했다. 태경은 신문을 펼친 채로 내던지고 도망치듯 이불 속에 파묻혔다. 아무래도 남편이 온다는 게 어색하고 믿기지도 않고 부담스럽게도 느껴지고… 그러면서 한편으론 마음이 들뜨기도 하였다. 무엇인가 그를 맞이할 준비를 해야 할 것 같아 조바심이 쳐지는가 하면 아무것도 하기가 싫었다. 이상했다. 이런 갈등이 생기다니. 더욱이 남편에 대해서…. 이제 남편은 태경에게 더 이상 일상적인 존재가 아니란 말인가? 부부라도 한집에 살지 않으면 감각이 떠서 쑥스러워지는 걸까?

태경은 아무것도 하지 않고 거의 두 시간을 이렇게 지웠다. 그러다가 정오가 넘어서야 갑자기 조급해서 자리를 박차고 일어났다.

내가 왜 이러지? 벌써 12시가 넘었는데….

남편에 대한 갈등은 봄눈처럼 하찮았다. 그는 잠깐 잊고 있던 습관을 되살려낸 하인처럼 일에 빠져들었다. 청소를 하고 세탁기를 돌리고 빈 꽃병에 꽃을 꽂아야겠다고 생각했다. 그는 시장에 나가 장을 보고 개나리를 한 단 샀다. 목욕을 하고 화장도 했다.

오후가 되자 아이들이 돌아와 빈집을 채웠다. 놀러 갔던 전씨도 와서 활기차 보이는 딸의 모습에 만족해 했다.

찬수는 7시가 조금 못 되어 집에 왔다. 태경은 끓어오르는 찌개 냄비 뚜껑을 들어올리며 남편의 무게를 느꼈다. 새로운 긴장과 부담 그리고 설레임이 뒤섞이는 묘한 기분도 들었다.

이날 찬수가 먼저 잠자리에 들었다. 늦도록 텔레비전을 보려는 소영이를 전씨가 방으로 불러들였다. 근우는 애당초 제 방에 있었다. 태경은 두어 개 남은 딸기를 입에 넣고 빈 접시를 씻었다. 그리고도 뭐 또 할 일이 남아 있지 않을까 하고 빈 주방과 거실을 살펴보았다.

할 일이 없었다.

이제 문단속을 하고 불을 끄고 자러 들어가면 되었다. 그런데도 그는 문단속까지 하고 난 뒤에도 불을 끄지 못했다. 그는 거실 가운데에 우두커니 섰다가 의자에 불안정한 자세로 앉았다.

무엇을 해야 할지, 어떻게 해야 할지 그는 알 수가 없었다.

이때, 전씨가 살며시 나왔다.

"얘. 너 왜 여기 앉았니?"

전씨가 소리 죽여 딸을 나무랐다.

태경은 소리없이 일어났다.

"빨리 들어가라. 한두 살 애두 아니구…."

전씨가 걱정을 했다.

태경은 불을 껐다.

그리고 그가 안방으로 들어가자 찬수는 선잠에라도 들었던 사람처럼 몸을 뒤챘다.

"여태 뭐했어? 빨리 불 꺼라."

찬수가 잠에 취한 목소리로 말했다. 태경은 잠옷으로 갈아입고 불을 껐다. 남편의 옆에 누웠다. 몇 달 만인지도 몰랐다. 이제 남자와 여자가 한 이불 속에 누웠으므로, 그리고 오랜만에 그렇게 하였으므로, 두 개의 다른 몸이 서로에게 어떻게 다가가야 하는지… 태경은 너무도 선명하게 그려졌으나 몸은 전혀 엉뚱하게 반듯이 누워만 있었다.

태경은 숨이 막혔다.

자신도 모르게 침을 삼켰다. 침 넘어가는 소리가 너무 크게 들려서 민망스럽고 추하게 느껴졌다. 그래서 얼결에 돌아누웠다. 그러자 찬수가 팔을 뻗어 태경을 자기 쪽으로 끌어당겼다.

"오랜만이지?"

찬수가 말했다.

태경은 부끄러웠다. 방이 어두운 게 다행이었다.

찬수는 굵고 무거운 무게로 태경에게 다가들었다. 태경은 그가 하는 대로 가만히 누워 있었다. 찬수의 발기한 성기가 자신의 몸 안으로 파고 들 때, 흠칫 느끼었으나 이내 아무렇지도 않았다. 찬수는 아내를 기쁘게 하려고 애를 썼다.

태경은 눈을 감았다.

문득 〈미라보 다리〉가 떠올랐다.

"괜찮아?"

찬수가 숨찬 목소리로 물었다.

태경은 대답할 말을 떠올리지 못했다.

"좋지?"

찬수가 다시 말했다. 그의 몸에는 진득하니 땀이 배어 나오고 있었다.

태경은 여전히 할말이 없었다.

찬수는 자기의 거칠고 열심인 몸짓 때문에 태경이 신음을 내는 것이 오르가슴이라고 착각했다. 그래서 그는 아무 부담 없이 사정을 했다. 아내를 움켜잡으며.

이제 끝났나? 태경은 남편이 힘없이 풀어지자 이렇게 생각했다. 그는 결혼한 이래 지금까지, 자신의 성적 감흥도에 대해 깊이 의심을 품거나 다른 사람의 경우와 비교해 보고 싶은 호기심을 가진 적이 없었다. 그는 늘 자신의 경험만을 생각했고 그것만을 믿었다. 지금도 그랬다. 그는 남편보다 먼저 속옷을 찾아 입고 그의 성기를 잘 닦아주었다.

"물 좀 가져와라."

찬수가 오랜 임무를 모두 끝낸 사람의 의연한 태도와 거만한 말투로 말했다.

"냉수 가져와요?"

"꿀 있어?"

"찬물에 타요?"

"그래!"

찬수가 대답했다. 태경은 이미 문턱에 있었으므로, 그의 대답이 채 끝나기도 전에 부엌으로 갔다. 찬수는 이대로 누워서 꿀물이나 들이키고 잘까 생각하다가 일어나 샤워를 하고 들어왔다. 그는 아내가 쟁반에 받쳐 들고 온 찬 꿀물을 단숨에 비우고, 시원하다고 혼잣말을 뱉고는 자리에 누웠다. 곧 태경이 옆에 와 눕자, 그는 작동시킨 기계처럼 등을 보이고 돌아누웠다. 태경은 문득 그의·러닝 셔츠에 싸인 흰 등판이 벽처럼 느껴져서 숨이 막혔다. 남편의 등이 오늘따라 높고 두껍게 보였다. 이상했다. 모처럼의 성교를 끝냈을 때의 습관적인 만족감과 기쁨은 어딘가로 사라져서, 벌써 흔적도 찾아지지 않았다.

피곤할 거야.

태경은 이렇게 생각하면서 자신의 황당한 허망함을 삭여보려 하였다.

여수에서 올라와 회사에 들러 회의를 하고… 모처럼 집에 왔으니… 긴장도 풀리고…. 그러나 이런 생각도 쓸데가 없었다. 태경의 허망함은 가시지를 않았다. 태경은 살며시 남편의 높게 느껴지는 등허리에 손을 얹어보았다. 찬수의 살갗도 잠이 들어서 태경의 손에는 아무런 반응도 닿지를 않았다. 그렇지만 태경은 남편의 살에 닿은 손을 끌어들일 수 없었다. 그냥 슬며시 내려놓는다는 게 웬지 허전하고 부끄러웠다. 그러나 태경의 몫은 허전함과 부끄러움이었다.

태경은 반듯이 누워 두 손을 자신의 배 위에 올려놓았다. 남편은 아내에겐 높고 두터운 벽을 쌓았고 아내의 밖을 향해 누워 있었다.

찬수는 늘 이랬다. 그런데 오늘따라 이런 습관이 그냥 넘겨지지 않는 까닭은 무엇일까.

태경은 자신도 찬수처럼 등을 돌리고 누워 잠을 청했다.

다음날 찬수는 늦잠을 자고 일어나 아침 겸 점심을 먹고, 자신의 형과 안부 전화를 한 뒤 집을 떠났다. 그가 집을 나서기 전에 한 일은 아침 신문을 읽고 전화를 하고 밥을 먹고 둘째에게도 미니 오디오를 사주겠다는 약속을 한 게 전부였다.

"언제 또 올라올라나?"

하고 그의 장모가 물었을 때, 그는 낯을 찡그리며 그쪽도 바쁘다고 말했다.

찬수가 떠난 다음, 태경은 결혼한 이래 처음 느끼게 된 기이한 기분을 조심스럽게, 아주 비밀스럽게 끄집어내었다. 수정에게 전화를 걸어서 그렇게 했다.

"정말 이상하지? 남편두… 같이 살지 않으면 꼭 손님 같은가 봐."

"손님이라니! 그럼 그냥 보냈단 말이야?"

수정이 곤두박질하는 소리로 말했다.

태경은 '그냥 보냈다'가 무슨 뜻인지를 몰라 잠깐 침묵했다.

"그러진 않았지만…."

태경이 형광등처럼 알아듣고 쭈뼛대며 자긴 잤다고 말했다.

"그럼 되었네 뭘."

수정이 말했다.

"아이… 그렇지는 않구…."

태경은 이렇게 더듬거리며 지난밤의 일을 떠올렸다. 찬수가 사정으로 빨려 들어갈 때, 문득 자신의 머릿속에 떠올랐던 기억… 찬수의 젊은 여자들… 그리고 가장 중요한 순간에 자신의 마음이 남편에게서 분리되던 느낌을, 태경은 도저히 설명할 수가 없었다.

"사실은… 그렇지 않아두 내가 전화할 참이었어. 뭐 물어볼 게 있어서…."

다행히도 수정이 화제를 돌렸다.

"우리 동생 있지? 남편이 사업해서 웬만큼 산다는 애 말이야. 그 애가 집을 짓고 싶은가 봐. 아파트 살면서 전세 주고 있던 단독을 고치든가 짓든가 해서 들어갈 모양인데…"

"그럼 그 건축가한테 맡기는 게 좋아! 내가 알잖아!"

수정의 말이 끝나기도 전에 태경이 말했다.

"글쎄. 나두 그 사람 생각이 문득 떠오르더라구. 웬지 느낌이 말이야. 그거 있지?"

"그래. 건축가니까."

이렇게 말하는 태경의 목소리는 이미 추억의 구름 속으로 빨려 들어간 것 같았다.

결국 태경은 뜻하지도 않게 수정의 동생 때문에 호준의 전화 번호를 찾아서 '준 건축'에 연락했다. 그러나 그는 자리에 없었다. 그는 현장에 나갔고 오후 5시나 되어야 돌아온다는 것이었다. 태경은 전화를 받는 친절하고 상냥한 목소리의 젊은 여자에게 자신이 어떤 용무를 가졌는지, 묻지도 않았건만 자세히 설명했다. 그리고 자신의 집 전화 번호를 알려 놓았다. 태경의 마음이 달아오르기 시작했다. 그의 생각은 온통 '오후 5시'에 가서 한데 뭉쳤다. 그의 마음은 오후 5시로 가득 차고 부풀고 무겁고 딱딱해지기를 되풀이했다. 그 동안 잊고 있었던 느낌과 기억들이 낱낱이 되살아나는 것이었다.

내가 왜 이러지?

아무것도 아니잖아.

자신을 이렇게 꾸짖었지만 소용이 없었다.

태경은 5시를 기다리며 아무것도 하지 못했다. 그는 마치 그 시간에 매달린 하나의 사물 같았다. 멍청히 의자에 앉아 있다가 문득 정지된 시간 속에 갇힌 것 같아 불현듯 일어서서 베란다 쪽으로 나가곤 했다. 그러면 뜻밖에도 시간의 흐름이 몸 속에서 느껴졌다. 나뭇잎 사이로 흐르는 보이지 않는 바람과, 이미 익어서 여름 속에 녹아버린 봄과, 이런 느낌 속에 스며드는 아릿한 슬픔들에 신경의 잘디잔 마디들이 고개를 들었다. 시간과 계절과 자신의 감각이 이렇게 교합하는 느낌을 섬세하게 느끼기는 처음이었다.

태경의 마음이 조바심과 불안 그리고 황홀과 슬픔 사이를 쉴 새 없이 넘나들고 있을 때, 전화벨이 울렸다. 태경은 시계부터 보았다. 4시 45분이었다.

"안녕하세요? 저는 정호준입니다."

태경은 순간적으로 자신의 숨이 멈추는 걸 감지했다.

"여보세요?"

진공 같은 침묵 때문에 호준이 의심스런 목소리로 이렇게 불렀다.

"네… 저예요…."

태경이 떨리는 목소리로 대답했다.

"정말 반갑습니다. 거기가 댁인가요?"

"네…."

태경은 자기가 이렇게 표현할 말이 부족한 사람이라는 걸 이때 처음 깨달았다. 속이 상했다.

"여엉 못 만나나… 그렇게 생각했는데…."

"…네에…."

태경은 졸리운 목소리로 겨우 이렇게 소리내었다.

"지금 바쁘세요?"

그가 물었다.

"아니예요!"

태경은 정신을 가다듬고 큰소리로 말했다.

"다른 전화가 온 모양인데… 잠깐만 기다려주실 수 있으세요?"

"물론이죠."

태경은 학생처럼 대답했다. 그리고 호준이 다른 전화를 받는 동안 비로소 지금 자기가 어떤 일을 하고 있는지, 자신이 놓인 상황이 어떤 것인지를 천천히 깨닫기 시작했다.

"아, 미안합니다."

호준이 다시 전화를 들고 말했다.

"아니예요."

"건축쟁이라는 게 늘 이래요. 어떤 땐 내가 여기저기 찢기는 것 같은 느낌이 들 때도 있어요. 남들보다 밥을 더 먹는 것도 아닌데…."

호준은 말끝에 웃었다.

"저는 건축을 잘 몰라서요."

태경은 주눅든 목소리로 말했다.

"사람은 누구나 다 모르는 것 속에서 안다구 착각하며 살지 않겠어요? 누구나 다 그러니까 그 점에 대해선 걱정하지 마세요."

"그래두…."

"요즘두 여수에 가십니까?"

"그후에 한 번도 안 갔어요."

"여수가 참 아름다운 곳인데…."

태경은 여수를 생각하고 싶지 않았다. 여수가 호준의 말처럼 아름답다 할지라도 태경에겐 그것이 보이지도 느껴지지도 않는 곳이었다. 태경에게 호준은 비행기에서 만난 남자였으므로.

"집에 문제가 있으세요? 메모가 그렇게 되어 있는 거 같던데…."

호준이 무엇인가를 뒤적이며 띄엄띄엄 말했다.

"우리집은 아니구요. 아는 사람인데… 집을 고치고 싶은가 봐요. 그래서 전문가한테 의논하려고…."

"그러세요. 시간을 만들지요. 잠깐만요. 우선 제 시간을 좀 보겠습니다… 내일은 아침부터 저녁까지 강의가 있구… 모레… 모레 괜찮겠는데… 점심을 같이 하시든지… 2시쯤 사무실로 오시면… 어떠세요."

태경은 호준이 천천히 시간을 더듬을 때 자신도 그렇게 했다. 점심을 먹는 건 쑥스럽고, 사무실로 가는 게 좋을 것 같아서 2시로 생각을 정리했다.

"저는 2시쯤이 좋겠어요."

태경이 말했다.

"그게 좋겠지요?"

호준도 유쾌하게 말했다. 그리고 그는 아주 자상하게 자신의 사무실 위치를 설명했다. 태경은 그가 설명하는 대로 약도를 그렸다.

이제 전화를 끊어야 하나?

태경이 이런 생각을 할 때,

"그 동안 잘 지내셨어요?"

하고 호준이 다른 화제를 꺼냈다.

태경은 반가웠다.

"글쎄요. 어떤 게 잘 지내는 건지… 나이가 마흔이 넘었는데… 점점 눈앞이 어두워져요. 사람이 뒤로 나이를 먹는 경우도 있나 봐요. 저처럼 요."

태경은 소리내어 웃었다.

"표현이 재밌네요. 뒤로 나이를 먹다니요? 저한테두 좀 가르쳐주실래요?"

"아니요! 전 제가 그냥 싫어요!"

태경은 정색을 하고 말했다.

호준은 껄껄대고 웃었다.

태경은 속살이 붉어지는 걸 느꼈다.

"왜… 웃으세요?"

태경이 작은 소리로 물었다.

"뭔가… 그냥 웃고 싶네요. 내일 모레는 만나서 웃어야겠습니다. 웬지 다시 만날 수 있을 것 같은… 그럴 것 같은 예감이 들었었는데…."

호준이 이렇게 말할 때 태경은 가슴이 저리는 걸 느꼈다. 이 느낌은 호준과 전화를 끝내고 나서도 쉽사리 가셔지지가 않았다. 마치 미세한 떨림처럼 계속 태경의 가슴에 남아 있었다.

태경은 한동안 가슴속의 진동을 감지하며 앉아 있다가 수정에게 전화를 걸었다.

"세상엔 차암 친절한 남자두 있어."

태경은 무턱대고 이 말부터 했다.

"또 갔구나 갔어."

"그게 아니야. 너두 만나보면 알아."

"그렇겠지 뭐. 사실 우리가 만나본 남자가 몇이나 되겠니. 겨우 몇 명 알구 남자를 다 아는 것처럼 속구 사는 거지 뭐."

"그럴까? 그렇겠지? 나 좀 봐라. 할말은 않구… 내일 모레 2시에 준 건축 사무실루 가기로 했어."

수정도 '준 건축'에 대해 흥미로워했다. 판에 박힌 현모양처인 태경의

75

질서를 한 귀퉁이나마 흔들어놓은 남자가 누구인지 궁금하기 그지없었다. 그러나 수정의 그것은 태경의 흥분의 무게에 비하면 새털만큼도 못되었다. 태경의 두 다리는 방바닥에 닿아 있었지만 마음은 경중경중 뛰어올라 천장을 뚫을 지경이었다. 이런 기쁨과 기대와 흥분은 이미 태경의 일상에서 사라진 지 오래된 감정들이었다. 남편과 자식이 있고 저녁을 준비해야 하며 마흔이 넘어서 몸과 마음이 '늙었음'이 분명하게 확인되는 때에 느끼게 된 느닷없는 감정들…. 태경은 기쁨 때문에 어디에나 대고 마구 소리지르고 싶은 충동으로부터 도망친답시고 화장실로 들어갔다. 그는 거기서 빗을 꺼내 머리를 빗었다. 자꾸만 이쪽 저쪽으로 오래도록 빗질을 했다. 그리고 거울 속에서 깊이가 느껴지는 눈길을 한 여자가 끝없이 자신의 머리를 빗어내리는 모습을 바라보았다.

저 여자는 누굴까.

저렇게 머리를 빗질하고 있는 저 얼굴은 누굴까…. 태경은 정말 그 여자가 누군지 알 수 없었다. 문득 무섬증이 끼쳤다. 태경은 놀란 듯이 빗을 내려놓고 화장실에서 도망치듯 나왔다.

마침 마실을 갔던 전씨가 돌아왔다.

"엄마!"

태경이 반갑게 소리쳤다. 어린아이 같았다.

전씨가 태경을 빤히 바라보았다. 잠시 눈길을 떼지 않았다.

"너… 술 마셨니?"

전씨가 심각한 목소리로 물었다.

"아니 술이라니요? 내가 무슨 술을 먹어요?"

태경은 뚱딴지 같은 술 얘기에 자기도 모르게 볼에 손을 대었다. 뜨거웠다. 놀라운 일이었다. 태경은 피하고 싶었다.

"열이 나네…."

태경이 어머니를 외면하며 중얼거렸다.

"요새 감기는 철두 없다더라. 꼭 염병처럼 한번 걸리면 나야 낫나 부다

76

한다니… 그저 몸이 고되지 말아야 해. 애들 저녁은 내가 줄 테니까 들어가 자라."

전씨는 얼굴이 불콰해 보이는 딸에게 이런 염려를 하며 주방으로 들어갔다.

"괜찮아요 엄마. 내가 할 테니까 텔레비전이나 보세요."

태경은 어머니를 등 밀어 거실로 보냈다. 그리고 맵지 않게 낙지를 볶아 저녁식사를 끝냈다. 설거지는 한사코 전씨가 맡았다. 태경은 들지도 않은 감기 몸살 때문에 쫓기어 방으로 들어갔다. 태경은 혼자 있는 것이 좋았다.

방문을 닫았을 때, 거실의 온갖 소리들이 멀어지는 걸 알았을 때, 그는 혼자라는 사실이 반가워 가슴이 메었다.

이상한 현상이었다. 그는 이상하게도 조용조용히 움직였다. 아무도 없이 자기 혼자이고, 그래서 좋다고 느끼면서 비밀스럽게 움직이는 것이었다. 시집을 꺼내 가슴으로 읽으면서.

다음날, 태경은 끝없이 속삭이는 소리에 잠을 깼다. 방 안은 아직 어둡고 언제나처럼 자기 혼자였다. 그래도 그는 자기의 잠을 깨운 소리의 정체를 찾아내고 싶어서 바짝 신경을 곤두세웠다. 창을 가리운 커튼이 음새와 밑으로 엷고 아련한 빛이 스며들고 있었다. 시계를 들여다보았다. 이제 6시로 올라서려고 초침이 안간힘을 쓰는 중이었다.

태경은 곧 자명종이 울릴 터여서, 제가 먼저 단추를 짓눌러버렸다. 시계종은 일주일에 한 번, 일요일만 쉬고 늘 6시면 자지러지게 울려서 태경의 잠을 기겁하게 만들곤 했다.

태경은 다시 고요 속에 잠겼다. 자명종에 쫓기어 벌떡 일어나던 때와는 달리, 그는 여전히 요가하는 사람처럼 앉아 있었다. 그리고 10초나 지났을까? 문득 귀에 익은 소리, 귓가에 다가드는 속삭임을 들었다. 곧 태경의 얼굴에 비밀을 알아낸 뿌듯함이 어리더니 일어나 창가로 갔다. 커튼을 갈라 열었다.

아.

태경의 입에서 낮고 그윽한 신음이 흘러나왔다.

그래. 너였구나. 비였어….

태경은 조근조근 잘근잘근 내리는 비를 보았다. 왠지 반갑고 왠지 슬픔도 느껴졌다. 도대체 반갑고 슬픈 느낌으로 가랑비와 만나는 게 태경의 생에서 얼마만일까. 사춘기 소녀 시절에 그랬던가? 비는 하나의 계절이 다른 계절에 삭혀들도록 환절기 내내 자주 내렸다. 비는 그렇게 하나를 삭히고 다른 것을 키워내는 것이었다. 태경은 비에 젖고 씻기고 가라앉는 사물과 허공을 오래도록 바라보았다. 그의 마음도 흥허물 없이 그런 사람들 사이에 앉거나 끼거나 돌아다녔다. 그래서 태경은 등뒤, 집 안에서 나는 소리는 들을 수 없었다. 문이 열리고 아들이 다가오며 낮은 소리로 엄마, 뭘 보구 있어? 하는 말을 알아듣지 못했다.

근우가 등허리를 두 팔로 감아 안을 때야 기절하듯 놀라 소리를 질렀던 것이다.

"아휴, 못된 놈. 엄말 그렇게 놀래키는 거야?!"

태경은 아들을 때리며 소리쳤다.

근우는 벌써 엄마보다 큰 키로 어머니를 내려다보며 머리를 긁적였다.

"엄마가 안 나오길래… 아픈가 하구…."

근우가 얼버무리는 목소리로 말했다.

"아프긴…."

"그런데 뭘 보구 있었어요?"

근우가 창가에 서며 물었다.

"비를 봤지 뭘 보니."

태경은 아직도 놀란 가슴이 다 펴지지 않은 목소리로 말했다.

"비를 봤다구요?"

근우는 믿기지 않는다는 눈으로 어머니를 바라보며 물었다.

"그랬다니깐. 몇 시니? 어머머 그새 저렇게 시간이 갔나?"

태경은 아침 준비를 잊고 있었던 자신이 어처구니가 없었다.

"엄마두 비를 봐요?"

근우가 부엌으로 따라나오며 물었다.

태경은 바빠서 아들이 묻는 말에 대꾸할 여유도 없었다. 서둘러 두 아이의 점심 도시락을 마련하고 깨지 않은 소영이를 깨우라고 전씨에게 독촉하고 아침상을 보았다.

"늦잠 잤니?"

전씨가 허둥대는 딸에게 물었다.

태경은 무어라고 대답하려는데 갑작스럽게 말문이 막히는 걸 느꼈다. 이때 근우가 와서, 엄마 도시락 쌌어요? 하고 묻지 않았다면, 태경은 자신의 실어증 같은 놀라운 상태에 한순간 갇혔을지도 몰랐다.

"쌌지 그럼!"

태경은 재빨리 어머니의 관심으로부터 빠져나와 아들에게 대답했다.

"나 오늘 시험인데 엄마…."

근우가 난감한 표정을 지으며 말했다.

근우는 태경이 도시락 반찬 때문에 신경 쓰는 걸 보아왔기 때문에 어머니의 수고를 온전히 덜어주지 못한 게 못내 아쉬운 것이었다.

"왜 이제 말하니?"

"엄만! 내가 어젯밤에 그랬잖아요. 월말고산 거 뻔히 아시면서…."

근우는 말끝을 섭섭한 기운으로 뭉숭거리며 식탁에 앉아 서양식 야채국을 떠먹었다.

내가 왜 이러지? 아니, 어디다 정신을 빼먹었지?

태경은 정말 놀랍고 한편 두렵기도 했다. 이런 경우는 없는 일이었다. 아이들 시험 날짜도 잊고, 간밤에 확인시킨 사실도 깡그리 잊고… 이래선 안 되었다.

태경은 아이들이 우산을 들고 학교로 떠난 다음, 전씨에겐 몸이 좀 무겁다는 핑계를 대고 방에 들어가 혼자 있었다. 밖에는 아직도 비가 내리고 있었지만 태경의 귓가에 속삭이는 소리는 들리지 않았다. 그래도 그는 창가에 섰다.

엄마두 비를 봐요?

문득 이렇게 말하던 근우의 목소리가 되살아났다.

엄마두 비를 보냐구? 왜 난 비를 볼 수 없나? 이렇게 비를 보는데….

태경은 아들의 말을 되새기다 문득 오싹한 수치감을 맛보았다. 웬지 부끄러운 것이었다. 아직 어리게만 보이는 아들에게 자기 자신이 추하고 속물스런 여자로 비친 것 같아 낯이 다 뜨거워졌다.

태경은 아무도 없지만, 지금 너무 부끄러워 눈을 감고 몸을 움츠렸다.

그래. 그랬어. 난 추하고 옹졸하게 살았던 거야….

태경은 마치 염색이 잘 들지 않은 천에 물을 들이듯 자신에게 수없이 이런 말을 했다. 추하고 속물스럽게 살았다고…. 그리고 저녁에 근우와 다시 만났을 때 참지 못하고 따졌다.

"얘. 왜 엄마는 비두 못 보는 사람이냐?"

"아니!"

정작 대답하는 근우가 정색을 했다.

"그럼 왜 그런 말을 했니?"

"엄만 그렇게 심각하게 들었어요?"

"뭐… 좀…."

"난 어른들은 비 같은데 관심이 없는 것 같아서… 더군다나 엄마가 이른 아침에 창가에서 비를 보는 게 너무 아름다워서요…."

태경은 아들을 넋뺀 얼굴로 바라보았다. 그러나 그는 아들의 등뒤에 있는 크고 깊고 넓은 세계에 넋을 빼앗긴 것 같았다.

이윽고 그의 눈에 물기가 어렸다.

"그 말이 정말이니?"

태경이 속삭이는 소리로 물었다.

"뭐가요?"

"니가 지금 한 말."

"정말이지요, 엄마. 그런 걸 뭣땜에 거짓말 해요?"

"너무 놀라워서… 정말… 진짜루 엄마가 아름답게 보이디?"

태경은 아들 쪽으로 바짝 얼굴을 대고 물었다.

근우가 도리어 쑥스러운 낯으로 고개를 끄덕거렸다.

"이렇게 늙었어두?"

태경의 목소리는 사뭇 진지했다.

"아이구 차암. 늙으면 사람두 아니나요?"

근우는 말하고 나서 어이없는 웃음을 소리내어 웃었다.

태경은 고개를 끄덕거렸다. 자신의 속마음에 눈길을 끌어들인 표정이었다.

아름답다… 얼마나 오래도록 잊고 지낸 말인가….

태경은 마치 잊고 있던 고향이나 어머니를 발견한 사람의 편안함 같은 느낌에 젖어들었다. 아름다움이란 삶의 덩어리 속에, 드물게 박혀 있는 오아시스 같은 건 아닐는지.

"지금두 비가 오니?"

태경은 갑작스럽게 물었다.

"내일두 온대요."

"어떻게 아니?"

"어제 일기예보에 그랬잖아요."

태경은 또다시 낯이 뜨거워져서 자리를 떴다.

"우유 마실래?"

괜히 냉장고 문을 열고 근우에게 물었다. 그러나 그의 속마음은 '내일 오후 2시'에 가 있었다. 아마, 그 시간에도 비가 올지 몰랐다. 그는 비 내리는 오후 2시를 생각했다. 그렇지만 자신의 일상적 생활 감각이 툭툭 끊기고 멈추는 뜻밖의 증상들이 내일 오후 2시와 맺어져 있다고까지는 생각하지 못했다. 자꾸만 마음이 들떠지고 거울 앞에 서서 자신의 얼굴을 바라보고, 그 '늙은' 얼굴이 싫어지고 속상해 하면서도 그리고 옷장을 열어놓고 이옷저옷 뒤적이다가 대어보고 입어보고 하면서 짜증을 낼 때도, 그는 자신의 이런 증상의 원인에 대해선 반추하지 못했다. 도리어 그는 소풍 가는 어린아이의 들뜬 기분에 가까웠다.

"잘생겼니?"

다음날 택시 속에서 수정이 이렇게 물었을 때도 여전했다.

"얼굴두 잘 기억이 안 난다니깐."

태경은 이렇게 대답했다.

"아닌 거 같은데…."

수정이 태경을 뚫어지게 보며 말했다.

"여긴가 봐. 여기 맞지?"

태경은 수정의 말은 듣지도 않고 호준이 설명해 준 쪽지를 펴들고 중얼거렸다.

"내가 어떻게 아니?"

수정은 볼 부은 소리로 퉁명스레 뱉었다. 수정의 동생이 민망해서 언니를 살짝 쳤다.

"여긴가 봐요 아저씨. 세워주시겠어요?"

태경은 설명서의 끝인 데에 왔으나 자신없는 목소리로 택시를 세웠다.

언덕길이 굽이도는 한 허리춤에 이층집이 있다… 맞은편엔 축대가 있고….

호준은 분명히 이렇게 설명했다. 하지만 태경은 이런 허름한 2층, 마치 비탈 아래에 가라앉아 보이는 건물에 호준의 사무실이 있다는 걸 인정하고 싶지 않았다. 이런 기분은 수정도 마찬가지였다. '비행기 속의 건축가'가 이런 허름한 곳에 사무실을 가지고 있다는 건 너무 초라해서 그동안 태경을 이리저리 놀렸던 근거 없는 흥분이 차라리 죄악같이 느껴졌던 것이다.

"이 집이 맞아요. 저기 간판이 있잖아요."

수정의 동생이 실망을 감추지 못하고 있는 두 여자에게 말했다. 태경과 수정은 동시에 '준 건축'이라는 네모난 나무 간판을 보았다.

태경이 앞장을 섰다.

문이 무겁게 안으로 밀리며, 방문객들을 빨아들였다. 문이 밀리며 트이는 공간이 환하게 다가왔다. 태경은 문 밖에서의 실망과 환한 공간의 차이를 극복하기도 전에 저만큼 마주보이는 벽 쪽에 앉아 있는 여자의 인사를 받았다.

"어서 오세요. 안녕하세요? 시간을 잘 맞추시네요."

스물두어 살이나 되어 보이는 상냥하고 맑은 인상의 여자였다. 태경은 순식간에 그 여자가 누구인지 알아챌 수 있었다. 언젠가 자신을 절망과 당황으로 몰아넣었던 목소리였다.

"사무실이… 들어와보니… 분위기 있지?"

태경의 등뒤에서 수정이 속삭였다.

사무실 여자가 인터폰의 단추를 누르고 호준에게 연락했다.

"올라가시지요. 소장님께서 기다리세요."

여자가 친절하게 말했다. 그리고 아직 얼떨떨해 하는 태경에게 2층으로 난 계단을 안내했다. 태경이 맨 앞에서 좁은 나무 층계를 올랐다. 천장에는 별빛 같은 조명등이 비치고 2층 위는 환했다. 마치 빛이 한 군데 모여 있는 것 같았다. 그곳으로 한 사람이 그림자처럼 나타났다. 태경은 그의 모습을 보자마자 또다시 너무도 낯익은 타인을 확인하는 야릇한 느낌에 빠졌다.

"어서 오십시오."

호준이 인사했다.

"안녕하셨어요."

태경이 떨리는 목소리로 말했다.

"찾기에 어렵지는 않으셨어요?"

태경이 마지막 계단에 발을 올릴 때 호준이 물었다.

"설명대루 왔어요."

수정이 큰소리로 장난기 섞어 대답했다.

"아, 그렇습니까?"

호준은 태경의 뒤에 있는 여자들을 바라보았다. 그리고 그는 여자들이 계단을 다 오를 때까지 서 있다가 그들을 안으로 안내했다.

"사무실이… 그저 그렇습니다. 앉으세요."

호준이 자신의 자리에 앉으며 여자들에게 말했지만 아무도 앉지 못했다.

여자들은 무엇에 홀린 것 같아 보였다. 검은색의 벽과 천장을 바라보고 눈높이로 쌓인 책과 직사각형의 커다란 회의용 책상과 책상 위에 놓인 설계도면이며 흙으로 대충 만져서 애벌구이한 진흙빛의 재떨이, 그 속에 넘치도록 쌓인 꽁초들. 그리고 지금 담배를 피워 문 방 주인과 검은 책상 끝에 걸쳐진 그의 커다랗고 하이얀 왼손…. 여자들에겐 이런 분위기가 낯설지만 흥분되는 것이었다.

태경은 아까부터 발그레진 낯빛으로 두리번거리며 무엇을 찾고 있었다. 그가 2층에 올라서는 순간 숨결처럼 가슴에 휘감기던 선율이 어디서 흐르는 건지 너무도 궁금했던 것이다.

호준은 여자들에게 무슨 차를 마실 건지 묻고, 수정의 자매와 집 이야기를 시작했다. 수정의 동생이 자신의 집에 대해 얘기하는 동안, 호준은 공책을 펴놓고 그림을 그렸다. 집 주변의 길이며 건물 따위들이었다.

"사무실이… 좀 색다른데… 아주 편안해요."

수정이 말했다.

그러자 태경은 기다렸다는 듯이 머리를 크게 끄덕이면서,

"정말 그래요. 어쩌면 이렇게 아늑하지…."

라고 떨리는 목소리로 말했다.

"편안하기라도 해야지요."

호준은 자신이 방금 그린 그림의 골목에 가로등 하나를 세우며 중얼거렸다. 그리고 그는 걸려온 전화를 받았다.

내일 오전 10시. 양평.

태경은 호준의 전화 내용을 추려서 이렇게 자신의 기억에 넣어두었다.

"집은… 새로 짓기도 힘들지만 고치는 것도… 쉽지는 않습니다."

호준이 말했다.

"그럴 거야. 옷두 고치는 게 더 까다롭다잖아."

수정이 태경과 동생을 번갈아보며 말했다.

고치는 게 더 어려워….

태경은 특별한 느낌 없이 속으로 이 말을 여러 번 되씹었다.

호준은 다시 걸려온 전화를 받느라 자신의 이야기를 끊었다. 그는 통화를 마치고 나서 인터폰으로 전화는 회의중이라고 할 것이며, 회의는 3시 반쯤 끝난다고 말했다.

"건축가라는 게… 늘 이렇게 너절하게 찢기면서 삽니다. 낮엔 진짜 일 두 못 하구… 그래서 밤에 일을 할 때가 많습니다."

"밤에요?"

태경이 신기한 듯 물었다.

"네."

호준이 무슨 까닭인지 낯을 찡그리며 대답했다.

"저어… 결혼… 결혼 안 하셨어요?"

수정의 동생이 망설이며 물었다.

순간, 태경의 얼굴이 불화로처럼 뜨거워졌다. 태경은 갑작스럽게 고개를 떨구었다. 그러나 아무도 태경의 이런 변화에 관심을 갖지 않았다.

"결혼요? 결혼 못 한 것처럼 보입니까?"

호준이 웃으며 물었다.

"미안하지만… 독신처럼 보여요."

"그렇게 보입니까?"

호준은 말하면서 껄껄 웃었다.

태경은 도둑처럼 호준의 그런 얼굴을 훔쳐보다가, 그의 호탕한 듯 들리는 웃음소리 속에 숨어 있는 서늘하고 쓸쓸한 기운을 보아버렸다.

"정말 결혼 안 하셨어요?"

수정이 고개를 갸웃하고 물었다.

아직도 호준을 훔쳐보고 있는 태경의 몸이 불현듯 전율했다.

"결혼, 했습니다!"

호준은 한 호흡 멈췄다가 이렇게 정답을 외치는 학생처럼 말했다.

"그렇겠지요오…."

수정의 동생이 묘한 목소리를 길게 끌며 혼잣말 하듯 뱉었다.

갑자기 방 안이 조용해졌다.

호준이 라이터를 켜는 소리가 크게 울렸다.

태경은 곧 담배 냄새를 맡았다. 웬지 구수하고 아린 향기조차 느껴지는 냄새라고 생각하며 고개를 떨구고 있었다.

"그럼, 애기도 있으세요?"

수정이 집요하게 물었다.

호준은 담배 연기 바깥 쪽에서 낯을 찡그리며 연기를 바라보았다.

"네."

그는 사무적으로 대답해서 수정이 자매의 호기심을 눌렀다.

다시 방 안은 말소리가 사라지고 고요해졌다. 언제인가 음악도 멈춰 있었다.

호준이 일어나 여자들이 앉은 맞은편에 가서 무엇인가를 뒤적였다.

"참 괜찮다."

수정이 태경에게 속삭였다. 태경은 달아오른 몸과 마음으로 수정의 말을 듣고 호준의 등 굽힌 뒷모습을 바라보았다.

태경의 가슴이 쓰라렸다.

이제 겨우 두 번 만난 남자. 그런데도 오래 전부터 너무도 잘 알고 지 낸 사이 같은 저 남자…. 태경은 하늘도 땅도 모르는 곳, 사람이 없는 곳 에 숨어버리고 싶었다. 수정이 자매가 여기 없다면, 그리고 호준도 없다 면… 태경은 엉엉 소리내어 울 것만 같았다. 그래야만 숨이 제대로 쉬어 지고 사물이 제대로 보일 것 같았다.

그러나 지금 태경의 터질 지경인 갈등은 밖으로는 전혀 드러나지 않 았다.

"공사는… 얼마나 걸릴까요?"

이윽고 수정의 동생이 자신의 일을 얘기했다.

"글쎄요… 어떻게 하느냐에 달렸는데요…."

호준은 이렇게 얘기를 풀면서 여러 가지 사례와 경우를 설명해 주었 다.

수정이 자매는 고개를 끄덕이며 '전문가'의 이야기를 경청했다.

호준은 일단 현장을 보고 다시 한 번 회합을 갖는 게 좋겠다고 말했 다.

…다시 한 번이랬지?…

태경은 그들의 이야기를 들으면서 앵무새처럼 그러나 무심코 이렇게 생각했다.

그 동안 물체처럼 놓여 있던 전화기에서 따르릉 소리가 울렸다. 호준 은 짜증스럽고 긴장된 낯을 하고 팔목시계를 들여다보더니 수화기를 들 었다. 그가 전화를 받는 직원에게 말한 회의 시간은 좀이 스는 것처럼 허망하게 지나가버린 것이었다.

"가야겠어."

태경이 말했다.

호준은 전화를 건 쪽이 친구인지, 이번 주 안으로 시간을 내서 점심을 하든지 저녁을 하든지 하자고 말했다.

여자들은 주섬주섬 가방을 챙기고 일어날 채비를 했다.

"죄송합니다. 제가 정신이 없어서… 제대로 말씀도 못 나누고…."

전화를 마친 호준이 자리에서 일어나며 말했다

"웬걸요. 좋은 분위기에서 좋은 말씀 듣고…."

수정의 동생이 웃으며 말했다.

"언제쯤 연락 주시겠습니까?"

호준이 물었다.

"저어… 우리 남편이 8월에 미국 출장을 가거든요. 그때 해볼까 하구요."

"그러시겠습니까? 얼마나 다녀오시는데요?"

"3개월이라나 봐요. 우리 남편은 성가신 걸 싫어해서 제가 이런 남자 일두 다해요."

수정의 동생은 쑥스럽게 말했다.

"저한테 연락할 전화를 주셨던가요?"

호준이 무슨 생각에 잠겼던 표정을 풀면서 물었다.

"아, 내 정신 좀 봐!"

수정의 동생은 이렇게 소리치더니 손가방을 열고 볼펜을 꺼냈다. 그는 호준이 내민 종이에 집 전화 번호를 적었다.

"낮엔 집에 잘 없어요. 하는 일두 없으면서 바쁘게 나다녀요."

호준과 수정의 동생이 계단 위에서 이런 얘길 할 때, 수정은 이미 아래층으로 내려갔고 태경은 그들 뒤에서 기다리고 있었다.

"제가 점심을 한번 대접하고 싶었는데…."

수정의 동생과 얘길 끝내고 그가 계단으로 발을 내딛자, 호준이 태경에게 낮은 소리로 말했다. 순간 태경은 당황해서 그가 한 말은 제대로 들었으나 그 뜻이 새겨지지 않아 멍청한 낯을 도망치듯 감추고 계단으로 한 발을 내디뎠다. 그런데 중심을 잡지 못해 몸이 기우뚱 허물어졌다. 뒤에 있던 호준이 재빨리 태경을 잡아주었다. 태경은 전신에서 기운이 빠져나가는 나른하고 노곤한 느낌에 사로잡혔다. 시간과 빛이 한꺼번에 사라지는가 하면 뒤엉키는 절묘한 감각도 경험했다.

"여수에 잘 가세요?"

호준이 태경의 뒤에서 말했다.

여수에 또 가느냐구요?

태경은 속으로 말했다. 그러면서 정작 입 밖으로는 아무 소리도 내지 못하고 있었다.

이렇게 엉뚱한 상태로 태경은 계단을 다 내려오고 말았다. 지금 호준이 자신의 등뒤에서, 태경의 그날의 모습—호준을 쳐다보던 놀란 듯 슬픈 눈을 기억하고 있으며 또한 비행기의 옹색한 창으로 비쳐들던 빛이 태경의 이마와 콧날과 뺨을 어루만지던 그 음영을 떠올리고 있다는 사실에 대해, 태경은 털끝만한 짐작도 하지 못했다.

"전화 주시겠어요? 아니, 제가 전화드려도 되겠습니까?"

계단 아래서 호준이 태경에게 물었다.

순간 태경이 아이 같은 눈으로 호준을 쳐다보았다.

뭐라구요? 그게 무슨 의미지요?

태경의 놀란 눈이, 슬픔을 담은 채 이렇게 묻고 있었다. 그리고 쭈뼛쭈뼛 자신의 일행 사이로 숨어버렸다. 호준의 눈길이 그런 태경을 따라다녔다.

호준은 그들을 문 앞에서 배웅했다.

수정과 그의 동생은 즐겁게 인사했다. 그러나 태경은 자신의 존재에 자신이 없는 고아처럼 눈길조차 어디에 둬야 할지 몰라 끝없이 허둥대었다. 그래서 너무도 쉬운 인사, 안녕히 계세요, 라는 말도 하지 못했다.

태경은 택시를 잡고, 차가 속도를 낼 때야 비로소 자신의 태도가 얼마나 얼빠진 것이었던가를 깨달았다. 그는 정말 죽고 싶은 기분이었다. 수정과 동생이 호준에 대해 얘기할 때도, 태경은 차창 밖만 내다보며 후회와 부끄러움 때문에 절망에 빠졌다.

"난!"

갑작스럽게 커다란 목소리로 태경이 외마디 지르듯 말했다

수정이 하던 얘길 멈추고 태경을 돌아보았다. 태경은 차창에 이마를 대고 있었다.

"어디 아파?"

수정이 물었다.

"혹시… 멀미 아니세요?"

수정의 동생이 걱정했다.

태경은 마구 고개를 저었다.

"왜 그래?"

수정이 태경의 어깨를 잡아당겼다.

태경이 완강하게 뿌리쳤다.

수정은 이해할 수 없었다. 편안한 친구인데 여수에 다녀온 다음부터 뭔가 달라지고 있었다. 남편 때문일 것이라고, 성생활이 불안정해서일 것이라고… 수정은 쉽게 생각해 버렸다.

"창문 좀 여세요."

아무것도 모르는 택시 기사가 이런 친절로 끼어들었다.

"문 좀 열어라."

수정이 태경에게 말했다.

태경은 창문을 여는 대신 똑바로 앉았다.

"난… 왜 이렇게… 아줌마 같지?!"

태경이 하소연 같은 투로 말했다.

수정이 푹, 웃음을 내쏟았다.

수정의 동생도 가만히 소리내어 웃었다.

"술도 안 마시고 취했나? 무슨 그런 소릴 해? 당신이 아줌마지… 아이구 아줌마두 알짜배기 아줌마 아니야?"

어처구니없어서 수정은 말끝에 혀를 찼다.

"자기는 나 같지는 않잖아."

태경은 아직도 수정의 웃음을 이해하지 못한 채, 이해하려 하지도 않은 채 투정하듯 말했다.

"나두 아줌마야!"

수정이 신경질적으로 소리쳤다.

수정의 동생이 웃었다. 그는 마흔 중반의 여자들이 어떤 마음을 가졌는지 이해할 수 없어서, 그냥 우습기만 했다. 아줌마가 '아줌마'라는 걸 받아들이지 않으려는 무모한 갈등도 우스웠다.

그들은 시장 앞에서 내렸다. 장을 보아서 들어가야 하기 때문이었다.

"레스토랑에 가서 주스라두 마시구 헤어지지 뭐."

시장으로 가기 위해 횡단보도를 건넜을 때, 태경이 보채듯 말했다. 그런 태경을 수정은 웬일이냐는 듯이 빤히 쳐다보았다.

태경은 그냥 이대로 집에 들어가고 싶지 않았다.

"집안에 신경 쓸 사람 없으니까…."

수정은 남편이 없는 태경의 입장에 질투를 느꼈다.

그들은 지하의 레스토랑으로 들어갔다. 어중간한 시간이라서인지 좁지 않은 가게 안이 텅 빈 듯했다.

수정이네 자매는 집을 '준 건축'에 맡길 것인가에 대해 의논하기 시작했다. 그러나 태경은 혼자만의 생각에 깊이 빠져 있었다.

제가 점심을 한번 대접하고 싶었는데… 그 남자가 이렇게 말했어. 분명해. 그렇게 들렸어.

태경은 자꾸만 이 생각을 했다. 호준의 목소리가 귀에서 쟁쟁거렸다. 그런데 자기는 왜 그 말에 바보처럼 아무런 말도 하지 못하고 지나쳤는지… 생각할수록 안타깝고 속이 상했다.

왜 그 사람은 여수 애길 자꾸 하지?

여수에 또 가느냐구 물었잖아.

태경은 생각에 잠겨, 입을 굳게 다물고 있었으나 얼굴엔 구름의 그림자가 바쁘게 지나가는 낮 한때의 산이나 바다처럼 갖가지 표정이 얼룩얼룩 지나갔다. 더욱이 그가 계단으로 발을 내디딜 때, 무슨 까닭으로 비칠거렸는지, 그리고 호준의 팔이 자신의 어깨를 잡아주던 순간이 떠올랐을 때, 태경은 온몸으로 감당할 수 없는 전류가 흐르는 걸 고통스럽게 느껴야 했다.

고통의 전류가 가신 다음, 태경은 천천히 자신의 격정을 스스로 비웃고 나무라기 시작했다.

이런 건 모두 다 공연한 상상이고 공상이라고. 그 남자는 단지 일상적인 친절을 보였을 뿐이라고. 나는 하찮은 아줌마에 지나지 않는다고….

태경은 마시지 않아 그 사이 얼음이 녹고 있는 주스잔에 무심코 손을 대었다. 그러다가 그는 자신의 손가락이 굵고 마디가 거친 데 흠칫 놀랐다. 태경은 천천히, 하지만 누군가의 눈에 띌세라 조심스럽게 자신의 손을 잡아당겨 탁자 밑으로 숨겼다.

"부부라는 게 돌아서봐라. 남남이면 다행이지 뭐. 원수 같은 사이가 얼마나 많니?"

"그래서 여자들이 마흔 넘으면 그렇게들 자기 돈 마련할려구 하나?"

"약삭빠른 여자들은 첫애 낳구 그런다더라."

"그렇지만 언니, 왜 그렇게 살아야 해? 부부가 애인처럼 평생 살 수 없나?"

"소설가들한테나 물어봐라."

수정이 씹어 뱉듯 말했다.

"형부는 좋잖아."

수정의 동생이 말했다.

수정은 고개를 돌려서 태경을 보았다. 태경이 판도라에 들어온 다음 이제까지 입 한번 떼지 않고 있는 게 비로소 신경이 쓰였던 것이다.

태경은 고개를 갸웃이 수그리고 있었다.

"기도해? 원 길게두 하네."

수정이 툭 건드리며 말했다.

"아니야. 애기 듣구 있었어."

태경이 우울하고 젖은 목소리로 대답했다. 그러나 고개를 들지는 않았다.

"자기 좀 복잡한 것 같애."

수정이 잠시 침묵하고 있다가 탐색하듯 물었다.

"아니야. 내가 복잡할 게 뭐 있어."

태경은 짐짓 태연한 척, 손을 털 듯한 목소리로 말하며 고개를 들었다. 수정과 눈이 마주칠 때, 태경은 웃어 보이려고 애를 썼는데 얼굴만 일그러졌다.

"주스 마셔. 들어오자구 한 사람이 누군데 제사만 지내구 있니?"

수정이 주스잔을 태경이 앞으로 바짝 당겨주며 말했다.

"속이 안 좋으세요?"

수정의 동생이 물었다.

"괜찮아."

태경은 민망해서 좀 힘찬 목소리로 말했다. 그리고 웃었다.

"준 건축에다 일 맡길 거지?"

태경이 물었다.

수정의 동생이 웃기만 하고 언니를 쳐다보았다.

"지 맘대루 하나? 집에 가서 남편한테 상의하겠지 뭐."

수정이 말했다.

"전 그분한테 집을 맡기고 싶어요."

수정의 동생이 레스토랑을 나설 때, 태경에게 말했다.

"그래, 그게 좋을 거야."

갑자기 활기찬 목소리로 태경이 말했다.

"반했니?"

수정이 장난스럽게 물었다.

93

그러나 태경은 지나치게 경직되며 눈까지 험악하게 흘겼다.

"건축가가 손대는 집이 어떤가 나두 구경 좀 하자."

수정은 태경의 민감한 반응을 하찮게 지나치며 이렇게 말했다.

"그 사람은 참 성실하게 생겼지?"

태경이 다시 말했다.

"또 그 남자 얘기야?"

"아이, 뭐….."

태경은 어쩔 줄 몰라하며 손으로 수정을 밀어내는 시늉을 했다. 얼굴은 붉게 달아오른 채.

시장은 저녁거리를 사러 나온 아줌마들로 붐비고 있었다.

"뭘 먹지?"

수정은 짜증을 냈다.

"조기두 괜찮네. 형부 조기 찌개 좋아하시잖아."

수정은 이렇게 말하는 동생에게 대꾸하지 않았다. 무조건 저녁밥을 하기가 싫었다. 매일 '무엇을 해 먹이나' 하는 생각과 걱정이 이젠 넌덜머리가 났다. 오늘은 특히 더 그랬다. 신혼 한 시절에는 돼지 불고기에 상추쌈과 김치, 된장국이면 그저 행복했다. 하지만 그런 행복감은 이미 무덤 속에 묻혀서 추억조차 빛 바랜 것이 되어버렸다.

태경은 아무 거나 막 샀다. 우엉도 사고 풋고추도 사고 토마토도 샀다. 보리쌀도 사고 콩도 샀다. 정육점에서 로스 고기도 샀다.

"서방님이 또 오시나?"

수정이 태경의 귀에 대고 속삭이는 소리로 놀렸다.

태경은 대답할 말이 없어서 싱긋 웃기만 했다. 그는 특별한 생각 없이 그저 이것저것 산 것이었다.

그들은 곧 헤어졌다.

수정의 동생은 태경에게 고맙다고 별도로 인사했다.

태경은 양쪽 손에 팔이 빠지도록 비닐 봉투를 주렁주렁 들고 집으로 갔다.

소영이가 문을 열어주었다. 아이는 엄마가 돌아온 게 기뻐서 안길 것처럼 팔을 활짝 펼쳤다. 그러나 태경의 손은 시장 본 봉투들이 차지하고 있었다.

"할머니 안 계시니? 오빤 학원 갔지?"

태경은 식구들을 두루 점검했다. 할머니는 약수를 뜨러 갔고 근우는 학원에 갔다고 했다. 소영이는 어머니가 내려놓은 봉투를 들춰보다가 이웃집 아이가 부르자 나몰라라 하고 뛰쳐나갔다.

"숙제 했니?"

태경은 이미 꽁지까지 빠져나간 딸에게 소리쳤다.

태경은 녹을 것부터 냉장고에 넣어두고 옷을 갈아입으러 안방으로 들어갔다. 그런데 방 한가운데 섰을 때, 문득 남편의 존재가 떠오르는 것이었다. 남편이 등을 밀고 어깨를 누르는 무게로 아내에게 다가들었다.

태경은 우뚝 섰다.

소금 기둥처럼 굳어버린 것이었다.

그리고 얼마나 지났을까.

시간은 1분도 지나가지 않았건만 태경에겐 긴 세월처럼 느껴졌다.

그는 비로소 주술에서 풀려난 넋빠진 사람처럼 힘없이 옷을 벗고 갈아입었다.

하지만 남편의 무게는 안방에서만이 아니라 거실과 주방, 그리고 제각각 돌아온 아이들에게서도 느껴졌다. 이날 태경이 이런 버거운 느낌에서 벗어났을 때는 모두들 잠든, 깊은 밤중이었다.

태경은 잠들 수가 없었다. 밤이 깊어갈수록 그래서 사위가 물 속처럼 고요해질수록 그의 정신은 투명하고 싱싱하게 깨어나는 것이었다. 그는 가만히 누웠으나 마음은 먼 창 밖에서 어둠을 헤매고 휑한 층계의 맨 위에 머물기도 했다. 그리고 그가 생각한 것―밤이 눈처럼 쌓인다고 느낀 것은 형광등으로 흐르는 전류 소리 때문이겠지만, 어쨌든 밤과 그가 하나가 되는 경험은 차라리 신비체험 같았다. 그는 밤의 우주를 주먹에 움켜쥐기도 하고 밤의 곁에 숨기도 하고 밤의 부피에 자신을 담그기도 하면서 황홀해 했다.

그러나 이런 신비체험이나 황홀의 경지, 그것을 주재하는 것은 '그 남자'였다. 태경은 밤의 부피에 감싸이면서 문득 자신의 왼쪽 어깨에 손을 대어보곤 했다. 아직도 거기에 호준의 팔이 있다고, 그 팔에 이어진 자신의 몸, 그 몸에 깃든 마음이 있다고 여기는 것이었다.

그러다가 그는 어떤 후회와 모멸감 때문에 몸을 뒤집어 침대 시트에 얼굴을 파묻었다. 이럴 땐 차라리 죽어서 아무 생각도 할 수 없는 게 좋을 것 같았다.

왜 나는 바보같이 말 한 마디 못 했지? 점심을 먹자는 뜻이었을 거야. 나한테 지나가는 헛소리를 할 까닭이 없어. 나는 너무 바보야. 나이가 마흔넷이 되도록 어른스러워진 게 하나도 없어. 유치하고 미숙해. 이런 나는 죽어야 해….

그 남자는 내가 여수에 가느냐고 물었어. 내가 어떻게 사는지 다 알고 있을까? 예술가의 눈에는, 더욱이 사람이 생활하는 집을 짓는 건축 예술가는 사람의 얼굴만 보아도 사는 내력을 꿰뚫을지 몰라.

태경은 고개를 저었다. 아랫입술을 아프도록 깨물었다. 두 손으로 부서지게 머리를 옥죄였다.

내가 한 마디쯤 했어야 해. 전화를 해주시겠어요? 이렇게. 아니야. 그건 너무 말이 길어. 기다리겠어요. 그래. 적어도 그렇게라도 내 생각을 비쳤어야지. 그 사람이 나를 뭐라고 여기겠어. 내가 자신에게 전혀 관심이 없다고 생각할 게 아니야!

태경은 숨이 막혔다. 그는 미친 듯이 벌떡 일어나 쪼그리고 앉았다. 귀에서 점점 더 뚜렷하게 호준의 말소리가 들려왔다.

"전화 주시겠어요? 아니, 제가 전화드려도 되겠습니까?"

태경은 눈을 감았다가 떴다. 그리고 침대에서 내려왔다. 화장대 앞에 앉았다. 그는 한 여자와 마주보았다. 머리는 헝클어지고 입술은 탄 것처럼 오그라들었으며 눈은 꺼풀이 늘어져 보이는 여자였다. 태경은 한 손을 들어 뺨을 만져보았다. 살이 헐겁게 밀리었다. 그는 지렁이라도 만진 것처럼 질겁해서 손을 떼었다. 갑자기 온몸이 싸늘하게 식었다. 거울 속의 윤기 없는 저 늙은 여자는 속일 수 없는 자기 자신이었다. 태경은 저 모습의 자기가 너무도 싫었다.

여름

시간이 흐르고 날들이 지나갔다.

돌이킬 수 없는 시간의 흔적은 세상에 있는 모든 것 속에 남겨졌다. 투명한 초록빛과, 속삭이는 빗줄기로 자라나던 여름은 이제 짙은 불투명의 초록으로 숙성해서, 여름이 지닌 시간과 경험들의 세계를 넓혀가고 있었다.

이렇게 여름이 성숙해 가도록, 태경에겐 아무런 변화도 일어나지 않았다. 얼핏 보면 그랬다. 한동안 태경을 떨리게 했던 '한 남자'는 화석이 된 수만 년 전의 씨앗처럼, 그의 잠든 그리움 속에 스며들었을 뿐이었다. 어느 긴 여름날의 저녁에 문득 허전함을 느끼고 웬지 꼭 해야 할 일이 있는 것 같아 마음이 허둥대었지만, 태경은 자신의 그런 감정을 위해 아무 것도 하지 못했다. 전문가에게 맡겨서 나름대로의 분위기를 지녔던 태경의 머리는 그 사이 함부로 자라서 을씨년스러운 모습이었다. '그 남자' 때문에 숨이 막힐 때 그리고 새삼스럽게 되살려낸 아폴리네르의 〈미라보 다리〉 때문에 가슴이 설레일 땐 밤마다 얼굴을 다듬었건만, 이제 그는 더 이상 얼굴에도 관심을 갖지 않았다. 자신은 희망 없는 '아줌마'이며 '너무 늙었다'는 걸 잊는다는 게 죄악이라고 생각했기 때문이다.

이렇게 생각하는 것이 차라리 속이 편했다. 그는 자기 자신을 위해 아무엇도 기대하지 않고 자기 자신의 혼에서 어떤 것도 싹트게 하려 하지 않았다. 이런 상태가 편했다. 잠시 반짝이던 눈은 예전처럼 흐려졌고, 기계적인 일상들—아이들의 시간에 맞춰 일어나기와 남편을 향해 부질없는 의심과 적개심을 기르고 비굴해지기, 가계부 적기와 아이들 감시하고 집안 지키기… 에 빠져서 지냈다. 일단은, 트집잡힐 게 없는 '가정주부'이고 '아내'이고 '어머니'였다. 친정어머니 전씨는 소영이를 데리고 강릉의 여동생집에 갔고, 태경은 어제 손질해 둔 인조 호청을 아침부터 꿰매기 시작했다. 작은 소리로 틀어놓은 라디오의 가정시간에선 어떤 유명한 여자가 나와서, 주부도 부엌에서 세상을 보아야 한다고 말하고 있었다. 주방에서 쓰는 세제, 세탁용 세제가 마침내 이 강산을 오염시켜 이 땅의 주인인 '우리들'의 생명을 죽일 거라고 말했다. 태경은 바느질을 하면서 막연한 느낌으로 그런 얘길 들었다. 어제는 너무 많이 잤는데도 슬며시 졸음이 기어오는 게 느껴져 바늘 끝으로 손끝을 살짝 찔렀다.

바로 이때쯤이었다.

졸음이 기어오는 한적한 때에, 모든 것을 깨우는 소리로 전화벨이 울린 것이었다.

그러나 태경은 무심하게 수화기를 들었다.

"여보… 세요…"

태경은 목소리가 잠겨서 여보… 하고는 헛기침을 한 다음에… 세요까지 말했다.

"안녕하셨습니까?"

태경은 이내 알아들었다. 늘 들어오던 목소리처럼 귀에 익은 목소리… 호준이었던 것이다.

하지만 태경은 대답할 수가 없었다. 숨이 탁 막히는가 하면, 그의 눈은 벌써 햇볕이라도 품은 듯 빛나기 시작했다.

호준은 자기가 그 동안 중단되었던 관청 일 하나를 서둘러 끝내주느라 정말 잠 한번 제대로 못 자고 지냈다는 얘길 했다. 수정이 동생 쪽에서 일을 맡겼는데 이제야 겨우 틈이 나서 내일 현장을 갈 예정이라고, 그때 꼭 오시라고, 뵙고 싶다고… 이렇게 말했다.

그가 이렇게 말하는 동안 태경은 마치 바보인 듯 네, 네, 아, 그랬군요, 따위의 말만 하다 말았다.

결국 호준과의 통화가 이것으로 끝나고 났을 때, 태경은 자신의 어수룩한 태도에 너무도 화가 났다. 전화를 그렇게 받다니, 그렇게 빨리 통화를 끝내다니!

태경은 이제 호청 꿰매는 일은 더할 수가 없었다. 그의 눈에는 해는 보이지 않되, 세상에 가득 찬 환한 햇볕만 바라볼 뿐이었다.

정호준.

태경은 한 남자의 이름을 가슴에 새겼다. 가슴이 부푸는지 아리는지 알 수 없는 통증이 느껴졌다.

이런 느낌, 이런 통증은 결혼하고 처음 경험하는 것이었다. 함께 살지 않는 남자, 아이를 같이 낳지 않은 남자, 돈을 받지 않는 사이인 남자와 그저 설레임과 기쁨만으로 전화를 한 적이 언제 있었던가. 상상도 못 하고 꿈도 꾸지 못하고 예감도 할 수 없던 일이 일어나다니!

수정아. 난 말하고 싶어. 소리치고 싶어. 어떤 일이 일어나고 있다고. 이건 기쁨이라고…!

태경은 팔을 엇물려 잡았다. 그리고 손에 힘을 주었다. 팔이 가슴을 눌렀다. 젖가슴이 뭉클하게 눌리었다. 태경은 순간, 자신의 몸에 있는 자신의 젖에 대해 깨달았다. 그것이 있다는 사실을 언제부터인가 까맣게 잊고 있었던 것이다.

태경은 자신의 젖을 만져보았다. 손바닥에 닿는 감촉이 피를 타고 전신으로 돌았다. 태경은 편안하고 기뻤다. 벅차고 자랑스러웠다. 그는 다시 맨발로 이불을 딛고 걸어서 안방으로 들어갔다. 화장대 긴 거울 앞에 섰다. 얇은 면 원피스 속에서 얼핏 꿈틀대는 자신의 목을 보았다. 자꾸만 기쁨이 고여드는 느낌이 느껴졌다. 태경은 원피스의 앞단추를 하나씩 열었다. 젖무덤이 넉넉하게 드러나기 시작했다. 태경은 자신의 배를 내려다보면서 팔에 걸린 옷자락을 벗겨내었다. 옷은 투항하는 병사처럼 잠깐만에 발 아래로 떨어져내렸다.

태경은 알몸의 자신을 바라보았다.

1분도 넘게, 똑바로 서서 거울을 바라보았다. 얼굴과 목, 가슴과 배, 검은 거웃과 허벅지와 다리… 를 차례로, 또 한꺼번에 바라보았다.

… 나는… 여자다….

태경은 이렇게 말하는 자신의 목소리를 들었다. 그 순간 눈시울이 뜨거워지고 콧날이 시큰거렸다.

나는 여자야.

태경은 소리내어 말했다. 눈물이 줄기져 흘러내렸다. 10초, 20초, 30초가 지났다. 태경은 알몸으로 욕조에 들어가 찬물을 틀고 소낙비 같은 샤워기 아래 서 있었다. 아랫배엔 기름진 군살—아이를 둘이나 키워낸 흔적이 남아 있고, 허벅지는 부드럽지만 힘이 없었다.

그래도 나는 여자다!

태경은 고개를 젖혀서 얼굴로 물줄기를 받아내며 도발적으로 생각했다. 개운했다. 이렇게 개운한 기분은 목욕을 끝내고도 계속되었다.

태경은 집 안에서 늘 '아무렇게나' 입던 옷을, 지금은 이것저것 골라서 입으려 했다. 이건 우중충해서 싫고 저건 무거워서 싫고 또 이것은 모양이 촌스러워 싫었다.

태경은 갑자기 할 일이 많은 것도 같고 아무것도 할 것이 없는 것도 같아, 멍하니 밖을 바라보다가 집 안을 두리번거리기도 했다. 아직 마무리지어야 할 이불 꿰매는 일은 아주 잊은 것 같았다.

결국 이날 태경은 이불을 둘둘 말아놓고 시내로 나갔다. 호준이 말한 '내일' 때문이었다. 미장원에 들러 머리를 하고, 옷가게 점원이 스마트하게 보인다며 골라준 바지와 블라우스를 샀다. 그 옷에 어울리는 귀걸이도 샀다. 하지만 백화점에서 나왔을 때, 어둑어둑한 거리가 태경을 습관적인 '죄책감'으로 몰아넣었다. 결혼한 여자가 '자기 자신만을 위해' '늦도록' '남편이 벌어다 준 돈'을 쓰고 돌아다녔다는 게 죄송스러운 것이었다. 태경은 허둥지둥 사람의 숲을 헤쳐서 지하도를 건넜고, 무릎이 시게 계단을 올라가서 좌석 버스를 타고 집으로 돌아왔다.

집이 어두운 상자처럼 비어 있는 걸 확인했을 때야, 태경은 죄스러움에서 자유로워졌다. 그는 불을 켜고 자기 혼자라는 사실을 기쁘게 깨달았다. 집 안엔 여름 볕이 침묵처럼 차 있어서 후끈했다. 태경은 문을 열어서, 후끈한 침묵의 여름 햇볕을 풀어주었다.

손을 씻고 옷보따리를 펼쳐놓고 거울 앞에서 입어보기 시작했다. 귀걸이도 하였다. 생기 있어 보이는 표정에 옷이 어울려 한결 젊어 보였다. 태경은 만족스러워서 이가 드러나게 웃었다. 찬밥으로 아무렇게나 저녁을 때우고 오이쪽을 썰어 얼굴에 10여 분 올려놓아 내일 화장이 잘되도록 신경을 쓴 다음에 자리에 들었다. 태경은 눈을 감고 잠을 불러들였다. 하나 둘 수를 세어보았다. 그런데 어디쯤에서 엉뚱한 길로 들어섰을까. 태경은 호준을 생각하는 것이었다.

그 남자가 내게 특별한 감정을 가졌을까? 어떤 여자에게나 친절한 건 아닐까? 내가 너무 외로워서, 남편한테 무시당하고 살아서 솥뚜껑 보고도 자라라고 춤추는 건 아닐까? 아무런 이유도 없이 점심을 같이하고 싶다는 말을 할 수 있을까? 왜 어디서 본 듯한 얼굴일까? 사무실은 어째서 그렇게 편안했고, 그와 얘기를 하는 동안은 왜 무아지경에 빠지는 걸까… 내가 미치기 시작했나…?

이런 상념 속에서 언제 잠이 들었는지도 몰랐는데, 눈을 떴을 땐 아침이었다. 태경은 눈 뜨자마자 맨 처음 만나게 된 아침이 너무도 반가웠다. 어둡고 길게 느껴지던 밤이 자신도 모르는 사이에 지나간 것도 무턱대고 좋기만 했다.

태경은 커튼을 젖히고 창을 열었다. 아직 볕에 닿지 않은 공기들이 방안으로 들어왔다. 그는 한가롭게, 시간을 생각하지 않고 사물을 바라보

앉다. 아침마다 누군가에 의해 바삐 설치고 허둥대야 하는 그의 쪼개지는 시간들이 지금은 온전히 자신에게만 있었다. 태경은 '혼자'라는 사실을 야릇한 감각으로 느꼈다. '나'가 무엇인지 느껴지는 것 같았다.

도대체 태경이 자기 자신만으로 서 있는 게 얼마만일까. 자기를 바라보고 느끼는 것도 전에 없던 일이었다.

태경은 비어 있는 방으로 사뿐사뿐 들어가보았다. 자신의 어머니와 딸이 쓰는 방 그리고 아들이 쓰는 방이었다.

태경은 이때, 누군가의 딸과 어머니가 된 이래 처음으로 그들의 존재를 객관적으로 바라보고 느끼는 경험을 했다. 시간으로는 아주 짧아서 10초나 되었을까 했지만, 태경에겐 놀라운 경험이었다. 어머니와 자식이 타인으로 자기 앞에 존재한다는 느낌이 태경에겐 결코 두렵거나 섭섭하지가 않았던 것이다.

태경은 몸이 가벼웠다. 가볍지 않더라도, 이 아침은 태경에게 특별했다.

태경은 거울 앞으로 갔다. 미장원에서 해준 머리 모양이 가라앉아 있었다. 손가락을 머리 밑에 넣어 세워보았다. 어제 같지가 않았다. 아무래도 다시 미장원 신세를 져야 했다. 그러나 머리보다 태경의 신경을 더 거슬리게 하는 건 눈이었다. 잠을 잘 못 잔, 산만한 느낌을 주는 자신의 눈이 싫어서 태경은 낯을 찡그렸다. 어제 오이 마사지를 하고 영양크림을 밀리도록 발라두었던 얼굴은 꺼칠했다. 뺨의 살이 탄력을 잃어 밑으로 흘렀고 웃으면 눈가에 크고 작은 주름이 잡혔다. 늘어진 쌍꺼풀은 또 어쩌랴.

태경은 더 이상 거울을 보고 싶지 않았다.

맑고 투명하고 화사한 아침은 다 어디 갔을까. 난생 처음 확연하게 맞닥뜨린 '나'는 누구였을까. 태경에겐 어제의 자기 행동—미장원이며 백화점을 피곤한 줄 모르고 돌아다닌 행동이 지금은 도리어 낯설고 이해가 되지 않았다. 이해는커녕 쑥스럽고 창피했다. 아무래도 그런 건, 자기에겐 비현실이었다. 호준이라는 남자는 먼 곳, 다른 동네에 살고 있는, 잘 알지 못하는, 그런 남자일 뿐이었다. 내가 내 감정을 짓밟고 숨기고, 그가 더 이상 연락하지 않으면 영원히 잊혀질 수밖에 없는 그런 남자인 것이었다.

태경은 마치 어려운 문제를 꼼꼼하게 풀어나가듯, 이렇게 생각했다. 그리고 이런 정리가 옳다고 단정지었다. 기쁨과 산뜻함은 싱겁게 빠져나가고, 대신 어두움과 우울, 무기력이 그 자리를 메웠다.

이때, 약속을 확인하러 전화를 걸어온 건 수정이었다.

"요염하게 차렸니?"

태경은 울고 싶었다. 9시에서 11시가 되도록 그 두 시간을 태경은 지옥처럼 보내고 있었다. 무엇을 하고 싶다는 욕구가 생기지 못하도록, 그는 속옷만 입고 자리에 누워 꼼짝도 하지 않았던 것이다.

"내 말 들려? 뭐하구 있어?"

전화를 받고 말이 없는 태경에게 수정이 의아해서 다그쳤다.

"… 나아…."

태경은 겨우 이렇게, 듣고 있다는 표시만을 내었다.

"무슨 일 있어? 지금 나와야 해!"

수정이 소리쳤다.

"나아… 나, 못, 가…."

태경이 겨우겨우 말했다.

"어딜 못 가?"

수정은 이해하지 못해 이렇게 물었다. 태경이 호준의 초대에 못 간다고는 생각할 수도 없었다.

"미안해."

"무슨 소리야. 지금 못 나온다는 거야?"

"응."

"말두 안 된다 너. 갑자기 왜 그래? 나쁜 일이 생겼어? 무슨 일이야?"

"몰라."

"변덕이구나. 변덕이지?"

"몰라."

"남편 왔니?"

"아니."

"애들한테 사고가 생겼어?"

"아니야."

"그럼 변덕이잖아."

"아니야. 그냥… 아파…."

태경은 그 사이 울음이 치받쳐서 겨우 말했다.

"아프다구? 많이?"

"좀… 그래. 잘 갔다와. 전화 끊을게."

"알았어. 나중에 봐."

전화가 끝났다.

태경은 끊기자마자, 그래서 수정이 사라지자마자 더 이상 참지 못하고 소리내어 울기 시작했다. 수화기를 잡았던 손은 아직 그대로 전화기 위에 내던져진 채로, 중년의 여자가 우는 것이었다.

수정의 동생 집은 이 지구 위의 어디인가.

막연한 아름다움과 부드러움이 넘치는 식탁의 분위기가 태경의 머리와 가슴에 스며들었다.

태경은 자신이 바보인 게 싫었다. 자신의 어리석음도 싫었다. 수정이 말한 변덕이라는 것도 자꾸만 떠올라서 싫었다. 왜 그 자리에 가지 못하는지, 왜 옹졸하고 답답하게 웅크리고 있는지… 태경은 정말 자신이 싫었다. 그러나 이런 것보다 태경을 더욱 괴롭히는 것은 어쩌면 '호준'을 잃을지 모른다는 것이었다. 대단치 않게 여기고 있던 잘 알지 못하던 한 남자가 자신에게 얼마나 중요한 사람인지 한꺼번에 깨달아진 것이었다. 이제 여수를 다녀온 이후 태경에게서 싹텄던 야릇한 감흥들이 마치 무지개처럼 떠올랐다. 태경은 그런 추억으로부터 자신이 잊혀지고 있다는 걸 깨달았다. 태경은 할 수 있다면, 달려가 잡고 싶었다.

결국, 태경은 자기가 비굴한 존재라는 결론을 내렸다. 비굴한 사람은 비굴한 환경에서 살 수밖에 없다고 자신에게 말하고 있었다. 수정과 호준이 수정의 동생 집에 닿고 점심을 먹을 시간 동안, 태경이 고통스럽게 내린 결론이었다.

이런 결론은 피할 수 없는 해결이라 하더라도 태경에겐 끔찍한 슬픔이었다. 그의 몸과 마음엔 물이 가득 담긴 풍선처럼 울음이 찼다. 바람이라도 닿기만 하면 훅 터져버릴 것 같았다.

태경은 울 수 없었다.

울어버리면, 그나마 이렇게 정리한 자신의 마음이 부서질 것 같아서 겁이 났다. 그는 살며시 걷고 살며시 앉았다.

하지만 3시쯤 수정이 예고도 없이 들이닥쳤을 때, 지금껏 조심스럽게 태경이 붙잡고 있던 '비굴한 자기 존재'가 무참하게 허물어졌다.

"멀쩡하잖아. 죽을 병 들었나 했더니."

수정은 아직 태경의 기분을 눈치채지 못했던 것이다.

"일은 하기로 했지?"

태경이 느리고 낮은 목소리로 물었다.

"뭐, 그런데… 얘, 그 남자가 오늘 니가 안 온 게 되게 섭섭한 모양이더라…."

수정이 이렇게 말하자 태경이 고개를 번쩍 추켜들었다. 그러나 수정과 눈이 마주치자 기쁨이 번지는 얼굴을 재빨리 감추었다. 하지만 수정은 태경의 예사롭지 않은 기쁨의 기미를 알아보았다.

"자꾸 니 얘길 하더라구. 무슨 일이 있는지 알고 싶은 모양이야. 별일 아니구… 그저 몸이 좀 아픈 모양이랬는데두 여러 번이나 되물었어…."

"정말이야?"

"그런 게 뭐라구 거짓말을 하겠어?"

수정이 정색을 하고 대답했다. 그래도 태경은 흡족하지가 않았다. 그 것이 사실이었다는 증거를 손에 쥐고 싶은 간절함이 솟았다. 도대체 태 경의 비굴이나 우울은 어디로 갔을까.

"정말이야?"

태경은 잠시 침묵하고 있다가 다시 똑같은 말을 되풀이했다.

"야! 그렇게 궁금한 게, 어떻게 집에 있었니?"

수정이, 얄미워서 이렇게 쏘아주었다. 태경은 할말이 없었다. 수정에게 미안하고, 한편 부끄럽기도 했다. 그러나 이런 감정들보다 더 진하게 호 준에 대한 궁금증과 그리움이 태경에게 스며 있었다. 아무래도 오늘 그 자리에 가지 않은 것은 옹졸했다는 생각이 들었다.

"맛있게 먹었어?"

태경이 물었다.

"냉채를 잘했대. 그 사람두 중국요릴 좋아한다구 그러던데."

수정은 짐짓 흥미없는 말투로 말했다. 그는 태경의 '진심'이 궁금해지 기 시작한 것이었다.

태경은 무슨 생각에서인지 고개를 한동안 끄덕거렸다.

"무슨 말들 했니?"

태경이 물었다.

이때 전화벨이 울렸다.

순간 태경의 머릿속에 '호준'이 떠올랐다. 호준은 마치 태경의 생리작 용처럼 전신에 찌릿한 감각으로 떠오르는 것이었다.

"여보세요."

태경이 말했다.

"접니다."

그랬다.

태경의 감각이 옳았다.

태경이 놀라움 때문에 미처 말을 떠올리기도 전에 저쪽에서 다시 말하기 시작했다.

"어디 편찮으신가요?"

따뜻하고 부드럽고 너그러운 남자의 목소리가 태경의 혼을 타고 몸속으로 휘돌기 시작했다.

"아니요. 괜찮아요."

"걱정이 되어서요."

호준이 말했다.

"괜찮아요."

"제가 또 연락드릴게요. 언제가 좋으신지요."

"전… 언제나 좋아요."

태경과 호준이 통화를 끝냈다.

태경은 수화기를 내려놓고 돌아서다가 자기를 쏘아보고 있는 수정을 알아보곤 깜짝 놀랐다.

아, 수정이가 저기 있었다니….

"그 남자구나."

태경이 자신의 놀라움을 제대로 가누기도 전에 수정이 톡 쏘듯 말했다. 짓궂은 웃음기가 얼굴에 그득했다.

태경은 대답하지 못했다. 그러나 더 강렬한 어떤 흥분이 태경을 괴롭히기 시작했다.

그래. 그 남자야! 그가 내게 전화했단다!

태경은 이렇게 말하고 싶었다. 말들이 목구멍 가득히 부글부글 차오르는 게 뻐근하게 감각되었다. 그러나 말하면 안 된다고 '진심'을 털어놓으면 '큰일!'난다고 태경의 '인습'이 명령했다. 태경의 어머니와 할머니의 '무의식'이 주의를 주었다.

태경은 죽일 수 없어, 차라리 자살하는 사람처럼 아랫입술을 깨물고 수정의 앞에 앉았다.

"건축가지?"

108

수정은 의심과 의혹이 가득 찬 눈으로 태경을 쏘아보며 확인하려 했다. 태경은 더욱 입을 앙다물었다. 말하면 안 돼. 큰일나. 어디선가 이런 말소리가 들렸다. 태경은, 그래야 된다고, 그런 건 자신도 잘 알고 있다고 속으로 대답했다. 그런데 웬일일까. 그가 자신에게 말하는 동안 눈에서 눈물이 흘러내리는 것이었다.

수정은 굵은 방울로 쉬지 않고 떨어져내리는 태경의 눈물을 보았다. 가슴이 철렁 내려앉았다. 그는 신화가 가르쳐준 금기의 세계—주술의 막을 쳐둔 진실의 세계를 본 것처럼 섬뜩한 두려움을 느꼈다.

아….

수정은 속으로 깊고 긴 신음을 뱉었다.

저건 무엇일까. 무슨 일이 있다… 결코 가볍지 않은 일이….

수정은 놀란 가슴으로 계속 이렇게 깨달아가기 시작했다.

태경이 벌떡 일어났다. 몸의 중심이 쓰러질 듯 비칠 흔들리는가 싶었는데 뛰듯 안방으로 가서 침대에 엎어지는 것이었다. 수정은 잠시 어찌해야 하는지 생각나지 않아 그대로 앉아 있었다. 문득 떠오른 느낌은 '예사롭지 않은 일'인데, 그 일을 어디서부터 캐들어가야 옳을지 막막할 뿐이었다.

2, 3분 뒤에, 수정이 태경에게로 갔다. 태경의 등에 손을 얹었다.

"괜찮아?"

따뜻하게 물었다.

태경에게선 숨결만 느껴질 뿐 울음소리도 들리지 않았다.

"왜 그래? 일어나봐."

다시 수정이 말했다.

잠시 후, 태경이 눈물로 범벅이 된 얼굴을 들고 억지 웃음을 웃어 보였다.

"애, 넌… 정말…"

수정이 중얼거렸다.

"글쎄… 나두 모르겠어…."

태경이 낮고 젖은 목소리로 말하며 일어섰다.

"미안해. 난… 주책이야."

태경이 먼저 방을 나서며 말했다.

이젠 수정이 더 얼떨떨한 상태였다.

두 사람은 거실의 안락의자에 마주앉았다. 태경은 팔베개로 머리를 기댄 채 아득한 눈길을 베란다 밖에 던졌다.

수정은 한차례 울고 난 중년 여자의 그윽한 표정에서 깊고 쓰라린 '아름다움'을 보았다. 오랜 친구인 태경에게서 본 최초의 잊혀지지 않을 인상 같았다.

"왜… 왜… 울었어…?"

수정이 사심 없이 물었다. 지금은 의심도 의혹도 소용없는 상태였다.

태경의 머리가 왼쪽으로 보이지 않게 기울어지기 시작했다. 그리고 사람 눈에 띄지 않고 쑥쑥 자라는 담쟁이처럼 그의 눈길은 어느새 자신의 가슴속으로 들어가 있었다.

"태경아!"

수정이 소리쳐 이름을 불렀다. 태경의 눈이 마음에서 나와 마주앉은 수정을 바라보았다.

"무슨 일 있지?!"

수정은 육친 같은 배려의 기분으로 이렇게 물었다. 그래도 그는 태경에겐 타인이었다.

"실어증 걸렸니?"

참을 수 없어 수정이 다시 물었다.

"아니야."

태경이 무섭도록 차분한 목소리로 대답했다.

수정이 크게 숨을 내쉬었다.

"실어증은 아니구…."

태경이 중얼거렸다. 그들은 잠시 생각에 잠겨들었다.

도대체 그런 오묘한 표정은 어떻게 생기는 걸까? 태경이 같은 현모양처한테….

수정은 아무래도 이대로 돌아갈 수가 없었다.

"왜 울었니?"

"갱년긴가 봐."

태경이 쉽게 대답했다. 수정은 어처구니가 없었다.

"나이는 저 혼자 먹었나? 속병 생기기 전에 툭 털어놓아 봐!"

"난… 아무것두 몰라…. 그저 괜히 잠두 안 오구, 슬퍼지구… 울기두 해…. 아마 갱년기 증세겠지…. 그렇게 생각한단다…."

태경이 가라앉은 목소리로 말하다가 끝에서 다시 울먹이었다. 그래서 입술을 깨물고 수정을 바라보던 눈길을 턱 아래로 내려뜨렸다.

"아무래두… 그… 여수가 병인 거 같구나. 생각해 봐라. 니가 거기 갔다오기 전엔 언제 이랬니? 아무래도 무슨 병이야. 사람 때문에 생기는 병… 이랄까…?"

"사람 때문에? 그런 병두 있어?"

태경이 젖은 눈으로 친구를 바라보며 물었다.

"상사병이 그런 거 아니냐. 그립구, 괴롭구, 기쁘고, 슬픈 거… 옛날에 안 해봤어?"

"난… 그런 것도 못 해보고… 덜컥 이렇게 늙었단다…."

태경은 울 것 같은 얼굴을 하고 어쩌면 경이로운 목소리로 말했다.

"그 남자 때문이지?!"

수정이 자신의 천박한 짓궂음이 느껴져 낯을 찡그리며 짐짓 대수롭잖게 물었다. 태경의 젖은 눈이 커다랗게 열리는가 싶더니 수정에게서 미끄러져내리며 드디어 눈물을 떨구기 시작했다. 수정은, 이제 모든 걸 깨달았다는 표정이 되며 혼자서 크게 고개를 끄덕이었다.

… 사랑하는구나….

수정은 생각했다. 그런데 왜 이 생각이 그의 가슴을 쿵쿵 뛰게 할까. 알 수 없는 일이었다.

잠시 두 사람 사이에 무겁고 신비한 침묵이 흐른 뒤, 수정이 소리없이 울고 있는 태경의 앞에 쪼그리고 앉아서 기도하듯 그의 무릎에 얹힌 두 손을 맞잡았다. 살아 있는 사람의 따뜻한 기운이 서로에게 퍼졌다. 그들의 생명 속으로 따뜻한 시간이 통과했다.

"너… 괴롭구나…."

수정이 속삭였다.

아니야. 아직은.

태경이 속으로 대답했다.

"그런 게 왜 오늘 안 나왔어? 만나보면 좋았을 거 아냐."

"지금… 나는… 나를… 하나두 모르겠어…."

태경이 더듬더듬 말했다.

수정은 두 번 만난 '건축가'를 머릿속에 그려보았다. '괜찮은' 남자임에 틀림없었다. 그러나 그런 괜찮은 남자가 왜 태경에게 '친절'과 '관심'을 보였는지, 이해할 수가 없었다. 심심풀이로? 그렇다면 그 남자는 결코 괜찮을 수 없었다. 더욱이 그는 아직 '신혼'이나 다름없지 않은가. 언제 결혼한지는 몰라도 어린 아기가 있다지 않던가. 부인이야 보나마나 멋쟁이가 아닐까. 같은 예술가일지 알게 뭐야. 젊고 이지적이고 매력적인 여자일텐데….

수정은 아무 근거도 없이 호준의 부인을 황홀하게 그려보았다.

"그 사람하구 자주 만났니?"

"아니."

"한 번두?"

"그때 같이 사무실에 가구… 못 만났어."

"그래? 정말이야? 그렇다면… 넌… 병이다…. 제대루 만나지두 않은 남자한테 그렇게 마음이 빠져 있잖아."

"아니라니깐. 갱년기 우울증이야. 조울증인지…."

태경은 화를 내듯 말했다.

"웃기지 마! 내숭두 내숭 같아야지 야…."

수정이 여태 잡고 있던 태경의 손을 쾌활하게 뿌리치며 큰소리로 말했다. 이런 중에도, 태경의 마음은 쉴 새 없이 슬픔의 늪으로 잠겨들려 하였다.

"아까 뭐라구 전화하디? 만나재?"

수정이 물었다.

"아니. 글쎄. 생각이 안 나."

태경이 괴로운 낯을 하고 대답했다.

"나한테 정말 이러기야? 이렇게 섭섭하게 해두 되니?"

수정이 정색을 하고 따졌다.

"아니야. 정말 기억이 안 나. 전화를 받긴 받았는데, 무슨 말을 했는지 … 너무 당황했나 봐. 난 정말 아무것두 기억할 수가 없단다…."

태경은 진실되어 보였다. 그러나 수정은 이해할 수 없었다.

그는 다만, 어쩌면 저런 상태가 '사랑'일지 모른다고 아주 막연하게 짐작하면서 태경을 바라보고 있었다.

"난… 너무 초라… 해. 이렇게 초라한 줄 몰랐어…. 차라리… 어떤 땐 … 차라리 죽고 싶단다…. 오늘두…. 그래서 못 갔어. 사람 앞에 나서기가 … 싫어…."

태경이 서서히 잦아드는 목소리로 더듬거리며 말했다.

"신경과민이다."

수정이 대수롭잖게 말했다.

"신경과민?"

태경은 한숨을 쉬며 되물었다.

"그렇잖아? 누구하구! 도대체 뭐하구 비교해서 초라하다는 거야?"

수정이 화난 목소리로 말했다.

태경은 고개를 떨군 채 입을 꽉 다물고 있었다.

"고아두 아니구… 애들 같으면 무슨 애정 결핍증이라거나 하지만 원…"

수정이 중얼거렸다. 태경은 수정의 말에 크윽 느끼듯이 웃었다.

"넌 지금 여건이 좋은 거야. 생각해 봐라. 능력 있는 남자라는 게 다 근우 아빠 같은 사람인데, 그런 남편이 객지맛에 빠져서 아내를 찬밥 보 듯 하잖니. 거기다 너는 어떠니. 집안에 잔손 봐야 할 아이두 없겠다, 살 림 보살펴주는 친정어머니 같이 살겠다… 이럴 때 괜찮은 남자가 만나 자는데… 그냥 만나봐. 골치 아프게 복잡한 생각, 없는 것두 끌어다 쓰잘 데없이 속 끓이지 말구. 우리가 뭐 외간 남자 좀 만난다구 이 나이에 '순 정을 바치겠냐?' 아닌 말루 팔자를 고치겠니? 생각해 보라구. 왜 자기를 기준도 없이 초라하다구 몰아붙여서 기죽을 필요가 있어? 만나자구 하 면 가볍게, 가볍게, 알지? 가볍게 만나는 거야. 한결 기분 전환된다. 그런 여자들 많아. 요샌 돈 좀 쓸 줄 알고 뒤탈 없는 남자들 만나러 유부녀들 이 골프장으로 몰린단다. 유행이래. 나두 다음 달부터 골프나 배울란다. 히히히. 이제 기분 편해졌어? 웃어봐. 히히히 하구…"

수정은 태경이 정말 이를 보이며 히죽 웃는 걸 보고 나서 일어섰다.

"그 남잔… 괜찮더라. 우선 지저분하지 않을 것 같애…"

문 밖에서 배웅하는 태경에게 수정이 고개를 주억거리며 이렇게 말해 주고 돌아갔다.

현관문이 닫힐 때, 그래서 태경의 몸이 집 안에 갇히는 것 같을 때, 태 경은 문득 허망함이 소름처럼 끼치고 지나가는 걸 느꼈다.

수정이 선생님처럼 태경에게 무엇인가를 열심히 가르칠 때는 웬지 편 안했는데 그가 떠난 다음, 태경의 삶이 놓인 자리는 텅 비어 쓸쓸함만 차 있는 공간이었다. 그러나 오전의 함정 같은 절망감은 사라지고 없었 다.

정호준.

태경은 오줌을 누며 느닷없이 그 이름을 떠올리고 냉장고 문을 열다가도 정호준, 하고 한 남자의 이름을 떠올리곤 했다. 수정이 자신있게 말한 '순정'이니 '팔자'니 하는 말들은 이미 태경에겐 타버린 잿더미 같았다. 더군다나 '가볍게'니 '기분 전환'이니 하는 말은, 태경으로선 의미도 모를 외래어에 지나지 않았다.

날이 저물기 시작했다. 긴 여름날의 저녁이 강물처럼 흐르고, 끝이 없는 영화처럼 어둠이 밀려오고 있었다. 밝고 화려하던 석양은 아물지 못하는 생채기처럼 검붉은 색깔로 사라지는 중이었다. 태경은 오래도록, 자라고 사라지는 석양빛에 마음을 담고 있었다. 그러다가 어느 결에 하늘이 온통 어둠일 때, 그는 문득, 그래 근우가 온댔지, 라고 생각했다.

몇 시나 되었지?

태경은 어둠이 차오른 집 안으로 눈길을 돌렸다. 갑자기 시계가 어디에 걸렸는지 생각나지 않았다. 그는 허둥지둥 거실 벽에 붙은 전등불을 켰다.

8시 20분이었다.

그이도 퇴근했겠어!

시간을 보자마자, 태경은 호준을 생각했다. 무슨 약속이라도 있었던 것처럼. 8시가 넘은, 밤이 되어가는 시간이 왜 이렇게 태경을 허전하게 하는지 몰랐다. 머지않아 야영을 떠났던 아들이 돌아올 터인데 어머니인 태경의 마음은 자꾸만 문 밖으로 달려가는 것이었다. 태경은 어떤 숫자들을 생각하고 그것들을 이야기가 되게 하나로 이어놓기를 여러 번 되풀이하다가, 전화기 앞으로 갔다.

사무실엔, 아무도 없을테니까…

태경은 이렇게 생각하면서 숫자를 하나씩 눌렀다. 곧 신호음이 길게 울리었다. 한 번, 그리고 또 한 번. 태경은 빈 사무실을 흔들고 있는 전화벨 소리를 생각하면서 한 번 두 번을 세었다. 그런데 무슨 일일까. 신호음은 세 번을 더 울리지 못했다.

"네에."

신호음 대신 사람의 목소리가 들려왔던 것이다.

"준 건축입니다."

태경이 아무 말도 하지 않자 다시 이런 말이 들려왔다. 호준이었다. 태경은 가슴이 뛰었다. 이럴 수가. 도저히⋯ 이건⋯ 태경은 어떻게 감당할지 알 수 없었다. 기대할 수 없던 상황이었다.

수화기를 내려놓을까? 하지만 그는 말을 했다.

"저예요. 아직 퇴근 안 하셨어요?"

태경의 작고 떨리는 목소리였다.

"아, 접니다. 이런 일이 생기려구⋯ 퇴근하기가 싫었네요!"

호준이 반가움에 겨운 목소리로 말했다. 그래도 태경의 발가벗기운 듯한 화끈거리는 마음은 진정되지 않았다. ⋯ 정말⋯ 난⋯ 퇴근했을 줄 알았어요⋯. 태경은 속으로 자꾸만 이 말을 되풀이했다. 호준이 지금 어디냐고 묻는데도 대답할 생각은 않고 그랬던 것이다.

호준은 마치 태경을 기다리고 있기라도 했던 것처럼, 저녁을 먹지 않았으면 같이 먹는 게 어떻겠느냐고 말했다. 태경은 가슴이 뛰었다. 그는 문득 하느님을 떠올렸다. 자기가 이럴 때 어떻게 하는 게 좋을지 가르쳐 줄 수 있는 사람이 있다면⋯. 태경의 망설임은 아무짝에도 쓸 수가 없었다. 그는 호준이 말하는 대로, 정말 자기 자신도 모르는 사이에 약속을 했던 것이다.

⋯ 왜 이런 일이 생겼지?⋯

태경은 분주하게 얼굴을 씻고 화장을 하고 머리를 매만지면서 그리고 오늘을 위해 새로 산 옷을 입으면서 지금 일어나고 있는 현상을 이해하려고 노력해 보았다. 그러나 그는 하나도 이해할 수 없었다.

근우야.

태경은 아들에게 편지를 썼다. 하지만 '근우야'를 쓴 종이를 구겼다. 그리고 다시 썼다.

내 사랑하는 아들 근우야.

먼 길 갔다 돌아오는 너를 맞이하지 못하고 집을 비우는 엄마를 미워하지 말아라. 엄마 친구한테 일이 생겨 급히 나간다. 냉장고에 포도가 있고, 밥은 전자 레인지에 데워 먹어라. 엄마가 열쇠를 가져가니까 그냥 자려므나. 안녕.

태경은 편지를 현관 앞에 반듯이 놓아두었다. 그리고 집을 나서는데 웬지 비장한 느낌이 싸아 하니 가슴에 일었다. 그래도 경비실에 열쇠를 맡기고 근우가 지나가면 꼭 주라고 당부하면서도, 빈 택시를 잡을 때까지 근우와 마주치지 않게 되길 빌었다.

호준과 약속한 태경이네 집 가까운 쪽의 호텔의 분위기는 낯설고, 그 규모는 태경의 기를 죽였다. 그는 왼쪽 편에 있는 커피숍을 찾아서 눈이 부신 것처럼 넓은 공간을 바라보며 주눅든 걸음걸이로 들어갔다. 그의 눈길이 유리로 된 벽 쪽으로 갔을 때, 태경은 손을 들어 보이는 호준을 알아볼 수 있었다.

"기다리셨지요?"

태경은 눈썹이 잘 그려지지 않아 두 번이나 지우고 다시 그리던 조바심에서 아직 자유롭지 못했다. 그래서 목소리가 흔들리는지 몰랐다.

"이렇게 만나서… 정말 기쁩니다."

호준은 말하면서 태경의 낯빛을 살폈다. 몸이 불편해 낮에도 나오지 못했던 사람을 떼써서 불러낸 게 한편으론 켕기었던 것이다.

"무얼 드시고 싶으세요?"

"글쎄요. 잘 모르겠어요."

태경이 말했다.

"먹는 걸 모르세요?"

호준이 농담을 했다.

태경은 부끄러워서 고개를 숙였다. 그는 탁자 밑으로 흘러내린 식탁보의 끝을 쉴 새 없이 말아올렸다가 풀고, 다시 그렇게 했다. 호준과 마주앉았다는 것이 기쁘기도 하고 벅차기도 하고 불안하기도 하고 죄를 짓는 것 같기도… 한, 아주 복잡한 감정이어서, 태경은 자신의 어지러운 기분을 달래기에도 힘에 겨웠다.

"우선 차를 한 잔 마시고 나갈까요? 시간이 좀 늦긴 했지만 여기서 대충 먹을 수는 없으니까요."

이 순간, 태경은 자기보다 나이 어린 호준을 자상한 선생님 같다고 생각했다. 그들은 함께 파인 주스를 마시고 그곳을 나왔다. 두 사람은 호준의 차가 서 있는 호텔 뒷마당까지 어깨를 나란히 하고 걸었다.

"나오시는 데 어렵지 않으셨어요?"

호준은 태경이 가정주부이고 어머니이고 아내일 터이므로, 그것에 대해 묻는 것이었다. 태경은 어물어물 입 안에서 이상한 군소리를 내다가 말했다. 태경은 호준의 옆자리에 앉았다. 호준은 차의 시동을 걸자마자 음악을 틀었다. 태경은 알지 못하나, 듣기에 좋은 피아노 소나타였다. 호준은 마치 습관이 된 것처럼 피아노 선율을 따라 잠시 흥얼거리며 뒷거울과 옆거울 따위를 점검했다.

태경은 이상했다. 희미한 자동차 안의 좁은 칸 속에 '다른 남자'와 앉아 있다는 것이 아무래도 비현실처럼 느껴졌다. 자꾸만 흥분되고 속이 떨리는 기분이었다. 더욱이 이상한 건 팬티가 자꾸만 축축하게 젖는 것 같아서 신경이 쓰였다. 쉬지 않고 분비물이 흐르는 것 같았다. 그러나 태경은 이런 생리현상이 현재의 자기와 어떤 관계가 있는지 이해하지 못했다.

"어디로 갈까요?"

호준이 차를 뒤로 빼며 물었다.

"저는… 정말 잘 몰라요…."

태경은 이렇게 말하는 게 곤혹스러웠다. 그는 이 말 뒤에, 저는 집에서만 살았거든요, 라고 말하려다 그만둔 것이었다. 그는 차창 밖으로 오고가는 차들과 사람과 건물과 가로수와 길들을 바라보았다. 지금 그의 눈에 보이는 것은 언제나 보아왔고 어디서나 볼 수 있는 것일 터였다. 그런데도 태경에겐 낯설고 새롭게만 보였다.

"배고프세요?"

차가 터널로 들어설 때, 호준이 태경을 돌아보며 물었다.

"잘 모르겠어요."

태경은 아직도 얼떨떨한 목소리로 말했다.

"배고픈가 아닌가 하는 건… 알기 쉬운 거잖아요."

호준이 앞을 보며 말했다.

"저는… 지금… 정신이 없어요. 아니… 온종일 그랬어요…."

태경은 정말 정신이 없었다. 지금 이 상태를 어떻게 이해해야 할지, 알지 못했다. '현재'가 자신의 삶인지 아닌지도 실감키가 어려웠다.

"그렇게 정신이 없으세요?"

호준이 나직해서, 심각하게 들리는 목소리로 물었다.

"제겐… 이런 일이… 없었거든요…."

태경의 목소리가 가늘게 떨렸다. 호준은 갑자기, 한 여자가, 자신의 삶 옆에 있다는 사실을 깨달았다. 그저 좋아 보이고 그래서 가끔 만나고 싶던 여자일 뿐이었다. 그런 여자가 지금 자신의 삶의 꺼풀을 열고 들어오 거나 아니면 삶에 달라붙는 듯한 기이한 느낌을 느낀 것이었다. 그는 심호흡을 하였다.

"더우세요?"

호준은 침묵이 느껴져서, 쓸데없다는 걸 알면서 이런 말을 했다.

"아니요. 에어컨을 세게 트신 거 같아요."

"아, 그런가요?"

호준은 급히 에어컨 조절을 했다.

"저두… 정신이 없네요."

호준이 웃으며 말했다.

태경도 웃고 싶었지만 그렇게 되지 않았다.

호준이 길가의 간판들을 보고 운전을 하면서 입으로는 엉뚱한 말을 했다.

"댁에 남편이 계신가요?"

호준은… 남편이… 라는 말을 할 때, 스스로 이 말의 거친 느낌 때문에 자기가 싫었다.

"네."

태경이 기어드는 목소리로 대답했다.

호준은 시계를 보았다.

"지금은 떨어져 지내요."

태경이 나직한 목소리로 말했다.

"떨어져 지내다니요?"

"직장이 여수라서요."

"아, 그랬군요…."

호준이 고개를 끄덕이며 말했다.

"아이들은 엄마하구 같이 있겠네요."

"네. 큰아이는 중학교 3학년이구, 둘째는 국민학교 6학년이에요."

"둘 다 아들인가요?"

"아니요. 큰애가 아들이에요."

"아들은 잘생겼겠네요. 엄마를 닮았을테니까…"

호준이 말했다.

태경은 어이가 없었으나 한편으론 기뻤다.

"호준 씨는요?"

"저요?"

"애기가 하나라구 하셨지요? 아들인가요?"

"네."

"부인 닮았어요?"

태경이 호준을 흉내내듯 물었다.

"우리가 저녁 먹으려구 만났는데…."

호준이 대답은 않고 이렇게 혼잣말로 웅얼거렸다. 태경은 그의 옆모습을 바라보았다. 그를 만난 이후 처음으로 그를 자세히 바라보는 것이었다. 그런데 이상했다. 왜 그에게선 '아저씨' 냄새가 나지 않을까? 혹은 남편 냄새 같은 것….

"정말 배고프시죠?"

호준이 정색을 하고 물었다. 그는 태경이 알지도 못하는 동네의 어떤 길가에 잠시 차를 세우고, 휴식하는 자세로 앉았다.

"아니요. 호준 씨는…."

태경이 말했다.

"전 점심을 잘 먹어서 그럭저럭 모르고 지나쳤는데…."

"점심이 좋았어요?"

"점심이 좋았다기보다 저는 거기에 안 오셔서… 만날 줄 알았거든요. 첫인상이 아주… 뭐랄지…."

호준은 빛살이 비끼던 태경의 표정을 떠올리며 말했다.

태경은 자신의 고통스럽던 갈등의 시간을 기억했다. 그걸 호준에게 설명한다는 것은 거의 불가능했다. 더군다나 지금은 그때와 아주 달랐다.

"여기가 어디죠?"

태경이 비로소 자동차 밖의 세계에 관심을 보이며 물었다.

"글쎄요. 막연히 교외에 나가 밥을 먹을까 생각하고 그냥 차를 몰았는데… 교외는 아니구… 몇 시까지 돌아가시면 되지요?"

호준의 말에 태경이 시계를 보았다. 자동차의 디지탈은 10시 28분을 나타내고 있었다.

10시… 곧 11시가 될 것이다….

태경은 지금 가야 한다고, 그럴 때라고 생각했다. 그리고 그렇게 말해야 된다고도 생각했다. 하지만 그는 그렇게 말하지 않고 침묵했다. 호준은 다시 차를 몰았다. 그는 네거리에서 오던 길로 차를 돌렸다. 두 사람은 거의 10여 분이나 아무 말도 하지 않았다.

"영화 좋아하세요?"

호준이 불쑥 물었다.

"영화요?!"

태경이 경이로운 목소리로 확인했다.

영화 좋아하세요?

아, 도대체 이런 말을 언제 들어보았던가. 태경은 고향 까마귀를 만난 외로운 시골 사람 같은 감격에 사로잡혔다.

"영화요?!"

그래서 태경은 자기가 방금 이렇게 물었다는 것도 잊고 다시 말했다.

"시네마 천국이라구 꼭 보고 싶던 영환데, 그때 어찌나 바빴는지 놓쳤거든요. 그런데 이 동네서 하던데요."

호준은 방금 신호등에 걸려 서 있는 동안 네거리 한쪽 극장에 붙어 있던 포스터를 생각하며 말했다.

"시네마 천국… 저두 기억이 나요. 신문에서 광고를 본 적이 있어요."

"같이 볼까요?"

"지금요?"

"지금은 극장이 문을 닫았겠지요."

태경은 민망했다.

"영화는… 위대하지요."

호준이 중얼거렸다.

"건축도 그렇잖아요."

태경이 말했다.

호준이 문득 놀라는 기색으로 태경을 바라보았다.

"그렇게 생각하세요?"

"내가… 뭘 잘못 말했나요? 나는 그냥… 위대한 건축물들이 생각나서요."

태경은 벌써 낯이 붉어졌다.

"잘못 말하다니요. 반댑니다. 대단해요. 언제부터 그런 생각을 가지셨습니까?"

"언젠가 중국 영화를 보다가 자금성이 대단하다고 느꼈어요. 꼭 가보고 싶어지는 게… 그게 건축이지요? 바티칸 성당두요…"

"또, 계속 말해 보세요."

"건축은 시나 소설 같은 거하군 다르잖아요. 그림이나 음악하고도 다르구요…"

"학교 다닐 때 무얼 전공하셨습니까?"

"국문학과를 다녔어요. 어렸을 땐 백일장에 나가 상두 탄 적이 있어요. 신춘문예에 시 한 번 냈다가 떨어지구… 겨우 저의 한계를 알아낸 바보였지만요…"

"역시… 좀 달랐어요. 제가 터무니없이 사람을 볼 리가 없지요…"

"무슨 뜻이세요?"

태경은 자기가 너무 흥분해서 중구난방으로 떠들어댄 것이 후회스러웠다.

"좋다는 뜻입니다."

호준이 말했다.

좋다는 뜻… 이라구…?

태경은 이해할 수가 없었다. 그리고 알고 싶었다. 그래서 아이처럼 물었다.

"뭐가요?"

"이름을 알고 싶습니다."

호준의 대답은 이렇게 엉뚱했다.

"제 이름은 이쁘지가 않아요. 어렸을 땐 한반에 이름이 저와 똑같은 남자아이가 있어서 결석을 한 적도 있었어요."

"그런데 아직 이름은 말하지 않았어요."

"저는… 박태경이에요. 태경."

"좋은 이름입니다. 지금도 시를 쓰세요?"

"아니요! 전 시인이 못 되었어요!"

태경은 질겁을 했다.

"이제부터 되세요."

"이제부터요? 내가 몇 살인가 말씀드렸던가요?"

"아니요."

"난… 마흔이 넘었어요. 마흔하구 넷인걸요."

"이제 진짜 좋은 시를 쓰실 수 있는 나이 같은데요. 인생을 보실 수 있잖습니까?"

"인생을 본다구요?"

"보이지 않으세요?"

"난… 모르겠어요. 이런 말을 해본 적이 없었어요. 그래두 이런 대화를 따라하는 내가 신기해요. 옛날엔 늘 영화니 시니 하면서… 그런 대화만 하면서… 슈만을 얼마나 좋아했다구요…"

어느덧 태경의 젖어드는 목소리가 일렁거리기 시작했다. 호준은 아름다운 여자를 생각했다. 욕심도 없이 자기를 삭여내는 풀꽃 같은 한 생명으로서의 여자가 느껴져서 반갑고 애틋한 정감마저 일었다. 태경은 더 이상 말하지 않았다. 지금까지 까마득히 잊고 살았던 과거의 시간들이, 마치 단비를 맞고 오들오들 살아나는 풀처럼 고개를 쳐들기 시작하는 것이었다. 사춘기와 청춘기의 자신이 떠올랐다. 누군가의 시를 외우며 주술에 걸린 듯 울었던 기억이 태경의 속마음을 붉게 물들였다.

차는 벌써 태경이네 집 쪽으로 다가가고 있었다. 태경은 이제 곧 호준과 헤어져야 한다는 게 싫었다. 시계는 벌써 11시가 다 되어가건만, 그는 호준과 이런 대화를 더 많이 더 오래 나누고 싶었다.

"저기 축대 옆으로 좌회전이에요."

태경이 말했다.

호준은 앞에서 오는 차가 지나가기를 기다렸다가 좌회전을 했다. 이제 3분 남았다. 태경은 헤어질 시간을 어림해 보았다. 가슴에 이상한 통증이 느껴졌다. 가슴에도 가스가 찰까? 웬지 아프게 부풀어오르는 것 같았다.

"영화는 언제 봐요?"

태경이 부풀어오르는 가슴을 억누르며 말했다.

"언제가 좋으세요. 저는… 내일이 무슨 요일이지요? 내일은… 양평 현장에 나가구 모레는 오후에… 회의가 있으니 글피는 어떨지 모르겠네요. 괜찮으세요?"

"괜찮아요!"

태경은 초조해서 있는 힘을 다해 대답했다.

"그날 아침에 제가 전화드릴게요. 만약 제가 전화를 10시가 되도록 하지 못하면 태경 씨께선 저한테 전화를 주세요. 제가 출근하자마자 일에 붙잡힐 때가 많으니까요."

"네. 그리구 나는 저 앞에서 내려야겠어요."

"다 오셨어요?"

"집 앞까지 가기가…"

"그렇겠군요. 여기선 무섭지 않으세요?"

호준이 길 한켠에 차를 세우며 물었다.

"바로 저 위예요."

"잘 가세요. 저녁두 못 먹구… 죄송합니다."

"아니요."

"잘 가세요."

"네."

태경은 네, 라고 대답하고 잘 가시라고 인사했지만 너무도 목소리가 작아서 호준의 귀에까지 들리지가 않았다.

태경은 뒤돌아보고 싶었지만 달리듯이 걸어 경비실 쪽으로 꺾어들었다. 이제 호준은 뒤를 돌아보아도 보이지가 않을 것이었다. 태경은 문득

이곳이 낯설게 느껴졌다. 순간적으로 스쳐 지나간 느낌이었으나 태경에
겐 신기한 경험이었다. 하지만 곧 태경은 환하게 밝은 자신의 거실 유리
문 앞에 서야 했다.

그래. 근우가 왔구나!

태경은 가슴이 무너져내리는 것 같았다. 자식이 돌아왔는데 어미라는
게 밤늦도록… '다른 남자'와….

태경은 가방에서 열쇠를 꺼내 문을 열었다. 사람 목소리가 들렸다. 텔
레비전에서 뉴스를 말하는 아나운서의 목소리였다. 아이가 아직 깨어 있
으니… 다행인지 불행인지….

"근우야. 엄마다아."

태경은 신발을 벗으며 고개부터 빼어 소파를 바라보고 말했다. 그러나
소파 쪽에서 고요한 기운만 느껴졌다. 근우는 소파에서 구겨진 듯이 자
고 있었던 것이다.

내 잘못이다…!

태경은 자식 앞에 무릎을 꿇고 싶었다. 엄마가 잘못했다고, 그렇게 빌
고 싶었다. 그러면서도 한편으론 자신의 얼굴을 아들이 볼 수 없는 게
다행스러웠다. 태경은 거울 앞에 섰다. 너무도 예쁘고 생기 넘치는 여자
가 보였다. 예쁘고 아름답게 보이는 자신…. 저 얼굴에는 나이가 '없었
다'. 나이가 없는 얼굴도 있었다. 그저 예쁘고 아름답기만 한 생명도 있
을 터였다. 태경에게 아들에 대한 죄책감도 잠깐, 스쳐 지나갔다.

태경은 호준을 생각했다. 호준. 그는 이렇게 속으로 그의 이름을 불렀
다. 우리가 언제 헤어졌지? 나한텐 무슨 일이 생겼지? 태경은 기뻤다. 그
리고 황홀했다.

지금 그와 헤어져, 비로소 그가 송두리째 느껴지는 것이었다. 그는 문
턱에 놓인 아들의 배낭을 끌러 정돈하고 아들이 어질러놓은 식탁을 치
우고 설거지를 하고, 또 잠에 취한 아이를 깨워 제 방에 눕힐 때 자신의
몸과 마음이 나비같이 가벼워진 것까지는 깨닫지 못했다.

하지만 자리에 누워서도, 아주 오래도록 고단한 줄도 모르고 호준과의
모든 것을 생각하고 또 생각했다.

과거를 찾아서

태경은 눈이 아리도록 출입구를 바라보았다. 약속시간에서 20분이 지날 때까지는 들고간 신문을 펼쳐보며 보리차를 마셨는데 더 늦어지자 불현듯 온갖 불길한 상상이 떠오르는 것이었다. 이미 결혼해서 한 가정을 꾸리고 있는 태희를 불러내려고 한 것부터 옳지 않았던 것처럼 여겨져, 자신의 짧은 소견을 속으로 탓하기까지 했다.

태희는 태경의 속을 15분이나 더 태운 뒤에야 경쾌한 모습으로 나타났다. 약속시간에 늦은 것을 전혀 깨닫지 못하는 것 같은 표정이었다.

"언니가 웬일이야?"

태희는 배우처럼 길게 퍼머해서 늘어뜨린 머리를 뒤로 젖히며 물었다.

"난 사고 났는 줄 알았잖아!"

태경이 눈을 흘기며 낮게 꾸짖었다.

"언니. 서울은 이 정도는 봐줘야 해. 우리 동네에 전철 없는 거 알지?"

태희는 태경의 옆 자리에 앉아서 새삼스런 눈길로 언니를 바라보며 말했다.

"아무튼 무사히 왔으니 다행이다."

"언니두 걱정이 느는 걸 보니… 늙었네…. 그렇게 생각지 않아?"

"늙… 어…?"

"아니 아니… 우아한 중년 부인!"

태희가 정색을 하고 말했다.

"사실이지 뭐. 우아한…만 빼면."

태경이 자신의 손가락을 내려다보며 침울하게 말했다. 태경은 자주 오
그린 자신의 한 손을 바라보았다. 그러나 정작 눈의 초점은 손에 가 있
지 않았다. 잠시 잠깐 사이에 그의 표정은 아주 깊거나 먼 곳으로 달려
가는 듯했다.

태희는 태경의 예사롭지 않은 표정이 신경에 쓰였다.

"언니가 웬일이야?"

그래서 만나자마자 물었던 말을 되물었다. 나이가 열한 살이나 차이나
는 언니라 믿음직스럽기는 해도 한편으론 어려운 사이기도 했다. 그리고
언니는 집안 살림에만 파묻혀 지내는 '낡은 현모양처'라고, 태희는 그렇
게 생각하고 있었다. 그런데 오늘, 느닷없이 백화점으로 불러낸 것도 수
상쩍은데 게다가 표정은 너무도 '언니답지'가 않았던 것이다.

태경은 흡사 귀머거리 같은 표정으로 앉아 있었다.

"언니. 형부 자주 오시나?"

태희는 문득, 태경에게 일어났을 고민이 짐작되어 조급하게 물었다.
지방 근무하는 가장들에게 어떤 추문이 생길 수 있는지, 그런 걸 다룬
신문기사가 생각났기 때문이다.

형부? 태경은 속으로 이 말을 되받아 읊조려보며 동생을 쳐다보았다.
왜 형부라는 낱말이 생경하게 들렸는지 알 수 없었다.

"형부 여수 가신 지 꽤 오래되었지?"

태희가 다시 물었다.

태경은 어려운 문제라도 푸는 표정을 짓더니, 의외로

"글쎄."

이렇게 대답했다. 무덤덤한 목소리였다.

"언니 불안하겠다."

태희는 가볍게 이런 말을 내놓고는 이내 언니를 자극할 것 같아 마음이 쓰렸다.

"난… 그런 거… 신경 안 쓰는지… 오래되었어…."

태경이 나직하게 중얼거리듯 말했다. 태경은 이 말을 할 때, 웬지 가슴이 서늘하고 개운해지는 느낌을 느꼈는데 태희는 반대로 태경의 목소리에서 속 깊은 우울과 외로움을 감지했다.

"무슨 일 있구나."

태희는 태경보다 더 침울한 목소리로 말했다.

"무슨 일?"

태경은 이렇게 물었다.

"형부가 바람났어?"

"난 그런 거 신경 안 쓴다니깐!"

"그럼 왜 언니 같은 살림꾼이 옷을 사겠다구 그래. 사람이 갑자기 변하면… 죽는다는데…."

태희는 행여 말이 씨가 될까 두려움을 느끼며 '죽는다는데'를 소리 죽여 가만히 말했다. 태경은 아무 말도 하지 않았다. 너두 내가 이상하게 보이니? 내가 어디 달라져 보이니? 태경은 이렇게 묻고 싶었다. 며칠이나 잠을 설쳤건만 피곤하지도 않고, 밥을 잘 못 먹는데도 배가 고픈 걸 모르고 지내길 몇몇 날이나 지났을까. 멀고 먼 비밀의 샛길을 어떻게 태희에게 설명하리.

"언니. 속상한 건 말해야 한대. 몸에 든 거만 병이 아니라 마음이 아픈 것두 병이잖아. 병은 소문을 내야 고칠 수 있다니깐."

태희는 아주 열심히 생각을 모아 언니를 위해 조언했다.

태경은 웃으며 태희의 손을 잡았다. 장미빛 손톱이 길어서 요염스러웠다.

"넌 보기보다 노인 같은 말을 잘하는구나. 그렇지만 난 아무렇지두 않

아. 니 눈엔 불행해 보이니?"

태경이 이렇게 말할 때, 태희는 새삼스런 눈길로 태경을 바라보았다.

"혹시… 언니 애인 생긴 거 아니야?"

태희는 순전히 농담으로 말했다.

"애. 넌 무슨 그런 말을 다 하니?"

태경은 갑자기 불어난 강물 앞에 섰을 때 같은 황망함을 느끼며 허겁지겁 받아넘겼다. 그러나 말보다 먼저 얼굴이 불화로처럼 달아올라 있었다. 하지만 태희는 태경의 얼굴에서 눈을 떼지 않았다.

"… 난… 알아 언니…. 사랑하면… 눈이 달라져…. 언니 눈이 지금 그래. 촉촉하게 젖었어. 그리구 반짝이잖아…. 난 다 안다니깐…."

태희가 중얼거렸다.

"애! 너 자꾸 이러면 나 그냥 간다. 언닐 괴롭힐래?"

태경은 속이 상하다 못 해 울상이 되어 말했다. 정말 도망가고 싶은 마음이 간절했다.

"언니 지금 괴로워?"

태희는 여전히 심각했다.

"그래! 괴롭지 않겠니? 엉뚱한 소리루 사람을 궁지에 몰구…."

태경은 고개를 깊이 떨구고 마냥 구겨진 목소리로 말했다. 태희는 감정을 고르려는 듯 깊이 한숨을 쉬었다. 그리고 무슨 생각을 하는지 한동안 입을 다물고 있었다. 이젠 태경이 숨이 막힐 것 같았다. 차라리… 다 말해 버릴까? 태경은 이런 생각을 했다. 그러나 이내 그 생각을 지웠다. 마흔넷의 나이에 '외간 남자'한테 빠진 걸… 그런 걸 어떻게 어린 동생에게 '고백'이랍시고 말할 수 있을까. 어림도 없는 일이었다. 아무래도 그건 '추한 말'이 분명했다.

그런데 이상한 현상이 일어났다.

추한 말이라고 생각할 때, 태경의 기분만 그러할 뿐, 그 기분이 그의 마음까지 물들이지 않는 것이었다. 마치 강 건너 불처럼.

"난… 언니가 좋아…"

갑자기 태희가 태경의 팔짱을 끼며 어리광부리는 목소리로 말했다.

"정말?"

태경은 물었다.

"난 말야. 옛날에 언니가 시 써서 상 받아 왔던 거 기억나. 언니 방에 들어가면 벽에 시가 붙여져 있었잖아."

태희는 추억에 젖은 목소리로 말했다.

"그랬니? 넌 그때 아주 어렸을텐데."

"국민학생이었지 뭐."

"기억력두 좋다 애."

"난 한때 언니 같은 여자가 되구 싶었다. 어렸을 때지만."

"그랬니? 지금은 실망이지?"

"실망이었는데 방금, 언니가 다시 좋아졌어."

태희가 말했다. 태경은 감회에 잠겨들었다.

그때가 언제였던가. 태경이 아직 스물도 되기 전이었다. 집에서 오래도록 구독하던 신문의 신춘문예에 당선된 시가 〈빙하기〉라는 것이었다. 태경에겐 그때까지도 시인은 그저 신비스런 존재였다. 그런 시절의 태경에게 〈빙하기〉는 차라리 '고통' 같은 것이었다.

그 헐벗은 비행장 옆
낡은 예레미야 병원 가까이
스물아홉 살의 강한 그대가 죽어 있었지.
쟝 바띠스트 클라망스
스토브조차 꺼진 다락방 안 추운 빙벽 밑에서
검은 목탄으로 데생한 그대 어두운 얼굴을 보고 있으면
킬리만자로의 눈 속에 묻혀 있는 표범 이마
빛나는 대리석 토르소의 흰 손이 떠오르지.

지금 낡은 예레미야 병원 가까이의 지붕에도
눈은 내리고
겨울이 빈 나무 허리를 쓸며 있을 때.

태경은 〈빙하기〉를 떠올렸다. 태경은 그 시를 책상머리에 붙여놓고 지낸 적이 있었다.

"애는 잘 크지?"

태경은 숙연한 기분에서 깨어나듯 조카의 안부를 물었다.

태희가 건성으로 고개를 끄덕거렸다. 아직 어떤 생각에 깊이 빠져 있는 표정이었다.

"넌 그런 머리가 어울리네. 요샌 결혼하구 애 낳아두 처녀 같아 보이니… 우린 너무 한심하게 살았지?"

태경은 태희의 긴 퍼머 머리를 손가락 사이로 쓸어내리며 말했다.

태희는 관심이 없었다.

"왜 언니는 시를 안 썼어? 아빠두 언니보구 '우리 시인'이라구 놀리셨는데…."

태희가 말했다.

"재능이 없는 거지 뭐. 시인이 아무나 되는 거면…."

태경이 말했다.

"그래두… 언니는 아직두 시인 같은 분위기를 가졌는데…."

"놀리니?"

"아냐. 정말 그래. 언니 나이에 그런 눈 갖기가 쉽겠어?"

"넌 어려운 말두 할 줄 아는구나."

태경은 결코 싫지 않은 기분을 억지로 감추려 했다. 하지만 태희도 지지 않았다.

"그렇게 의심이 많아지는 것두 갱년기 증세라는 거 아닐까?"

태희는 언니의 표정을 속속들이 살피려는 눈빛을 하고 물었다.

"갱년기 증세?"

태경은 반사적으로 되물으며 어쩐 일인지 키득키득 웃었다. 태희도 덩달아 따라 웃었다. 태희에겐 그 표현이 아무래도 코미디 같아서였다. 그러나 태경의 웃음은 짧았다. 웃음이 제 형태를 갖추기도 전에 더 짙은 비애가 태경의 기분을 점령했던 것이다. 그리고 이런 느낌—비애의 정서가 태경에겐 차라리 익숙했다.

"언니!"

태희가 낯빛을 바꾸며 태경을 불렀다. 태경은 지나가는 사람들과 유리벽 밖으로 보이는 상점 풍경을 느낌 없이 바라보고 있었다.

"갑자기 왜 그래, 언니?"

태희는 기복이 심한 언니의 정신 상태가 쉽사리 이해되지 않아 안타까웠다.

괜찮아. 태경은 속으로 말했다. 지금 난 내 인생을 보았단다…. 태경은 속으로 자신에게 말했다. 마치 유리에 어리는 자기의 모습처럼, 사물들 속에서 바라보게 되는 자신의 생. 이 느낌을 어떻게 말로 표현해서 타인에게 이해시킬 수 있을까. 어쩌면…. 태경에게 한 생각이 떠올랐다. 호준이라면… 그 사람이라면… 송두리째 이해해 주지 않을까? 느낌의 힘으로. 그리움의 통찰력으로.

"언니."

태희가 가라앉아 침울하기 그지없게 들리는 목소리로 다시 태경을 불렀다.

태경이 동생을 바라보았다.

"언니는… 다른 여자들하고 좀 달라. 난 그저 갱년기 증세라구 아무렇게나 까불어봤던 거야."

"태희야. 그런 건 문제가 아니란다. 누가 뭐라고 이름 붙이건, 사실 그런 건 뭐 그리 대단하겠니? 난… 니가 좋아. 동생이 있어서 이렇게 만나구… 즐겁구… 사실 난 젊다고는 할 수 없잖니. 그리구 너무 갇혀 살아

134

서… 그렇게 굳어져서 도대체 내가 누구인지, 무엇이 난지, 내 인생이 어떤 건지두 모르겠어…. 그런데 최근에… 이상한 일이 생겼어. 나 자신이 보고 싶어진다고 할까? 내 인생, 나 자신, 여자로서의 나 자신을 되찾고 싶다고 할까? 내가 지금 하는 말이 맞는지 어쩐지두 잘 모르겠다…."

태경이 이렇게 말하는 동안 태희는 태경의 말의 부피 속에 잠겨드는 야릇한 느낌을 경험했다.

"… 어쩌면 네가 잘 보았나 몰라. 난 지난 봄부터 이상하게 자꾸 시가 생각난단다. 까맣게 잊고 지낸 보들레르나 아폴리네르가 생각나구…. 우습지?"

태경이 앞의 진지함을 짐짓 가볍게 날려보내려는 듯이, 우습지? 라고 말했지만 태희는 오히려 심각했다.

"나야 뭐 언니한테 비하면… 사실 너무 어리지 뭐."

한동안 침묵하고 있다가 태희가 낮은 목소리로 말했다.

태경은 아무 말도 하지 않았다.

"난 잘 모르지만, 웬지 언니한테 좋은 일이 있을 것 같애."

"좋은 일?"

"글쎄 그게 뭔지 모르겠는데 그런 느낌이 드네."

"글쎄…."

태경은 낮게 중얼거렸다. 그러면서, 글쎄… 하고, 감정에 뚜껑을 덮듯 했으나 그 밑으로 싱싱한 바닷내를 풍기며 솟아오르는 기쁨을 가슴 뿌듯하게 느끼고 있었다.

그래. 좋은 일일 거야….

태경은 속으로 말했다. 태경의 눈이 청명한 햇살처럼 반짝이는 듯했다.

"언니 옷 살래?"

태희가 물었다.

"그래. 그것 때문에 널 만났잖니. 옷두 사 입어봐야 뭐가 좋구 어울리는지 안목이 생기지…. 나두 내 분위기를 갖구 그걸 표현하고 싶은데…
태희야 그게 가능하겠니?"

"물론이야 언니. 언닌 감각이 있다니깐. 꼭 사랑에 빠진 여자 있지? 그
런 분위기가 느껴져."

"애, 누가 들을까 겁난다."

"괜찮아, 언니. 사랑이 얼마나 좋은 거라구. 삶의 활력소라니까. 그게
바로 보약이야."

"어쩌면 그렇게 청산유수니?"

"사실이야, 언니. 나두 남자 친구가 있어."

태희는 너무도 태연하게, 아주 일상적인 말투로 말했다. 태경은 태희
를 빤히 바라보다가 눈길이 마주치자 도망치듯 고개를 돌렸다.

"남자 친구가 있으니까, 결혼생활이 한결 부드러워. 내 친구들두 그렇
게 말하는 애가 많아."

태희가 이렇게 말할 때, 태경은 속으로 '남자 친구'라는 말을 씹어보았
다. 남자 친구라니. 어떤 관계지? 선뜻 이해되지 않았다. 그러나 웬지 태
희에게 묻고 싶지가 않았다.

"저녁하러 들어가야지?"

태경은 전혀 다른 말을 꺼냈다.

"언니만 괜찮으면 저녁 먹구 들어가두 돼."

"애 혼자 있잖니."

"놀이방에 같이 다니는 애 엄마가 데려온댔거든."

"놀이방이라는 데가 믿을 만 하니?"

"무슨 뜻이야?"

"엄마가 기르는 거만 하겠느냐구."

"꼭 우리 시어머니 같은 소릴 하네. 언니, 애들은 일찍부터 어울려 자
라면서 사회성을 기르는 게 좋아. 난 아이를 낳을 수는 있어두 육아 전
문가는 아니잖아."

"그러니?"

태경은 '세대 차이'라는 말의 의미를 실감하면서 아주 멍청하게 느린 말투로 그러니? 하는 말밖에 하지 못했다. 자신이 보아왔고 살아낸 세계와는 다른 세계가 바로 눈앞에 점령군처럼 포진해 있는 것 같아서였다.

하지만 그는 태희에게 맛본 '다른 세계'를 감히 알고자 하지 않았다. 웬지 그건 태희네 세대의 것이라고 여겨졌다. 태경은 태희를 앞세워 옷가게를 돌아보았다. 옷을 고르면서, 이 달에 형부 모르는 적금을 탔다는, 자신의 비밀을 깨놓았다. 살아보니까 정말 여자도 '자기 돈'이 있어야겠더라고 말하면서. 자신의 친구들이 그런 얘길 하면 웬지 그런 여자가 저질스럽게 보였던 적도 있었다고. 그런데 지금은 자신의 옹졸함이 부끄럽다고. 사람은 아마도 누군가의 인생을 잘 모르는 채 비웃는 건 죄악일 거라고. 환경에 따라 살아가야 하는 게 사람일 거라고….

태희는 태경의 말에 동참하려는 기색을 보이지 않았다. 태희에겐 태경의 삶, 그 연륜의 골짜기에 고여 있는 고뇌와 슬픔 또는 지혜가 도저히 감지되지 않았던 것이다.

태경은 자신의 옷 두 벌을 사고 나서 조카의 옷도 한 벌 샀다. 생활비에서 쪼갠 돈이건만 남편 몰래 모아서 그런지 수표를 꺼내 쓰는데 가슴이 쿵쿵 뛰었다.

"얘. 너두 둘째를 가져야 되지 않니? 너무 늦으면 새삼스러워서…."

태경이 말했다.

"애를 또 낳아? 자신없어 언니."

태희가 질색했다.

"혼자는 애가 외롭단다."

"외롭다는 건 생각하기 나름이야. 일가 친척끼리 또아리 틀구 사는 시대가 아니거든!"

태희는 단호했다.

태경에겐 쉽사리 이해되지 않는 생각이었다.

자매는 백화점 꼭대기의 식당가에서 이른 저녁을 먹었다. 밥을 먹기 전에 찬 맥주부터 마셨다.

"우린 아버지 닮아 술은 다들 잘하지?"

"술 때문에 아버지가 마흔셋에 돌아가시지 않았니."

"우린 백 살까지 살 테니까 언니, 걱정 말구 마셔요."

태희가 맥주잔을 단숨에 비우고 나서 말했다. 태경이 고개를 끄덕거렸다.

"언니두 형부 안 계실 때 남자 친구들 만나봐."

백화점을 나와 밤거리의 사람들 무리에 휩쓸렸을 때, 태희가 태경의 귀에 대고 이렇게 말했다. 태경은 질겁하듯 태희의 팔을 쳤다.

"요샌 그게 유행이래. 옛날 애인 만나거나 학교 동창 찾아나서는 거 말야. 옷에 신경 쓰는 거 보니까 언니두 뭐…"

태희는 전혀 심각하지 않게 말했다. 하지만 태경은 복잡하고 괴로웠다. 자꾸만 태희에게 '털어놓을까' 하는 충동이 일었다. 하지만 참았다.

"살림 잘해라."

태희가 잡아준 택시에 오르기 전에 태경이 급히 말했다.

"걱정 마 언니. 난 똑똑하니까!"

태희가 자신있는 목소리로 소리쳤다.

태경은 달리는 차창 밖으로 힘이 느껴지는 동생을 오래도록 바라보았다.

태경이 경비실 앞에서 열쇠를 달라고 하자 쌍꺼풀이 상처처럼 짙은 경비가 없다고 시큰둥하게 말했다. 그는 더운데 온종일 갇혀 일하는 게 진력이 난 사람이었다.

경비의 시큰둥한 반응과는 달리 태경은 가슴이 철렁 내려앉는 걸 느꼈다. 왜 터무니없이 '남편'을 떠올렸을까. 예고 없이 아무때나 집으로 올 수 있는 사람은 남편뿐이라고 믿는 것처럼.

"누가 왔나요?"

태경은, 우리 남편이 왔느냐고 묻고 싶은 걸 참고 이렇게 물었다.

"학생 있잖아요!"

경비가 짜증스럽게 대답했다. 눈길은 텔레비전 화면에서 떼지도 않고 그랬다. 태경은 우선 열쇠를 가져간 사람이 남편이 아니라는 것만 안심이 되어, 경비에게 고맙다고 인사까지 했다.

그러나 발을 떼어놓고 몇 발짝 옮기기도 전에, 경비가 자신을 얕잡아 본다고 생각하기 시작했다. 요새 부쩍 외출이 잦아지는 걸 알고 천하게 보는 것이 틀림없는 것이었다. 그래서 저렇게 함부로 대한다고… 현관 앞까지 왔을 때 태경은 모욕감 때문에 목이 찌부러진 것 같았다.

근우가 문을 열었다.

"넌 왜 학원을 빼먹니!"

태경은 아들과 마주치기 무섭게 소리질렀다.

"안 가긴 누가 안 가!"

"그럼! 니가 지금 학원에 있니?!"

태경은 미움이 가득한 목소리로 추궁했다.

"온종일 나갔다와서… 알지두 못하면서…."

근우는 반바지 주머니에 손을 찌르고 경멸기 도는 낮은 목소리로 말했다.

태경은 백화점 봉투들을 뿌리치듯 거실 바닥에 내던졌다.

온종일 나갔다와서… 알지두 못한다구?… 온종일 나갔다와서… 온종일 나갔다와서….

태경은 마치 독가스에 마취되는 느낌이어서 정신을 차려야겠다고 자신을 애써 추스렸다.

근우는 저 혼자 밥을 먹던 중이었는지 그릇이 차려진 식탁에 앉더니 수저를 소리나게 내려놓고 제 방으로 훌쩍 들어가 문을 닫았다.

에이 나쁜 자식.

태경은 속으로 아들을 욕했다. 사내라고 제 아빌 닮아 어미를 부리려고만 든다는 생각이 치밀어서였다. 어릴 땐 그저 엄마 엄마 하더니 지난 겨울부터 예비 가장 티를 내기 시작하는 것이었다. 마치 아버지가 없으므로 아들인 자기가 가정의 기강을 잡고 가족을 다스려야 한다는 듯이.

한바탕 싸울까? 제깐 녀석이 뭔데 오십을 바라보는 엄마한테 온종일 나다닌다고 말할 수 있어? 나쁜 자식.

태경은 옷을 갈아입으며 모진 표정을 하고 화를 북돋우었다.

하지만 이런 기분은 그리 오래 가지 않았다.

화장을 지우려고 거울 앞에 앉자마자 땀으로 화장이 얼룩얼룩 지워지고 번들거리는 얼굴이 그를 절망하게 했기 때문이다.

그러나 태경은 눈감지 않았다. 돌아서지도 않았다. 그는 자신을 절망케 한 바로 저 얼굴이 자신의 '수치의 증거'라고 생각하기 시작했다.

이런 꼴을 하고 돌아다니다니… 이건 미친 거였다. 경비가 멸시하고 아들이 화를 내는 게 너무도 당연하다고 생각되었다.

태경은 정신을 차리자고 자신에게 말했다. 잠시 미쳤었다고, 자신에게 말했다. 그리고 천천히 얼굴 화장을 지워내기 시작했다. 곧 드러난 화장기 없는 얼굴이 태경은 도리어 반가웠다. 그러나 그것은 이미 낡은 고향처럼 웬지 쓸쓸하고 아련한 서글픔마저 느껴지게 했다. 태경은 속절없이 엄지손가락 하나를 이빨 사이에 물었다. 자신의 등에서 울음이 문을 두드리듯 쿵쿵 치는 것 같았다. 태경은 못 들은 것처럼, 아니면 그런 슬픔의 신호를 피하려는 듯 자리에서 일어났다. 찬물로 머리를 감고 샤워도 했다. 등을 두드리는 울음이며 슬픔은 어딘가로 씻겨내렸는지 몰랐다.

불도 켜지 않은 거실은 어둡고 횅뎅그렁했다. 태경은 거실의 형광등과 스텐드 따위를 한꺼번에 모두 켰다.

식탁 위는 지저분했다.

나박김치의 무우쪽 하나가 식기 운두에 걸쳐 있고 먹다 만 밥그릇엔 밥이 굳어가고 있었다. 조기는 살 깊은 가운데가 서툰 곡괭이질에 아무렇게나 패인 웅덩이처럼 패여 있었다.

태경은 자신의 손끝으로 식구들의 음식을 해먹이기 시작한 이래 처음으로 식탁 앞에서, 밥 먹다 만 식탁 위를 내려다보는 것이었다. 저 을씨년스런 모습에 대해 그는 미안함도 없고 불쾌감도 생기지 않았다. 그러나 아주 객관적으로 식탁을 바라본 것은 새로운 경험이었다. 자기도 모르는 사이에 옷에 붙어오는 풀씨 하나처럼. 혹은 대단치 않은 기억처럼.
　태경은 식탁을 치우려다 말고 아들의 방문을 열었다. 근우는 요새 와서 좋아하기 시작한 가수 리처드 막스의 《라잇 히어 웨이링》을 연속으로 듣다가 찌푸린 가는 눈길로 태경을 바라보았다. 침대에 비스듬히 누워 길게 뻗은 다리는 그대로 둔 채 눈길만으로 아는 내색을 하는 것이었다. 태경은 그런 아들을 보면서 하나의 '개체'로서의 자식에 대해 인식하기 시작했다. 내 새끼라고 품고 있을 때와는 전혀 다른 느낌이었다. 자기 생각을 가지고 스스로 행동할 수 있는 사람. 지금은 단지 의식주를 부모에게 의탁하고 있을 뿐이지만 결국은 그것으로부터의 독립을 준비하고 있는 하나의 사람이라는 생각….
　태경은 그 사람에게 말을 붙였다.
　"기분 나쁘니?"
　그러자 근우가 눈꺼풀을 들어올렸다.
　"왜애!"
　아이는 아직도 볼 부은 목소리였다.
　"밥을 먹다 말았잖니."
　"먹기 싫어!"
　"엄마 때문이니? 내가 네 허락 없이 돌아다녀서?!"
　태경은 아직은 둥지 안에 있는 게 분명한 자식한테는 좀 모진 표현이라고 느끼면서도 이렇게 내뱉고 말았다.
　순간 아들이 어머니를 똑바로 쳐다보았다. 2초나 3초쯤 그랬다.
　태경은 그 눈길을 피하지 않았다.
　"엄마가 날 의심하는 게 기분 나쁘다구!"

아이가 여전히 볼 부은 소리로 말했다.

태경은 마른침을 삼켰다.

"학원은 내가 다녀! 엄마가 뭘 알아?"

아이가 다시 말했다.

태경은 뭐라고 말하고 싶은 기분인데 무슨 말을 해야 할지 언뜻 떠오르는 게 없어서 답답했다. 그러다가 그는 겨우 이렇게 말했다.

"오늘은… 아직 공부할 시간 아니니?"

"학원 선생 할아버진가가 돌아가셨대."

아이가 말했다. 처음보다는 훨씬 누그러진 목소리였다. 하지만 태경에겐 '학원 선생'이라는 표현과 '할아버진가가' 하는 게 몹시 언짢았다. 그래서 최소한도, 애, 학원 선생님이 네 동생이냐? 라고 말해 주고 싶었으나 '반항기'라고 접어두기로 했다.

"수박 줄까?"

"아니."

어머니와 아들은 이런 대화로 일단 두 사람의 갈등을 마무리지었다.

"저기 엄마! 아까 전화왔었어!"

방문을 닫으려는 태경에게 근우가 조급한 목소리로 말했다.

태경이 굳은 듯이 제자리에 섰다. 그러나 고개는 돌리지 않았다.

'어디서?'

그리고 작고 무심한 듯한 목소리로 물었다.

"뭐 주 건축이라나? 뭐 건축이라구 그러던데…"

태경은 아들의 말은 더 들을 것이 없었다. 아들이 '준'을 '주'라고 잘못 알아들었으나 상관없는 일이었다. 태경은 마치 조작을 제대로 하지 못해 쓸데없이 닫히는 자동문처럼, 그렇게 아들의 방문을 닫아버렸다. 그리고 자신도 모르는 사이에 바람 같은 무게로 어느 결엔가 전화기 옆에 앉았다. 바로 얼마 전, 경비에게서 느꼈던 모욕감이며 자신의 들뜬 얼굴 때문에 빠져들어야 했던 절망감은 어디로 갔을까.

남자가 전화했어?

태경은 수화기에 손을 얹으며 아들에게 묻고 싶어서 고개를 젖혔다. 그러나 그렇게 물을 수는 없었다.

정말 준 건축이랬니? 혹시 수정이 아줌마 동생이 아니라던?

이렇게도 묻고 싶었다. 태경은 안쓰러운 눈으로 시계를 보았다. 9시가 넘어 있었다. 여름 저녁은 길어서, 어두워진 게 조금 전인 듯싶은데 벌써 시간은 그렇게 가버린 것이었다. 태경은 수화기에 오른손을 얹어놓고 한 동안 망설였다. 온몸의 힘과 피가 그 손아귀로 몰려드는 것 같았다.

하느님….

태경은 자기도 모르게 속으로, 믿지도 않는 하느님을 불렀다.

혹시… 언니 애인 생긴 거 아니야?

느닷없이 반짝 눈을 치켜뜨고 묻던 태희의 목소리가 떠올랐다.

태경은 수화기를 들었다. 그리고 이미 잊혀질 수 없는 숫자들을 낱낱이 눌렀다. 곧 발신음이 울렸다. 그러나 태경의 심장은 그 소리보다 천만 배나 더 크게 뛰기 시작했다. 발신음은 열 번도 더 울렸다. 그뿐이었다. 사무실은 비어 있을 것이었다. 태경은 호준의 빈 사무실과 그의 빈 의자를 보았다. 너무도 선명하게 눈앞에 보이는 것이었다.

차라리 잘되었지….

태경은 이윽고 빈 사무실을 흔드는 발신음에 둔감해지면서 이런 생각을 했다. 그런데 이상했다. 쉽사리 수화기를 내려놓을 수 없는 것이었다. 만일 이때, 근우가 제 방에서 나와 엄마, 하고 부르지 않았다면 태경은 언제까지 그런 모습으로 앉아 있을지 몰랐다.

"수박 있어?"

아무것도 모르는 아이는 속이 다 풀어진 표정으로 어머니를 바라보며 물었다. 태경은 숨기듯 재빨리 수화기를 내려놓으며 자리에서 일어섰다. 그리고 대꾸 한마디 없이 냉장고 앞으로 갔다. 여전한 태도로 수박 반 통을 꺼내 쪼개어서 접시에 가득 담았다. 이런 행동을 하는 동안, 내내 태경은 정신이 아득한 상태였다. 어쩌면 회오리바람에 휩쓸려 눈을 뜰 수 없는 것처럼. 혹은 눈보라를 헤치고 걸을 때같이….

"누가 이렇게 많이 먹는대?"

근우가 말했다.

"많이 먹어."

갈라진 목소리로 태경이 말했다.

"난 두 쪽만 먹을 건데…."

근우가 중얼거렸다.

"전화가 몇 시에 왔었니?"

태경은 수박씨를 식탁 위에 아무렇게나 뱉어내는 아들을 사물처럼 바라보며 물었다.

"몰라. 시간을 안 봤어."

"엄마가 오기 훨씬 전이야?"

"남자던데… 누구야?"

근우가 수박을 베어물어 입 안이 바쁜데도 엉뚱한 질문을 했다.

태경은 낯을 있는 대로 찡그렸다.

"수정이 아줌마 알지?"

태경은 음정을 잡지 못하는 음치같이 터무니없는 높은 소리로 말하기 시작했다.

"수정이 아줌마 동생이 집을 고치는데 그 집이 부자거든. 그래서 건축 사무실에서 유명한 건축가한테… 수정이 아줌마 동생이 부탁한… 그 사무실일 거다. 뭐 물을 게 있었나?"

태경은 뒤죽박죽으로 말했다. 그리고 냉장고 문을 활짝 열어젖히고 찬 물을 꺼내 벌컥벌컥 들이켰다.

"막내 이모가 너 용돈 주더라. 이모랑 오랜만에 만나서… 같이 저녁 먹었어. 형제가 얼마나 좋은지 아니?"

태경이 말했다.

"이모 만났구나아?"

아이가 반색을 했다.

태경은 거짓말 값으로 지갑을 가져와 자기 돈을 만 원 꺼내 근우에게 주었다.

"빨리 고등학생이 되어야지… 늘 이거 한 장이니…"

근우는 빳빳한 지폐 한 장을 흔들며 즐겁게 말했다. 태경은 그런 아들을 향해 씨익 웃었다.

"들어가 공부해."

태경이 말했다.

"엄마가 자신있게 하는 말은 그거 한 마디뿐이니까."

아들의 표현에 씨가 있든 독이 있든 태경은 아이와 차단된 공간으로 나뉘는 것만 좋았다.

식탁을 치우고 설거지를 한 뒤 다시 전화기 옆에 앉았다.

그 사람이야. 그 사람이 전화를 했어.

태경은 허공에서 메아리로 울리는 자신의 목소리를 들었다.

그러나 이런 빈 목소리로는 도리어 허기만 차올랐다.

누구든지 호준을 아는 사람을 찾아 호준에 대한 얘길 나누고 싶었다. 수정은 서울에 없었다. 가족끼리 무주구천동으로 떠났다. 태경은 자기가 수정의 동생네 전화 번호를 모르는 게 몹시 후회되었다.

태경은 소파에 길게 누웠다. 천장을 바라보았다. 무지의 실크 벽지엔 아무런 사연도 묻어나지 않았다.

그 헐벗은 비행장 옆
낡은 예레미야 병원 가까이
스물아홉 살의 강한 그대가 죽어 있었지.

태경은 〈빙하기〉를 생각했다. 그러면서 허둥지둥 책꽂이를 더듬어보왔다. 남편의 책과 장서들이 보기 좋게 꽂혀 있는 책꽂이 어느 부분도 태경의 허기진 눈길을 보듬어주지 못했다.

까맣게 잊고 있던 시절이 홀연히 떠오르기 시작했다. 아주 먼 바다를 건너야 비로소 되돌아갈 수 있는 저 아득한 과거.

"니가 보던 책을 가져가렴."

늘 따뜻했던 어머니가 그랬던가?

그때, 태경은 혼수 이외엔 아무것도 챙기지 않았다. '다른 집'에 가서 '새 살림' 살 터이므로…. 자기가 태어나고 자라 이날까지 함께 부대낀 가족들 속에서 자기는 몸만 떠나오려는 듯 아무것도 가져가지 않았다. 결혼 날짜가 가까워왔을 때, 그는 초봄의 여린 햇살 쬐이는 작은 뜰 옆에서 그 동안의 일기와 편지들을 불태웠다. 사춘기의 슬픔과 환상이 타고, 시인이 되려던 꿈도 타버렸다. 결혼을 한 뒤엔 빛 좋은 신랑과 낯설 되 친척의 줄로 얽힌 사람들 속에서 낙오되지 않으려고 얼마나 버둥거렸는지.

그런데 이건 무슨 변일까. 이미 타버린 과거가 여전히 죽지 않고 새파랗게 살아서 태경을 휘저어놓다니.

미라보 다리 아래 세느 강이 흐르고
우리들의 사랑도 흘러간다
그러나
괴로움에 이어 오는 기쁨을
나는 또한 기억하고 있나니

밤이여 오라 종은 울려라
세월은 흐르고 나는 여기 있다.

태경은 숨쉬듯 아폴리네르를 기억해 냈다.

태경이 시집을 온 뒤 동생이 결혼을 했고 일찍이 남편과 사별했던 어머니는 오래도록 혼자 살아야 했다.

태경은 과거의 크고 작은 골짜기와 언덕들을 기억하기 시작했다.

그때 내 물건들이 다 어떻게 되었을까. 시집도 꽤 모았었는데… 갈피에 은행잎 단풍잎 네잎 토끼풀도 넣어두었었지….

태경은 책의 행방이 궁금했다. 그는 오래도록 앉아서, 자신의 지난날들을 떠올렸다. 아주 짧은 세월 같았다. 갑작스런 아버지의 죽음—어느 날 회사에서 쓰러져 입원했는데 간암이라고 했다. 그리고 석 달을 다 채우지 못하고 다른 세상으로 떠났던 것이다.

딸만 달랑 둘인데 자신까지 '과부'가 된 것을 전씨는 자기가 전생에 지은 업보라고 믿었다. 그래서 큰딸 태경이 결혼을 하고 사위가 김진규를 닮은 미남에 일류대학 나와 재벌 회사에 다닌다고 자랑이 이만저만이 아니었다. 태경의 시집이 그럭저럭 정리되고 식구가 단촐하게 되었을 때, 전씨는 하늘이 내린 아들이라 맘먹고 태경이네로 들어와 살기 시작한 것이었다.

이렇게 되기까지, 태경은 정말 자신의 과거를 까맣게 잊고 살았다. 자기가 여자라는 것, 한 사람의 개인으로 어떤 꿈을 가졌었다는 것…. 그런데 지금 오래된 낡은 사진첩을 들춰보듯, 태경은 자신의 처녀시절을 되새기었다.

그런데 이상했다.

왜 이런 상념 끝에 태경이 불쑥 여수의 남편에게 전화를 했을까.

"저예요."

태경이 우울한 목소리로 말했다.

그쪽에서 잠시 헤매이는 듯 침묵의 빈칸이 생겼다.

"당신이야?"

이윽고 찬수가 물었다.

"네에."

"목소리가 왜 그래."

"잠이 와서 그래요."

"잠이 오면 잘 일이지 전화는 왜 해. 급한 일 생겼어?"

"아니요."

"싱거운 사람. 나 아마 다음 주중에 올라갈지 몰라. 미국 출장 가게 될려는지… 자라구."

하지만 찬수는 멀리에서도 명령했다.

어둠과 빛의 늪

… 표는 먼저 오는 사람이 사기로 했지. 4시 반 걸 보고 저녁을 먹자고, 그가 먼저 말했어. 사무실에서 미리 나와도 되느냐고 걱정을 했더니 밤을 새고 일하는 날도 있다는 거야.

그날, 그가 10시에 전화하지 않았다면… 난 그 사람한테 전화하지 못했을 거야. 쪼다라니까. 그가 바쁜 일이 생겼다고 거절하면 난 너무 창피하거든. 죽고 싶었을 거야. 내가 아침 내내 얼마나 초조하게 시간을 보냈는지…. 초침 하나 딸깍딸깍 움직이는 게 모두 가시 같았어. 그런데 10시에 그 사람이 전화를 했단다. 10시에 전화벨이 울렸는데 온 집안이 흔들리는 것 같은 착각을 느꼈어. 이상하지?

태희가 골라준 옷을 입고 수정이가 사다준 흑장미색 립스틱을 발랐단다. 남자를 만나러 나간다고 그렇게 나 자신에게 신경 써본 게 난생 처음이었던 것 같아. 남편하구 선볼 때두 그저 차분했었거든. 늙어서 그럴까? 내가 그 남자한테 너무 주눅이 들어 있는 건지…. 나는 좀 일찍 나갔단다. 표는 내가 사고 싶었거든. 좋은 자리로 달라고 부탁을 했어. 표를 샀지만 약속한 햄버거 집엔 빈 의자가 없었단다. 그날은 어찌 그렇게 젊은 여자들이 많던지. 너무 싱그럽고 어여쁜 처녀들이 많아서 나 같은 여자가 누구를 기다리고 있는 게 어울리지 않는 거야. 차라리 그 사람이

149

오지 않았으면 좋겠더라구. 참담하긴 했겠지만 그래도 혼자서 영화를 보러 들어가는 쓸쓸함이 더 내 것같이 생각되더라니까.

나는 출입구를 볼 수 없었어. 웬지 겁이 나는 거야. 이곳에 나타날 리도 없는 남편까지 떠오르고 조카가 볼까 봐 걱정이 되어서…. 아마 한 시간을 그렇게 서 있었다면 난 기절했을지 몰라.

읽고 또 읽은 팸플릿을 처음 읽는 것처럼 들여다보고 있었어.

그때 내 앞에 우뚝 다가서는 느낌이 드는가 싶었는데, 굵은 손이 내 팔을 잡는 거야…. 왜 가슴이 울컥 메이던지….

아, 오셨군요.

나는 환자처럼 중얼거렸단다.

표를 샀어요?

그가 숨가쁘게 물었어. 주차장이 만차가 되어서 먼 데다 차를 세우고 한참을 뛰어왔다는 거야. 국민학교 운동회 때 뛰어보고 처음이래.

나는 손에 꼭 쥐고 있으면서 표를 찾았고… 표를 샀는데… 표를 샀는데… 안타깝게 중얼거리면서….

그는 영화를 좋아하는 사람이란다. 영화를 사랑한다고 말하는 게 맞을 거야. 뉴스를 보지 말자고 해서 우리는 시간에 맞추느라 휴게실에서 차를 한 잔씩 마셨어. 그가 영화에 대해 말했지. 난 알아들을 수도 없는 얘기였어. 하지만 그가 내게 무슨 얘기든 열심히 들려주는 게 좋았단다.

우리는 어두운 극장으로 들어가 안내의 도움으로 자리에 앉았어. 영화가 시작되었지. 가슴이 떨렸어. 영화보다 다른 데에 자꾸만 마음이 쓰여서… 너무도 이상했단다. 자막도 읽히지 않는 거야. 숨이 막힐 것 같고. 그가 먼 데 떨어져 있는 듯하다가, 남처럼 느껴지기도 하고, 그가 무슨 생각을 하고 있는지 알고 싶고…. 영화는 시작되었는데… 숨이 막혀서… 그때, 그가 내 손을 잡았어. 얼마나 고맙던지. 비로소 자막이 읽혔단다.

"태경아, 넌 여기까지 오면 안 되잖니?"

상계동이 말했다.

태경은 넋나간 표정으로 상계동을 쳐다보았다.

"너 수유리가 집이랬지?"

상계동이 말했다.

"여기가 어디지?"

비로소 태경이 정신을 차리고 허둥지둥 물었다.

"쌍문동인가?"

다시 태경이 중얼거렸다.

"여기 세워드려요? 수유리란 말은 들었는데 아무 말이 없어서 이상하다 했지요."

기사가 길 옆으로 차를 붙이며 말했다.

"다음 달에 나와라."

상계동이 말하며 태경이 내는 차비를 한사코 거절했다. 그러나 태경은 이제까지 오른 미터 요금을 내놓고 내렸다. 상계동은 떠나는 차 속에서 손을 흔들었다. 태경은 오늘 정말 오랜만에 고등학교 동창 모임에 나갔다가 방향이 같은 친구와 합승해서 돌아오는 길이었다. 차 속에서 상계동 친구는 계속 쓸데없는 얘길 했지만, 태경은 어느 순간엔가부터 호준과 영화를 본 기억에 사로잡혀 있었던 것이다.

태경은 길섶에 섰다.

너무 황당한 느낌이 밀려왔다. 이곳이 어딘지 마냥 낯설기만 했다. 육교는 저만큼 위에 잘못 놓여진 구조물처럼 걸려 있었다. 하늘엔 석양빛에 물든 구름이 몇 점 떠 있고 턱없이 넓은 길은 저녁인데도 한적했다. 건너편 아파트촌 입구로 장꾸러미를 든 아낙네 두엇이 걸어가고 있었다. 태경은 자기가 지금 어디 서 있는지 어디로 가야 할지, 아무 생각도 떠오르지 않았다. 그저 막막했다. 그가 조금 전까지 사로잡혔던 세상과 여기는 너무 달라서 어디 담벼락에라도 붙어 울고 싶은 심정이었다.

난 어디 있는지 몰라요. 갈 곳이 없어요.

태경은 속으로 이렇게 말했다. 그는 자기가 이 세상에 태어난 지 마흔 해가 넘은 어른이라는 사실을 까맣게 잊은 것이었다. '가정을 지켜야 하는 주부'라는 사실도 물론 생각하지 못했다. 그는 그저 다만 울고 싶을 뿐이었다. 난 여기가 어딘지 모른다고…. 그래서 어디로 가야 할지도 모른다고…. 얼굴을 가리고 흠뻑 울음에 젖고 싶은 것이었다.

그러나 느낌과 의지는 다른 것일까. 태경의 다리는 기계처럼 움직였다. 두 개의 다리는 한 곳으로밖에는 가지 못했다. 그러나 그의 마음엔 수만 개의 다리가 붙어 사방으로 움직이는 것이었다.

얼마쯤 걸었을까. 태경은 발 아래 밟히는 전혀 낯선 감촉 때문에 문득 멈췄다. 그리고 이내 영감 같은 느낌으로 깨우쳐지는 어떤 것을 알아냈다. 방금 발에 밟힌 것이 호준이었다는 것을.

태경은 고개를 들었다. 자신의 머리를 들어올리는 어떤 힘이 느껴졌다.

그래! 나는 알아. 그이야. 호준 씨야!

태경은 속으로 외쳤다. 눈에는 보이지 않는 호준이 공기가 되어 태경의 주위에 가득 차 있는 것이었다.

아, 이건 뭐지?

태경의 눈시울이 무거워졌다. 그는 마치 깨어나기 싫은 잠에서 깨어난 아이 같은 표정으로 주위를 돌아보았다. 건물과 가게와 사람들과 길과 차들이 보였다. 그런 것은 아직도 여전히 낯설었다. 태경은 다시 발을 내디뎠다. 발 밑에 호준이 밟혔다. 고개를 들면 호준도 따라 일어섰다. 그이야. 그이가 여기 있는 거야. 아, 어떡하지? 이건 뭐지? 이걸 뭐라고 해야 해? 그리움? 그래. 그리움이야. 태경은 어디 가서, 아무도 없는 곳에 가서 '그리움'하고만 한몸이 되고 싶었다. 그런 생각이 간절해졌다. 그리움이 손에 잡힌다면 꼭꼭 싸서 간직하고 싶었다. 그러나 느낌이나 생각은 아무것도 잡히는 게 없었다.

태경은 빈 택시를 잡았다.

"어디 가시죠?"

택시 기사가 정신 나간 듯 보이는 태경에게 수상쩍은 눈길을 던지며 물었다.

"네, 아저씨. 집이요. 저 아래 네거리서 우회전해서…."

태경은 허둥거렸다. 그러나 그의 속마음은 허둥거리지 않았다. 그는 아이를 낳은 이래로 처음, 마치 '임신' 같은 징후를 느끼고 있었다. 자신의 몸에 무엇이 '생겨나고' 있는 것이었다. 그는 그 잉태의 기미를 차분하게 받아들였다. 무엇인가 넘치지도 않고 부족하지도 않게 차서 더 이상 다른 것에 대한 느낌도 생겨나지 않는 상태라고나 할까? 어쩌면 뿌듯하고 편안하다고 할지….

"나한테 전화 온 거 없었어요?"

태경은 집에 들어가자마자 어머니에게 물었다.

"난 받은 거 없다."

전씨는 딸을 외면한 채 대답했다. 그는 요사이 딸에게서 변화의 기미가 나타나 사뭇 속을 졸이고 있는 중이었다.

"전화 올 데 있나?"

아무 말없이 제 방으로 들어가버리는 딸을 따라가서 전씨가 살피듯 물었다.

"아니예요."

태경은 짐짓 태연하게 말했다.

태경은 저녁 설거지를 끝낼 때까지 거의 아무 말도 하지 않았다. 아이들이 묻는 말, 전씨가 묻는 말에 간단히 대답만 했다. 그리고 부엌일을 마무리한 다음 안방으로 들어가 문을 닫았다.

"엄마. 테레비 안 봐?"

소영이가 방문을 열며 큰소리로 말했다. 태경은 침대에 비스듬히 누워 있었다.

"안 봐."

태경은 짜증스레 대꾸했다.

"《주부 가요 열창》인데두?"

아이는 아직 아무것도 눈치채지 못하는 것이었다.

"안 봐."

"어디 아파?"

"아니야."

"그런데 왜? 화나는 일 있어?"

"아니야."

태경은 눈을 감으며 말했다. 그래도 아이는 어머니 방에서 선뜻 나갈 수가 없었다.

"엄마 찾는 전화 없었니?"

태경이 갑자기 눈을 뜨며 물었다.

"없었어. 왜?"

"아니야."

"그럼 엄마 혼자 누워 있어. 난 나갈테니까."

"숙제는 다했니?"

"이것만 보구 할 거야."

태경은 다시 눈을 감았다. 그리고 아이가 나가며 문닫는 소리를 들었다.

아이가 나가자, 아이의 존재가 태경에게 느껴졌다. 웬지 딸아이가 혼자 있는 어미에 대해 허전함을 느끼는 것 같아 마음이 쓰였다. 태경은 자리에서 일어났다. 그는 자기가 어머니라는 사실을 생각했다.

"엄마 벌써 괜찮아?"

태경이 방문을 열고 나가자마자 소영이가 기쁜 목소리로 말했다. 태경은 웃는 얼굴로 아이 옆에 앉으며 딸의 어깨를 쓰다듬었다.

"어디 아프냐?"

전씨가 물었다.

"아프긴요."

태경은 부드러운 목소리로 대답했다. 그러나 전씨는 딸의 웃음 띤 얼굴과 부드러운 목소리에 감춰져 있는 그림자를 보았다. 하지만 지금은 모르는 척했다.

"지금 노래하는 아줌마는 엄마하구 나이가 같은데 엄마보다 더 늙어 보이지?"

소영이가 태경의 손가락을 만지며 말했다.

"아니다. 엄마가 더 늙었지 뭐."

태경이 속마음과는 다르게 대답했다.

"엄마 지금 머리 모양을 해서 아주 젊어졌어."

"그래? 정말이니?"

"그렇다니깐. 결혼 안 한 사람 같애."

"앤 말두 안 되는 이상한 말을 다하네."

태경은 자신도 아이의 말에 언짢은지 기쁜지 헤아리지 못한 채 이렇게 핀잔을 주었다.

열창중인 주부는, 우린 너무 쉽게 헤어졌다며 슬퍼하고 있었다. 태경에겐 노래하는 화면이 그저 움직이는 그림으로만 보였다.

"소영아, 너 무슨 종이 없니?"

태경이 물었다.

"엄마 어떤 종이?"

아이가 눈을 반짝 뜨며 물었다. 엄마가 종이를 찾은 적이 없었기 때문이었다.

"뭐 아무 거나. 원고지두 좋구 편지지두 괜찮구 그냥 흰 종이두…"

"그럼 엄마 내가 이쁜 편지지 줄게!"

아이는 기쁘게 말하고 춤추듯 제 방으로 들어가더니 이상한 편지지를 들고 나왔다.

서양 여자아이가 강아지를 끌어안고 있는 그림이 희미한 보라색으로

155

프린트된 편지지였다. 줄도 쳐 있지 않았다.

"아빠한테 편지 쓸려구?"

아이가 외국 출장중인 아버지를 떠올리며 물었다.

"아빠한테 무슨 편질 쓰니? 다음 주에 오실텐데. 주소도 모른다."

태경은 주소도 모른다는 말을 할 땐 비웃는 듯한 목소리로 말했다.

"출장 가서는 한 곳에 안 계신단다."

전씨가 실망한 빛이 역력한 손녀의 마음을 다독거리고 싶어 이렇게 말해 주었다.

태경은 일부러 하품을 했다.

"엄마 먼저 잘란다. 요샌 왜 이렇게 피곤하지?"

말하면서 일어섰다.

"엄마. 근우 오면 나 잔다구 그러세요. 곧 오겠네."

"알았다."

전씨는 짧게 대답하며 딸의 뒷모습을 바라보았다.

태경은 등뒤로 방문을 닫을 때, 문득 안에서 문을 걸고 싶은 충동을 느꼈으나 차마 그렇게 하지 못했다. 그러나 문이 닫히고 온전히 막힌 방 안에 혼자가 되자 그는 가족들과 자신이 분리되는 경험을 했다. 아이들과 나, 남편과 내가 따로따로인 인생이라고 생각하다니, 그것이 느낌으로 오다니, 너무도 놀라운 현상이었다. 어쩌면 죄를 짓는 것 같기도 했다.

그는 잠시 문턱에 서서 자신의 새로운 느낌, 죄악의 감정을 피하지 않았다. 고스란히 서서 진득하게 떨어져나가는 자식과 가정에 대해, 그 생경하고 거친 느낌을 느끼고 있었다.

느낌은 소낙비처럼 지나갔다. 소낙비는 여전히 땅에 고랑을 파고 잔뿌리는 뽑아내기도 하면서 자신의 흔적을 대지에 남기듯, 분리의 거친 느낌도 태경의 가슴에 여러 가지 생채기를 만들었다. 하지만 태경은 저녁 빛에 물든 거리에서 만난 그리움과 다시 만나고 싶었다. 어서 빨리, 지금

곧! 발에 밟힌 것, 공기처럼 허공에 가득 찼으되 답답하지 않은 것… 그
리움….

태경은 그리움과 함께 있고 싶은 것이었다. 무엇에도 방해받지 않고
줄기차게 그리움만 생각하고 싶은 것이었다. 그리고… 그리움을 만져보
고 싶었다….

태경은 창가로 가서 커튼을 걷었다. 뜰이 수은등 빛에 환히 드러나 있
었다.

수은등아, 내 말 들어줄래?

난 그리운 게 생겼단다. 너만 알고 있으렴. 난… 그리움이 있단다….

태경은 방바닥에 엎드렸다. 볼펜을 든 손이 보이지도 않게 흔들렸다.
그는 하얀 종이 위에 시선을 꽂고 있었다.

하느님.

태경은 하느님을 불렀다. 하지만 더 이상 말하지 않았다. 아직까지 믿
어본 적이 없는 하느님에게 속마음을 털어놓고 매달리기가 송구스러워
서였다. 그리고 한편으론 웬지 비현실적으로 느껴져서 하느님은 지워버
렸다. 신(神)을 불러들일까도 생각해 보았다. 하지만 신은 보이지가 않았
다. 태경은 눈에 보이고 만져지는 것과 얘기하고 싶었다. 눈에 볼 수 있
고 만질 수 있는 것에게 편지를 쓰고 싶었다.

사랑하는 당신께.

태경은 자기도 모르는 사이에 속으로 말하고 있는 자신의 목소리를
듣고 불현듯 놀랐다.

사랑하는 사람이 생겼어요.

태경은 이렇게 속으로 말하면서 몸을 일으켜세웠다. 그리고 두 손을
꼭 맞잡았다.

실물의 호준이 느껴졌다.

차라리 편했다.

하느님이나 신에게 도망가 그들의 등뒤나 옷깃에 숨는 것보다는 호준

의 실물을 느끼고 자신의 감정을 드러내는 편이 후련했다.

그래.

태경은 속으로 말했다.

나는… 사랑하는 거야. 사랑이 아니고 다른 말로는 표현이 안 되니까. 지금의 내 상태를 나타내기로는 너무 부족하고 작아 보이지만, 그래도 약속된 말은 '사랑'뿐이니까…. 태경은 아직도 방바닥에 처음같이 놓여 있는 흰 종이 위에 볼펜을 놓아버렸다. 쓸 말이 없었다. 마음은 편안하고 뿌듯했다. 이제 더 이상 바랄 것이 없었다. 마음은 고요하고 맑았다. 눈을 들면 거기 호준이 있었다. 눈을 감아도 호준이 보였다. 그리고 이런 현상, 이런 상태가 자연스럽고 편안했다.

이때 화들짝 방문이 열렸다. 소영이의 짜증난 모습이 뿌옇게 어른거리는 형상으로 태경의 눈에 들어왔다.

"엄마! 내 말 안 들렸어?!"

아이가 소리쳤다.

"아니."

태경은 얼빠진 바보 같은 목소리로 대답했다.

"몇 번이나 불렀다구! 자지두 않았으면서…."

소영이가 화가 나고 속이 상해서 이렇게 소리쳤다.

"왜 불렀니?"

"빨리 나와 봐! 막내 이모가 바꿔달래."

"막내 이모?"

태경은 이렇게 말하면서 갈퀴에 걸린 물체처럼 일어섰다.

포도를 한입 가득 물고 씨를 바르던 근우가 표정으로 태경에게 인사했다.

"태희니?"

"나야 언니. 글 쓴다면서?"

"그게 무슨 소리니?"

"소영이가 그러던데."

"왜 그런 엉뚱한 말을 했을까?"

"언니가 종이 달래서 줬더니, 가지구 방으로 들어가서 문을 꼭 닫더래."

"세상에… 사람이라는 게… 차암…"

"왜 언니. 전혀 아니었어?"

"애, 내가 글은… 기가 막히다 애. 내가 무슨 글을 쓰겠니. 소영이가 엉뚱한 데가 있는 애다 너. 내가 종이 달랬더니 아빠한테 편지 쓸 거냐구 해. 어떻게 그런 상상을 하지? 출장 간 사람한테 무슨 편지니? 넌 아직 모르겠지만… 자식이 무섭게 느껴질 때가 있단다…"

"언니두… 신경과민이다아. 자기가 낳은 자식한테 자신감을 못 가지면 어쩔려구 그래?"

"넌 아직 몰라. 사람은 다 지내놓구 봐야 뭐가 뭔지 알구 깨닫는단다."

"그럼 종인 뭐하러 달랬어!"

"종이?"

태경은 종이? 하고는 그만 말문이 막혀버렸다.

"요샌 뒤늦게 문단 데뷔하는 여자들이 많아서… 난 또 언니두…"

태희가 가벼운 목소리로 이렇게 말했으나 태경은 귓등으로 흘려들었다.

태희는 뒤늦게 언니의 수상쩍은 침묵을 알아차렸다.

"언니이…"

그래서 태희는 길게 태경을 불렀다.

"남편 들어왔니?"

태경은 딴전을 피웠다.

"어제 밤샘하구 오늘은 들어오자마자 곯아떨어졌네."

"애기두 자구?"

"10시가 다됐잖아. 아직 안 자면 큰일이지."

"그건 또 무슨 소리니?"

"언니. 애가 아직 안 자보라구. 내가 언니한테 한적한 기분으로 안부 전화할 수 있겠수? 나두 나 혼자 고독할 필요가 있어. 언닌 안 그래?"

"아무리 그래두 뭐 사람이 고독까지 필요할까."

"살림 제대루 살자면 있을 거 다 있어야 하듯이 감정두 풍부해질수록 좋은 거 아니야? 사람이 느낄 수 있는 감정을 다 느낄 수 있는 환경이 좋을 것 같애."

"얘. 넌 참 똑똑하다. 요새 여자들은 다 너 같니?"

"놀리는 거유?"

"아니야. 난 한 번두 그런 생각 못 했어. 정말이야. 지금 떠오른 건데 … 우린 단순하도록 교육된 것 같아. 식물처럼. 정말이야…"

"식물이란 표현 괜찮다 언니. 언닌 역시 문학적 소질이 있는 사람 같애."

"그러지 마. 가슴이 뭉클해진다."

"그거 봐. 언니가 뭘 갈구하는 게 틀림없어. 지난번에 보니까 눈에 씌어 있던데 뭐."

"그랬니?"

"그랬다니까."

"왜 전화했니?"

"그냥 언니 목소리 듣구 싶어서."

"그래? 애, 저어… 잠깐만, 전화 길게 해두 되니?"

"괜찮아 언니."

"애들 좀 들여보내구, 잠깐만."

태경은 수화기를 든 채, 근우와 소영이를 방으로 쫓아보냈다.

"태희야. 너 말이야…"

태경은 거실에 아무도 엿듣는 사람이 없건만 필요 이상으로 낮춘 목소리로 말했다.

"안 들려 언니!"

태희가 소리쳤다.

"애, 너 말이야… 정말… 정말 저어… 남자 친구… 있니?"

태경이 더듬거리며 물었다.

태경의 말이 끝나기 무섭게 태희가 깔깔대고 한참이나 웃었다. 태경은 동생의 웃음소리를 들으며 괜시리 얼굴을 붉혔다.

"언니. 그게 궁금해?"

태희가 웃음 끝에 때구루루 구르는 목소리로 물었다.

태경은 차마 그렇다고 대답할 수가 없었다. 그러나 태희에겐 언니의 대답이 필요치 않았다.

"정말이야 언니. 왜 그런 걸 거짓말루 하겠어?"

태희의 목소리는 거침없고 당당했다. 태경은 태희의 당당함에 짓눌리는 듯한 기분이 들어서 아무 말도 하지 못했다.

"언니. 사실이라니까. 왜 아무 말도 안 해? 놀랬수? 내가 이혼할까 봐 겁나? 남자 친구 때문에 이혼하는 일은 없을 거야. 재혁 씨가 문제삼지 않으면."

"사랑하니?"

태경이 조심스럽게 물었다.

태희는 아무 말도 하지 않았다. 그는 우리 현실에서 일부일처제라는 게 여자를 어떻게 주눅들이는 제도인지 아는 대로 설명하고 싶었으나 언니에게 그것이 통할 것 같지 않아 잠자코 있었다.

"너 남자 친구… 사랑하는 사이니?"

태경이 조용조용 물었다.

"아… 언니. 사… 랑…? 글쎄. 사랑까진… 그렇게까진 아닐지 몰라."

"그럼 여자 친구같이 그런 친구란 말이니?"

"꼭 그렇진 않아. 우선 성이 다르니까. 그 애가 있어서 기쁜 것만은 사실이야! 활력소랄까?"

태희가 천연덕스럽게 말하는 것이 태경에겐 그저 놀라웠다. 그리고 태희의 말 속을 꿰뚫을 능력도 없었다. 환경의 차이처럼 태경에겐 낯선 얘기였다.

"언니. 나 다음 주부터 동시통역 배우러 다닐 거야. 돈두 벌구, 나 자신을 확인하구…."

태희가 갑자기 생각난 것처럼 말했다.

"재혁 씨 버는 것두 꽤 되잖니."

"그런 거하군 달라! 나는 나야 언니!"

태경은 입을 다물었다.

잠시 침묵의 골이 잡혔다.

"언니. 난 언니가 좋거든? 그런데 왜 언니하구 얘기하다 보면 끝이 늘 이렇게 답답하지? 싫증이 나 언니."

"미안하다 태희야. 그렇지만 너 남자 친구 얘긴 절대 비밀로 해. 알았지? 누구한테도 말하면 안 된다!"

태경이 이렇게 말할 때, 태희는 그 말이 끝나기도 전에 마구 토하듯이 웃어댔다. 태경은 웃음소리 속에다 잘 있으라는 인사말을 보태고 수화기를 내려놓았다. 그런데 이상했다. 몸이 무겁고 기분이 구겨져서 일어설 수가 없었다. 태희에게 잘못한 것이 없건만 꺼림칙했다. 남자 친구 얘긴 비밀에 부치라고 한 것조차 우스꽝스럽게 생각되었다.

태경이 이런 지저분한 기분에 휩싸여서 헤어나지 못하고 있는데 다시 전화벨이 울렸다. 순간 태경은 화들짝 놀랐다. 겁이 더럭 났던 것이다. 그는 마치 난폭해진 자식에게 매달리는 어머니처럼 두 손을 함께 수화기 위에 올려놓았다. 남편과 호준이 동시에 떠올랐다. 그가 누르고 감추고 싶은 건 고요를 깨는 벨 소리였건만 그는 수화기만 내리누르고 있어서, 다시 벨이 울렸다. 그는 절망적인 기분으로 수화기를 들었다. 지금 태경은 남편이든 호준이든 아무도 감당키 어려웠다.

"여보세요."

태경은 당황이 감추어지지 않은 작은 목소리로 말했다.

"언니, 나야."

태희였다.

"나 말이야 사실은 언니한테 하고 싶은 말이 있었어. 그날두 느꼈는데 … 오늘두… 전화를 끊자마자 탁 느껴지더라구…."

"얘, 넌 무슨 엉뚱한 소리를…."

"괜찮아 언니. 겁먹지 마. 난 언니 동생이구… 옹졸하지 않아. 그리구 … 무엇보다 난… 세상을 당당하게 사는 여자니까, 언니. 말해 봐요. 언니를 말하게 하는 것이 내가 언니를 돕는 게 될 것 같은데… 언니. 언니 생각은 어때? 언니… 뭐하는 남자야?"

"건축가야."

태경은 절망적인 기분으로 작고 짧게 말했다.

"어머나! 너무 근사하다! 예술가잖아! 어떻게 만났어? 나이는 어때? 언니보다 어린가?"

"태희야 제발. 아무것두 아니라니까. 그냥… 제발… 몇 번 만났어. 영화 한번 본 것뿐이라니… ."

태경은 끝내 마지막 말 하나를 잇지 못하고 목이 메어 입술을 깨물었다.

"사랑하는구나. 사랑해. 사랑하는 거야."

태희가 중얼거렸다.

"언니 괜찮아. 겁내지 마. 사랑할 수 있는 게 얼마나 좋다구…. 아무나 사랑하지 못해. 울고 싶지? 우는 거야? 어떡하지 언니? 우리 언니가 사랑을 하니…."

"얘 태희야. 제발… 그게 아니라니깐. 넌 몰라. 난 그저 갱년기라서… 그저 아무 거나 슬프단다…."

태경은 소리없이 흘러내리는 눈물을 손바닥으로 문지르며 말했다.

"언니보다 어려?"

태희의 관심은 전혀 수그러들 줄 몰랐다.

"태희야. 난 더 말 못 하겠어. 너무 어지러워서. 몸이 떨리네…."

태경은 간절하게 말했다.

"그래라 언니. 그만 괴롭힐게. 사실은 단순히 언니를 괴롭히려는 건 아닌데… 간직하고 있는 게 힘들 때도 있으니까…. 난 그저 그걸 좀…. 언니, 중요한 건 언니 자신이니까, 그걸 잊지 말아요. 안녕 언니."

"그래, 고맙다. 잘 자."

자매는 이렇게 인사했지만 서로 아쉬움이 남았다.

태경은 두 손으로 머리를 터지도록 싸쥐었다가 놓고 일어섰다. 거실의 불을 끄고 방으로 들어갔다. 방으로 들어가서 한가운데에 우두커니 섰다. 이제 무엇을 어떻게 해야 할지 아무런 생각도 떠오르지 않았다. 의지와 사고력이 마비된 것 같았다.

얼마나 서 있었을까. 어쩌면 30초쯤일지도 몰랐다. 아니면 5분은 서 있었는지도 모른다. 태경은 먼 데서 들려오는 자동차소리를 들었다.

밤이야.

태경은 자신에게 말했다.

자야 돼.

또다시 자신에게 말했다.

그는 옷을 하나씩 벗었다. 팬티만 남았을 때, 태경은 자신의 맨살이 의식되어 누가 볼세라 팔로 감쌌다. 그리고 잠옷을 입었다. 자리에 누웠다. 눈을 감았다. 그런데 이상했다. 눈을 감는 순간 보일 수 없는 형상들이 대낮처럼 밝게 드러나는 것이었다. 태경은 문득 자신의 왼손을 오른손으로 움켜잡았다.

이 손. 이 손. 태경의 입이 저절로 이렇게 말했다. 그러자 태경은 놀란 듯이 손을 풀고 이불 속에 얼굴을 파묻었다. 감당할 수 없는 격정과 부끄러움이 한꺼번에 태경을 삼키려들었던 것이다. 태경은 호준에 대한 기

164

억으로부터 도망치고 싶었다. 그러나 그런 노력은 숨쉬기를 그만두려 하는 것과 같이 부질없는 짓이었다.

태희야. 난 비겁한 언니란다. 왜 말하지 못했지?

그래! 사랑하는 사람이 있다!고…. 당당하게 말했어야 했는데….

태경은 속이 상했다. 자기 자신의 비겁함이 느껴져 자신이 싫어졌다.

태희가 뭐랬지?

태경은 이불 속에서 눈을 번쩍 떴다. 간직하고 있는 게 힘들 때도 있다고 그렇게 말했잖아. 나보다 11년이나 어린 태희가. 난 바보야. 나이만 먹고 시키는 대로 주어진 일이나 하고 남의 눈치나 보면서 살아온 바보 천치야. 그 앤 나보다 열한 살이나 어려도 세상을 나보다 더 잘 보잖아. 난 뭐야. 겨우 아이 둘 낳고 키우면서 남편이 주는 돈으로 살아가고…. 내가 무슨 어른이야. 나는 내 눈으로 볼 수 있는 게 뭐야! 아무것도 보지 못했잖아. 태희에게 말했어야 해. 그 애는 내 편이니까. 날 좋아하고 믿고 위하는 아이잖아. 그런 똑똑하고 당당한 동생에게조차 비겁하게 감췄던 거야. 난 아니라고. 그 사람 모른다고….

태경은 좀체 잠을 이룰 수가 없었다. 저녁 거리에서 공기처럼 가득 찼던 호준은 어디 갔을까. 설거지를 끝내고 방에 들어왔을 때, 수은등과 정원수에게 나눴던 말은 어떻게 된 걸까. 태경은 지금 자기가 자기 것이라고 내놓을 수 있는 건 오직, 눈에 보이지 않는 '기억'뿐이라는 걸 깨달았다. 비행기에서의 뜻하지 않은 만남, 그의 친절, 사무실, 저녁식사, 영화 그리고 그가 한 말들, 표정과 몸짓들…. 태경이 키운 그리움을 펼쳐놓으면 실상 이런 추억들은 너무 작았다. 마치 넓은 마당에, 어디 박혔는지도 모를 모래알 같았다. 그래서 자신의 그리움이 과대망상의 한 징후 같기도 했다. 이건 너무 허망한 현실이었다. 그러나 태경은 이제 허망이라도 붙들지 않고는 숨을 쉴 수가 없었다.

그날 저녁을 먹고 두 사람은 그대로 헤어졌다. 호준은 영화의 감동에서 헤어나지 못한 채였다. 다만, 택시를 타면 갈 수 있는 길이래도 한사코 바래다준 것 그리고 '연락'하겠다고 말한 것.

태경은 호준이 한 말—'연락'이라는 말에 못박혀서 꼼짝을 못 하는 채 집된 곤충이나 다름없었다.

태경은 이불 속에서 다리를 오므렸다. 자궁 속의 태아처럼 그렇게 했다. 그런 형태로 한 바퀴를 돌았다. 그리고 다시 다리를 길게 폈다. 눈을 감았다. 고개를 마구 저었다. 입술을 깨물었다. 자꾸만 가슴속에서 크억 하는 소리가 치밀어오를 것 같았다. 참으려고 애를 쓰면 쓸수록 목구멍이 터질 것 같았다. 태경은 벌떡 일어나 앉았다. 일어섰다. 방바닥으로 내려갔다. 불을 켰다. 방 안이 흔들리다가 가라앉으며 드러났다.

흰 종이 한 장은 아직도 방바닥에 있었다. 태경은 바닥에 엎드려 볼펜을 잡았다. 손가락에 힘을 주었다. 한 건물을 그렸다. 길을 그렸다. 길 옆의 축대를 그렸다. 건물 앞에 택시를 그렸다. 그 옆에 한 여자를 그렸다.

태경은 그림이 마음에 들지 않았다.

이미 그것은 그림이 아니었다. 그래도 그것을 들고 한눈에 들여다보았다.

이 문으로 처음 들어갔었지….

태경은 그날을 생각했다.

비행기 안을 그릴걸.

태경은 맘에 들지 않는 그림이 싫었다. 아무래도 자기는 그림 그리는 덴 소질이 없다고 생각했다. 데생이라도 열심히 익혀두지 못한 게 후회되었다. 그래도 그는 그림의 여백에 비행기 의자 두 개를 그려보았다. 역시 맘에 들지 않았다. 그는 다른 빈 쪽에 '밟히다'라고 썼다. '고개를 들면 그가 눈앞에 가득했다'라고 써넣었다. '내 맘속에서 무엇 하나가 자라고 있다'라고 길 위에 썼다. '나는 그것이 꼬물꼬물 자라나고 있다는 걸 느낀다'고 축대에 가까스로 써넣었다.

이제 빈 곳이 없었다.

태경은 바로 앉았다. 밤의 소리가 들리는 듯했다. 정적도 자기 소리를 가졌을지 모른다고 생각했다. 그러면서 그는 빈 곳 없는 종이를 내려다보았다. 태경은 혼을 모은 듯한 눈길로 종이 위의 선과 점 그리고 하나의 형태와 또 다른 형태의 연결, 그런 것 사이에 씌어 있는 글자들을 바라보았다. 그러다가 태경은 택시 옆에 선 어색한 자신의 모습을 발견했다. 건물은 저만큼 앞이었고 자신은 건물의 문으로 들어갈 것이었다. 그러나 문으로 난 길엔 마치 바위 같은 글자가 몇 개나 가로막고 있었다.

태경의 초점은 오래도록 자신에게 박혀 있었다. 그런데 점점 종이 위의 모습이 흐려지기 시작했다. 그 옆의 선과 형태들도 흐려졌고 종이 전체가 흔들리기 시작했다. 태경은 진득하게 고개를 들어올렸다. 종이를 번개처럼 빠르게 가슴에 품었다. 두 손이 절박하게 그의 가슴을 옥죄었다. 그의 눈 위에서 불빛이 흔들렸다. 입술을 깨물었다. 가슴에서 억눌린 신음이 참지 못하고 터져나왔다. 그는 무릎으로 기었다. 침대 시트에 얼굴을 묻었다. 입술을 피 터지게 깨물고 울기 시작했다. 그리고 속으로, 하느님, 하고 불렀다. 저를 살려주세요, 라고 말했다. 저는 제가 지금 무엇인지 모르겠어요. 하느님 저를 살려주세요….

태경의 머리 위에서, 구부린 등허리 위에서 잠이 없는 시간이 그를 쓰다듬었다. 터져나오지 못하는 흐느낌 때문에 아린 가슴도, 젖은 얼굴도 아직은 시간의 품에 있었다.

태경은 천천히 고개를 들었다. 두려운 아이처럼 방 안을 둘러보았다. 등은 천장에 그대로 매달려 있고 화장대는 제자리에 있었다. 어두운 창에 드리운 계란색 커튼도 거기 있었다. 태경은 오래도록 굽히고 있었던 무릎을 세웠다. 가슴패기에서 종이가 힘없이 바닥으로 굴러떨어졌다. 태경은 그것을 주워들고 일어섰다. 창가로 가서 커튼 한쪽을 살며시 들추어보았다. 밖은 고요뿐이었다. 자동차가 저쪽 길에서 지나가고 있었지만 그건 고요 속을 스치는 하찮은 소리에 지나지 않았다.

태경은 커튼 자락을 내려놓고 방 불을 껐다. 한 손엔 여전히 자신의 일부처럼 들려 있는 종이를 가진 채, 자리에 누웠다.

태경은 여느 때와 마찬가지로 눈을 떴다. 눈꺼풀은 저항 없이 밀려올
랐고 그의 아침은 의외로 가뿐했다.

그러나 이불을 개다 말고 어지럽게 잔뜩 그려진 종이 한 장을 발견했
을 때, 그의 모든 동작이 멈췄다. 자기 혼자뿐이라고 자연스럽게 생각하
던 그에게, 종이는 마치 성질을 가진 생명체처럼 방 안을 채웠고 태경을
지배하는 것이었다. 태경은 종이를 낚아채듯 잡아서 두 손으로 모질게
구겼다. 그러나 곧 자신의 태도가 싫고 후회되었다. 그는 구겨진 종이를
펴서 여러 번 접어서 손가방에 넣고 옷을 갈아입은 뒤 거울을 보고 방을
나갔다.

아침 준비는 늘 습관이 되어 있어서 눈을 감고도 할 수 있는 일이었
다. 하지만 이날은 그의 몸이 자신의 습관으로부터 나뉘어지는 느낌을
느꼈다.

태경은 시간을 보았다. 도시락을 싸다 말고도 그랬고 아이들의 밥상을
차리다가도 그랬다.

"근우야. 물 여깄다. 소영인 웬 옷을 그렇게 오래 입니?"

태경은 앞치마에 손을 문지르며 아이들을 챙겼다.

"소영아. 밥 먹어라. 다 차려놨어!"

태경은 둘째가 나오면 국을 떠놓으려다가 조바심이 나서 물까지 올려
놓고 소리쳤다. 그는 다시 시계를 보면서 전화기 옆으로 갔다. 정신없이
수화기를 들고 숫자를 눌렀다.

할아버지 목소리가 들렸다.

태경은 자기가 숫자 하나를 잘못 누른 게 생각나 얼른 수화기를 내려
놓았다.

애두 한창 바쁠텐데….

태경은 두 손을 비볐다.

잠시 망설이다가 다시 전화 번호를 눌렀다.

"여보세요."

급한 목소리로 수정이 받았다.

"나야. 지금 바쁘지?"

태경이 켕기는 목소리로 말했다.

"괜찮아. 쪼끔만. 여보, 다녀와요. 너두 그만 꾸물대구… 됐다 됐어. 웬 모양은. 그래 잘 갔다와. 아이구우 이제 끝났다 끝났어. 넌 애들 다 갔니?"

"우리두 이제 갈 거야. 학교가 코앞이잖아."

"얘. 나갈 것들은 그저 빨리빨리 나가주는 게 좋아. 그런데 웬일이야? 무슨 일 있어?"

"그게 아니구… 어제두 좀 늦게 전화 걸었더니 안 받아서 나가기 전에 목소리 들을려구."

"나 아침에 수영하는 거 몰라? 어젠 야 뭐 수영 강습 동기두 동기라구 그 여자들하구 돌솥밥 먹구, 차 한잔 마시구 지껄였더니 4시가 다됐더라니깐. 시간 가는 거 몰라 좋긴 좋은데, 아휴, 거지 같애…."

"재미있겠네."

태경은 그저 한마디 했다.

"같이 수영다니자니깐. 몸이 한결 가벼워져. 에어로빅을 하든가. 헬스두 괜찮구…."

태경은 이렇게 말하는 수정의 목소리가 들리지 않았다.

"여보세요."

수정이 말하다 말고 죽은 듯 소리없는 태경을 불렀다.

"응. 그래…."

태경이 몽롱한 목소리로 대답했다.

"갑자기 왜 그래?"

"아니, 그냥… 오늘 만날까?"

"만나는 거야 쉽지 뭐. 소영 아빠 아직 귀국 안 하셨나?"

"내가 집으로 갈까?"

169

태경은 남편에 대한 얘긴 대답도 않고 이렇게 물었다.

"그럼 11시 반쯤 와. 점심이나 먹게. 나 수영만 하고 올테니깐."

"그래. 나중에 봐."

태경은 전화를 끊었다.

"어디 갈 거니?"

전씨가 화장실로 들어가다 말고 일어서는 태경에게 물었다. 네, 수정이 하구요… 하며 대답을 얼버무렸다.

태경은 어머니만 아침을 차려드리고 자신은 속을 비웠다. 마음이 산란하기 그지없고 여러 갈래의 실오라기로 풀어져서 사방으로 흩어지는 것 같았다.

태경은 수정이네 간다는 약속도 곧 후회했다. 뭔가 다른 일이 있어야 할 것 같았다.

다른 일. 다른 일이어야 했다.

나가자면 이빨도 닦고 세수도 하고 머리도 감아야 할 텐데 도무지 움직이기도 싫고 짜증만 부글부글 끓어올랐다. 아침 신문을 가져다 읽지도 않고 이리저리 넘기기만 했다.

전화를 해볼까? 궁금해서, 안부를 물으려고 전화를 걸었다면…. 왜 그 사람은 '연락'을 하지 않지? 벌써 일주일이 넘었는데….

태경은 네 칸짜리 만화를 읽었다.

내용도 모르고 글자만 눈으로 더듬다 말았다.

태경은 불쑥 일어나서 급한 일이 있는 것처럼 허둥대었다. 그러다가 낙심하고 의자에 앉았다.

전화를 해야지. 설마, 끊어버리기야 할려구.

태경은 이런 생각을 했다. 그리고 수화기를 힘겹게, 그러나 도발적으로 들어올렸다. 입 안에서 슬슬 굴러다니는 숫자를 눌렀다.

"안녕하셨어요. 저는 지난번에 한 번 간 적이 있는… 수유리라구… 소장님 계시는지요."

태경은 켕겨드는 마음을 안간힘을 다해 잡아당기며 이렇게 말했다.

"안녕하셨어요. 기다리세요. 바꿔드리겠습니다."

여자는 친절했다. 그런 친절이 태경은 너무 고마웠다. 그래도 가슴은 두근거렸다.

어떤 목소릴까. 반가워하지 않는다면…. 태경의 가슴이 타들어갔다.

"정호준입니다."

이윽고 그가 말했다.

"… 저예요. 수유리…."

태경의 목소리는 떨리고 좁아들었다.

"아, 안녕하셨어요. 그렇잖아두 전화하구 싶은 걸, 시간이 좀 이른 것 같아서… 정말 반갑습니다."

호준의 목소리는 유쾌했다.

태경은 전신에서 거친 긴장기가 풀어져내리는 걸 혼곤하게 느꼈다.

"오늘 시간이 어떠세요. 점심을 하실까요?"

호준이 말했다.

"점심은 금방 끝나잖아요. 너무 시간이 빨리 가요."

"저녁 시간두 괜찮으세요?"

여기에서 호준의 목소리가 커졌다.

곧 호준이 시간과 장소를 말하고 태경은 그저 네, 좋아요, 라는 말만 했다. 이렇게 통화를 끝내고 났을 때, 태경은 만세를 불렀다. 그리고 제 방으로 달려가 문을 닫고 침대에 얼굴을 묻었다.

약속했어! 만날 거야!

태경은 속으로, 세상 천지에 대고 소리쳤다.

이보다 더 일찍 수정과 약속한 것은 이미 까맣게 잊고 있었다. 이제 그런 건, 그런 일상들은 아무것도 아니었다.

하느님.

그이와 약속했어요.

두 사람

　서쪽으로 기운 햇살이 빌딩 사이로 한달음에 달려와서는 빌딩 벽과 유리창들에 무더기로 붙어 있었다. 빛은 만져지지 않는 몸을 뒤섞으며 반짝여서, 우연히 와닿는 사람들의 시선을 부시게 만들었다.

　태경은 대부분이 빌딩의 그늘에 덮여 있는 수많은 자동차들 때문에 질릴 것 같은 기분이었다. 어디서 호준을 찾을 것인지 너무도 난감했다. 그까짓 약속시간까지 남은 5분을 채우겠다고 남성복 양품점 진열장 앞에 서 있었던 게 후회되었다. 옅은 줄무늬의 와이셔츠가 왜 그리 사고 싶던지, 아마 5분만 더 시간이 있었다면 그냥 사버렸을지도 몰랐다.

　태경은 우선 바깥쪽에서 안쪽으로 더듬어 나갔다. 차들은 입구와 출구 쪽으로 쉬지 않고 들고났다. 그의 눈길이 파도처럼 두 번의 굽이를 쳤을 때, 그는 하나의 차 옆에 서서 태경의 시선이 와닿기를 기다리고 서 있는 호준을 발견했다. 그리고 눈이 마주치자마자 그가 손을 번쩍 추켜드는 것도 보았다. 태경의 질린 기분은 흔적도 남기지 못한 채 사라졌고, 그는 마치 스며들 듯 호준에게로 다가갔다. 차문 한 짝을 열어놓고 서 있는 호준을 부신 눈길로 한번 바라보고 태경은 외면했다. 아무 말도 하지 못했다. 호준이 무어라고 말했지만 때마침 옆으로 빠져나가는 자동차 때문에 알아들을 수 없었다.

태경은 운전석 옆에 앉았다.

"잘 있었어요?"

호준이 안전 벨트를 하며 물었다.

태경은 그가 하는 말의 의미를 새겨들었으나 무어라고 대꾸해야 할지 할말을 떠올릴 수 없었다. 웬지 몸이 부푸는 것 같고 얼굴은 더운 것 같고 화장은 겉도는 느낌이어서 어수선하고 허둥거리는 기분이었다.

태경은 원숭이처럼 호준이 안전 벨트를 하는 대로 따라했다.

호준은 쇼팽을 틀었다. 전주곡 중 하나가 가슴을 맑게 때리면서 시작되었다. 차는 곧 거리의 자동차들 속에 묻혔다.

"아, 내가 그만 슈만을 놓쳤네. 태경 씨가 좋아할 만한 걸 골라두었는데… 실수군요."

호준이 말했다.

그러나 태경은 은행나무 가로수에서 아직은 푸른색인 잎사귀들을 보았다. 그러나 잎사귀 가장자리로부터 노란색이 때를 기다리고 있을 게 분명했다. 중앙분리대에 장식된 국화보다, 태경은 저녁 하늘의 아득한 느낌과 비에 쓸린 듯한 모습의 흩어진 구름에서 새로운 계절을 보아야 했다.

태경은, 가을이야 벌써, 라고 생각했다. 그런데 이상했다. 반가움보다 선뜻한 느낌이 온몸으로 끼치는 것이 그리고 한 계절이 단지 사물로서가 아니라, 또 하나의 현상으로서가 아니라, 투명하게 바라보이고 느껴지는 건 아마 그가 예전엔 경험하지 못한 것이리라.

차는 북쪽 방향으로 머리를 틀고 있었다.

"오늘 많이 기다리셨어요?"

태경이 물었다.

"제가 매번 늦어서 오늘은 신경을 좀 썼지요."

이렇게 말하며 호준이 태경을 바라보았다. 태경은 곁눈에 걸리는 호준의 시선을 느꼈으나 아는 척하지 못했다.

"아니예요. 전 집에서 노는 사람이구 호준 씨는 바쁘잖아요. 이렇게 나오는 게 시간을 뺏는 것 같아 어떤 땐 미안하기 그지없어요."

"시간을 뺏었다는 말하구 미안이라는 표현은 빨리 지우세요!"

"지우라니요?"

"지웠다고 생각하세요. 그런 표현은 사무적이 아닌 사람들의 관계를 깨뜨리지 않겠어요?"

"그럴까요?"

"앞으로 관찰해 보세요."

"난 너무 무식해요."

태경이 말했다.

한동안 호준은 운전만 했다. 태경은 유원지로 가는 길가의 가게에서 가을 실과들을 보았다. 과일가게들 사이에 비닐로 지은 꽃집이 있고, 꽃집 판자문 앞에는 여러 가지 모양과 종류의 국화 화분이 놓여 있었다.

"이 말은 우리가 친해졌다고 믿기 때문에 하는 건데… 태경 씨는 쓸데없이 자기를 낮추는 습관이 있는 것 같아요. 겸손의 경우와는 좀 다른 거구요. 왜 그럴까 생각해 본 적이 있어요."

태경은 호준이 이렇게 말하는 동안 벌써 얼굴이 달아오르기 시작했다.

"정말 내가 그런가요? 난 겸손하지 않은 거 같은데…."

태경이 말했다.

"가정부인으로 충실하게 사셔서… 다른 데 적응력이 떨어졌다고 할는지… 아닙니다. 사실 저는 제대로 아는 게 없어요. 느낌을 표현하는 거뿐이지요."

호준이 '가정부인…'이라고 한 말에서 태경에겐 가정부인이 꼭 '가정부'처럼 들렸다. 왜 그렇게 들렸는지 태경이 자신도 알지 못했다.

"댁에도 가정부인이 있으시잖아요."

그런데도 태경은 이렇게 말했다.

"글쎄요. 우린 아직 가정을 제대로 꾸린 것 같진 않은데요. 지금 문득 그런 생각이 들었습니다."

호준은 여전히 앞을 보고 운전하며 중얼거리듯 말했다.

"애기두 있으시잖아요?"

태경은 놀란 목소리로 물었다. 그리고 그는 호준이 피식 웃는 웃음소리를 들었다. 순간 이상한 느낌들이 태경의 주위에 모여들었다.

"물론 아이도 있어요."

"부인이… 일을 하나요? 직장이나… 아니면 예술가인지…."

태경은 호준의 아내에 대해 묻는 게 떳떳하지 않았다. 그러나 지금은 알고 싶었다. 까닭 모르게 '아주 근사한 여자'일 거라는 생각을 하면서 그랬다.

"아내는… 둘 다 아닙니다. 어쩌면 그 여자는 가정에 대한 느낌이 나와 다를지 모르지요. 사실… 제대로 가정을 꾸린다… 제대로 된 가정… 이런 건 정형이 있는 것처럼 보이지만… 남의 가정이라는 게 다들 불켜진 집을 밖에서 바라보는, 그런 식으로밖에 볼 수 없잖습니까? 아내와 나는 요구가 다른 것 같아요…."

호준은 무슨 말인가를 덧붙이려는 듯하다가 그만두었다.

"부인은… 미인일 것 같아요…."

태경이 속으로는 싫으면서, 그래서 주저하며 말했다.

"제가 반대의 질문을 하면 어쩌시겠어요?"

호준이 물었다.

태경이 입을 꾹 다물었다. 그의 도사림이 호준에게도 느껴졌다.

"우리는 지금 함께 차를 타고 있어요. 그리고 우리가 함께 있는 지금도 우리들 삶의 시간이 흐르고, 우린 지금 이런 인생을 살고 있는 겁니다. 이 현실보다 더 중요한 건 없는 거지요. 그렇지 않겠어요? 지나간 시간을 되돌려 살 수 없고 현재에 미래를 살 수 없습니다. 어떤 삶이 좋은지 혹은 옳은지… 그런 문젠 다른 거구요…."

호준이 말했다.

"우리가 봄에 만났는데 지금은 가을입니다. 비행기에서 우연히 얘기를 나누게 되는 일은 흔한 거지요. 하지만 이 시간에 함께 이런 장소를 가고 있다는 건 결코 흔한 일은 아닙니다."

호준의 목소리는 높지도 않고 낮지도 않았다. 태경에게 주입시키려는 의지도 없어 보였다. 그러나 태경은 호준의 얘기를 들으면서 웬지 슬퍼지는 것이었다. 그의 얼굴을 똑바로 쳐다보는 게 두렵기도 했다. 산기슭 잡목 우거진 야산으로 뻗은 비좁은 흙두덩에 실수로 뿌려진 듯한 한 무더기의 코스모스가 피어 있었다. 태경은 바람과 노는 코스모스의 흔들림을 보았다.

주말도 아닌데 2차선 도로를 자가용들이 줄지어 달리고 있었다.

두 사람은 한동안 아무 말도 하지 않았다.

태경은 길섶의 아름드리 느티나무와 올벼를 벤 논, 이제 수줍은 듯 단풍이 들기 시작하는 나뭇잎들을 바라보았다. 서쪽으로 기운 해의 검붉은 빛이 모든 사물에 묻어 있었다.

차는, 왼쪽으로 머리를 틀어 샛길로 들어섰다. 얼마 전까지만 해도 밭이었던 듯, 한켠에 고추섶을 두고 집이 뼈대만 드러낸 채 서 있었다.

"어디 가는지 아세요?"

한동안 침묵하고 있던 호준이 입을 열었다.

"몰."

태경은 '몰라요'라고 말하려다 '몰'자에서 숨을 끊고 손으로 입을 가렸다. 언젠가 호준이, 태경은 몰라요, 라는 말만 잘한다던 생각이 나서였다.

곧 두 사람은 서로 마주보며 소리내어 웃었다. 한참이나 웃었다.

"괜찮아요. '몰라요'라고 하세요."

호준이 웃음기가 채 가시지 않은 목소리로 말했다.

"아니요. 전 이제 그 말 못 해요."

176

태경이 말했다.

호준이 태경의 허벅지 위에 놓여 있는 그의 손을 잡았다. 태경은 반사적으로 호준을 쳐다보았으나 부끄러움 때문에 곧장 고개를 돌렸다. 하지만 호준의 손이 너무도 따사로워서 태경은 무엇에 잠겨드는 몽롱함마저 느끼었다.

"아무래두 난 아직…."

호준이 낮게 더듬거리며 말했다. 태경이 그의 얼굴을 쳐다보았다. 호준이 자신의 아랫입술을 살짝 깨물었다 놓으며 다시 입을 열었다.

"아직… 경박한 데가 있어요…."

"왜 그런 말을 해요?"

태경이 물었다.

호준의 손은 변속을 위해 기어를 잡고 있었다.

"내 기분만 생각하고 말을 해서… 상처받으셨잖습니까."

"아니요. 상처라니요. 그렇진 않아요. 난 사실 아는 게 없어요. 사실이 그래요…."

태경의 목소리는 가라앉듯 점점 작아졌다.

서편에 등을 둔 산자락은 벌써 어두컴컴했다. 짙어진 그늘이 반대편 산등성이로 기어오르고 있었다.

나는 왜 이렇게 살았지?

태경은 그림자가 지워지는 산을 바라보며 이런 생각을 했다.

그 동안 왜 단 한 번도 '아는 게 없다는 걸' 깨닫지 못하고 살았는지 어처구니가 없었다. 하다못해 해가 지며 그 빛이 사물의 모습을 변화시키는 현상조차, 지금 비로소 뚜렷하게 볼 수 있었던 것이다.

그 동안 나는 무얼 하고 살았지? 가계부나 적고 아이 둘 낳아 기르고 한동안 시집살이하고 남편 눈치 보며 시중들고 연속극이나 보고…. '알뜰주부'만 생각하면서, 이 아름답고 신비스런 계절의 변화조차 제대로 느껴보지 못하고….

태경은 자기도 모르게 왼손의 집게손가락으로 머리카락을 잡아당겼다. 살갗에서 머리카락이 당겨지는 자극이 차라리 시원했다.

"나는 왜 이런 데도 못 와봤을까요?!"

태경은 갑자기 발작적으로 이렇게 뱉었다.

호준은 산마루에 이르는 등성이에서 차를 길섶으로 세웠다. 영문을 모르는 태경이 어리둥절한 낯으로 호준을 쳐다보았다. 호준은 의자 등에 걸치고 있던 오른손으로 그런 태경의 어깨를 어루만졌다. 태경은 어색해서 눈을 감았다. 자기보다 어려 보이고, 사실 어릴 게 틀림없는 남자에게서 이런 식의 '사랑 표현'을 받는 게 한사코 즐겁기만 한 건 아니었다. 그러나 불쾌하진 않았다. 다만 아직도 자기가 아는 게 없다는 생각 때문에 옥죄어진 마음이 풀리지 않아 태경의 표정은 무거워 보였다.

호준이 문을 열고 바깥으로 나갔다.

그는 두 팔을 한껏 추켜올리고 허리운동을 했다. 태경은 호준의 뒤켠에 보이는, 그들과 반대로 세워둔 자동차에 신경이 쓰였다. 그 속에 타고 있는 사람이 누군지, 혹시 동네 사람은 아닐지, 만약에 아는 사람이라면 … '소문'을 어떻게 받아낼지… 정신이 아찔했다.

호준이 태경이 앉은 쪽의 문을 열었다.

"안 나오실래요?"

그가 허리를 굽히고 안을 들여다보며 물었다.

태경은 잠시 망설이다가 대답 대신 몸을 일으켰다. 바깥으로 나가자마자 태경은 가을 산의 시원하고 상큼한 대기에 휩감겼다.

"저길 보세요."

호준이 마주 바라보이는 산을 가리켰다. 태경은 무어라고 말할 수 없는 감동을 느꼈다. 애당초엔 그저 산과 산이 있고 산들은 크고 작은 골짜기로 이어졌으련만, 사람들이 자기들 마음껏 길을 내고 집을 지어 산과 등성이의 밭과 작은 규모의 목장 그리고 또 다른 산이며 계곡은 서로 떨어진 것처럼 보였다.

"우리는 지금 서울의 북쪽 산을 바라보고 있습니다."

태경이 바로 우람하게 생긴 산들을 물어보려는데 호준이 아나운서처럼 설명했다.

"아, 알았어요. 매일 눈만 뜨면 보는 산인데… 어쩌면 뒤에서 보니까 모습이 저렇게 다르지요?"

태경은 여전히 감동적인 목소리로 말했다. 이런 감동은 조금 전에, 건너편의 승용차로 긴장했던 기분이나 자신의 무지에 대한 주눅든 기분도 다 지워내었다.

"선이며 구도가 참 아름답지요? 도봉산과 북한산은 힘차 보이는가 하면 송추의 낮은 산은 부드럽지 않아요?"

호준이 말했다. 태경은 그의 말을 이해할 수 없었다. 그저 다만 이 시간에 이런 장소에 '호준이라는 남자'와 있다는 것이 태경의 마음을 걷잡을 수 없이 뒤흔들었다.

태경은 크게 양껏 숨을 들이쉬었다.

"아, 이건 가을 냄새예요. 맞아요! 고등학교 때 졸업여행을 설악산으로 갔었는데… 그때 난 가을 냄새를 맡은 적이 있었어요…. 이건 다 살아 있는 냄새들이네요. 전 왜 이런 걸 그 동안 모르고 살았지요? 너무 억울해!"

태경은 취한 듯이 큰소리로 말했다.

호준이 그의 어깨에 팔을 얹었다.

태경의 살갗들은 그리고 뼈와 머릿골은 타인의 힘에 아무런 저항도 하지 않았다. 조금 전 차 안에서 호준이 태경의 어깨를 어루만졌을 때 느꼈던 어색함도 없었다. 어쩌면은 진공 같은 교감의 순간이라고 할는지….

그들은 다시 차에 탔다. 차는 이내 산마루를 굽이돌았다. 전혀 다른 산골짜기로 차가 내려가기 시작했다. 골짜기 개울가는 이미 검푸른 이내에 잠겨 있었고, 낮고 허술한 건물의 음식점 간판을 비추는 네온은 도리어 옹색스럽게 보였다. 개울가 둔덕의 지붕만 올린 평상 위에서 화투를 치는 사람들이 있었다. 개울가에 나란히 어깨를 맞대고 있는 젊은 연인들도 보였다. 길섶에는 드문드문 자가용들이 서 있었다.

"우리 무얼 먹을까요?"

호준이 말했다.

"난 아무 거나 좋아요."

태경은 자신없는 목소리로 말했다.

"간판들을 보세요. 꿩 좋아하세요?"

"못 먹어봤어요."

"한번 경험해 보실래요?"

"네, 괜찮아요."

"그럽시다. 같이 꿩을 먹어보지요."

이렇게 말하며 호준은 꿩탕 전문이라고 쓰인 집의 순박한 마당으로 차를 대었다. 낮아서 장난스럽게 보이는 마당 한켠의 돌담 앞에 맨드라미와 들국화가 피어 있었다. 방 앞에 평상을 내어 단 처마끝의 각진 기둥에 매인 누렁개는 짖지도 않고 무관심한 낯으로 앉아 있었다. 호준과 태경이 평상 쪽을 기웃거리는데 젊은 남자가 나와서 인사부터 했다.

"방두 있습니다."

젊은 남자가 말했다. 호준이 태경을 흠칫 바라보았다. 태경은 눈 둘 데를 몰라 딴전 보고 있는 개의 등때기에 시선을 맡겼다.

"밖이 운치는 있는데…"

태경은 여전히 개의 등때기를 보면서 이렇게 말하는 호준의 말소리를 들었다.

"아무래도 한여름이 아니라 밖은 좀 찬 기운이 돕니다."

젊은 남자가 말했다.

"그럼, 들어갈까요?"

호준은, 혀를 한 번 차고는 말했다. 그들은 평상가에 신을 벗어두고 올라섰다.

"그쪽 작은 방으로 들어가세요."

주방 쪽으로 가면서, 여러 개의 방 문턱에서 두리번거리고 있는 그들에게 젊은 남자가 말했다.

방은, 네 사람이 앉아서 식사하기에 알맞은 크기였다. 귀퉁이가 떨어진 막상이 한켠에 비켜 있고 다른 쪽엔 낡은 군인담요가 아무렇게나 접혀 있었다. 태경은 이렇게 좁은 공간이건만 어디에 어떻게 앉아야 할지 갈피를 잡을 수가 없었다. 더욱이 머릿속엔 웬 연기가 자욱해지는 듯하더니 어지럼증까지 생겼다. 정신을 가다듬지 않으면 곧장 쓰러질 것 같았다.

자리에 앉아 윗저고리를 벗던 호준이 엉거주춤한 태경을 바라보았다. 그는 벗은 옷을 한켠에 놓고 일어섰다. 그리고 눈을 떴는지 감았는지 알 수 없는 태경을 앞에서 가만히 끌어안았다. 그러자 태경은 갑자기 찬물에 빠진 것처럼 크윽, 느끼었다. 호준의 몸이 태경의 전신에 와닿고 그의 손이 태경의 머리와 등과 허리를 더듬을 때, 태경은 아득한 데로 멀어져가는 자신의 혼을 느꼈다.

"편안하세요?"

팔을 풀고 조용하게 태경을 자리에 앉히며 호준이 물었다. 이때 누가 방문을 두드렸다. 태경은 총을 빗맞은 짐승처럼 무참하게 몸을 움츠렸다. 호준이 먼저 문을 열었다. 젊은 남자가 쟁반에 주전자와 물컵, 수저와 물수건을 받쳐들고 들어왔다. 그는 상을 보아놓고는, 무얼로 준비해야 하는지 물어보았다.

"펑탕 전문이라고 써 있지 않았습니까?"

호준이 물었다. 태경은 죽은 듯이 몸을 움츠리고 있었다.

"구이두 있구 찜두 됩니다. 국물을 떠잡숫자면 탕이 낫구요."

젊은 남자가 설명했다. 호준이 태경을 바라보았다. 그는 태경의 모습에서, 그의 의견을 듣는다는 게 무모한 바람이라는 걸 알아냈다.

"탕으로 주시지요."

호준이 말했다.

"예, 그렇게 준비해 올리겠습니다. 탕은 끓이는 데 시간이 좀 걸리니까… 저기 화투도 있구….'

젊은 남자는 이런 식의 배려를 보이고 나가더니 꼭꼭 여미듯 문을 닫았다. 호준은 태경의 곁으로 다가가 앉았다. 팔로 그의 웅크린 윗몸을 끌어안았다.

"괜찮아요."

호준이 나직하고 뜨겁게 말했다.

태경은 무어라고 말을 하고 싶었지만 굳은 입이 좀체 풀어지지 않아서 아무 말도 하지 못했다. 호준은 한 손으로 태경의 흘러내린 머리칼을 쓸어올렸다. 그리고 그 손이 이마에서 콧등으로 천천히 더듬어 내리기 시작했다. 이윽고 인중에 닿은 손가락 하나는 더듬이처럼 태경의 입술에서 머물렀다. 태경은 언제부턴가 눈을 감고 있었다. 그는 립스틱의 질감을 헐겁게 벗겨내고 살갗을 뚫고 들어오는 손가락의 감촉에 질린 것 같았다. 손가락 더듬이는 입술의 가장자리에서 안쪽으로 다시 끝으로, 위와 아래로 움직였고, 태경은 닫혔으되 자기 것이 아닌 것 같은 입술 속에서 이빨을 앙다물었다 놓기를 되풀이했다.

얼마나 시간이 지났을까. 태경은 뜨거운 하나의 덩어리가 자신의 몸으로 덮쳐온다는 아득하고도 선명한 듯한 느낌에 사로잡히기 시작했다. 자꾸만 정신이 몽롱해져서, 어쩌면 이러다가 아주 쓰러질는지도 모른다는 생각도 했다. 호준은 자신의 입술로 태경의 오래도록 떨리던 붉은 입술을 열었다. 그는 자신의 혀로 태경의 이빨과 잇몸과 구석구석을 확인했다. 태경의 혀는 어딘가에 죄인처럼 숨어 있을 것이었다. 그러나 호준은 곧, 그 얼뜬 죄인도 해방시켰다. 호준의 손이 태경의 윗옷 속에서 맨살을 찾아 헤맸다. 태경의 살이 문득문득 진저리를 쳤다. 호준이 태경을 아기처럼 자신의 무릎에 누이고 그의 젖무덤을 어루만지려 할 때, 태경의 감은 눈이 고통스럽게 찡그려졌다. 태경은 호준을 밀어내려 했다. 자신의 맨살을 쓸고 있는 호준의 손을 잡았다.

"제발…."

태경이 신음처럼 뱉었다.

그러나 호준은 막무가내였다.

"제발… 숨이 막혀요…."

태경은 일어나려고 안간힘을 썼다.

호준은 자신의 힘을 떨어뜨리고, 태경의 놀란 입술에 마무리 같은 입맞춤을 했다.

"괜찮아요?"

호준이 물었다. 태경은 고개를 끄덕이며 흩어진 옷매무새를 가다듬으려 했다. 호준이 풀어진 태경의 블라우스 단추를 끼워주었다.

"정말 숨을 쉴 수가 없었어요?"

그가 태경의 이마에 자신의 머리를 가볍게 대고 속삭였다. 태경은 살며시 입술을 깨물고 크게 숨을 들이마시고 내쉬었다.

"괜찮아요?"

다시 호준이 물었다.

"이젠… 좋아요."

태경이 웃으며 말했다. 부드러움이 방 안 가득 고여 있는 것 같았다. 태경의 아득한 느낌, 어지럼증도 거짓말처럼 가셨다.

"화투 할 줄 알아요?"

호준이 한결 편안해진 목소리로 말했다.

"난…."

태경이 이렇게 말하다가 얼굴을 손바닥으로 가리며 소리내어 웃었다.

"모르는군요!"

호준이 익살스런 목소리로 말했다.

태경은 킬킬 웃으며 고개를 마구 끄덕였다.

"고스톱 안 쳐봤어요?"

호준이 물었다.

"구경은 해봤어요."

"그럼 가르쳐드릴까요?"

"그런 거 해두 되나요?"

"이런 걸 생업으로만 하지 않으면 무슨 문제가 있겠어요?"

"그래두… 여자들이 하면 나쁜 것 같잖아요."

태경은 화투 패를 나누고 그걸 자기에게 가르치려고 설명하는, 아주 자상하게 보이는 호준을 아늑한 눈길로 바라보았다. 호준은 셋이 하는 게 원칙이지만 둘에서도 할 수 있다고 말했다. 그리고 실전을 통해 익혀야 한다며 무조건 시작했다.

"그림만 맞추세요."

호준이 말했다.

"그 정돈 알아요. 재수 패는 떼어봤거든요."

태경이 말했다. 그들의 화투판은 미처 두어 판도 돌지 못했다. 꿩탕이 들어왔기 때문이었다.

"맛이 어때요?"

호준이 물었다.

"좋아요. 별민데요."

태경이 즐겁게 대답했다. 지금 태경은, 자기 자신이 누구인지를 까맣게 잊고 있었다. 별미인 꿩탕은 맛이 있고, 눈 둘 바를 모르게 하던 조바심도 사라지고 없었다. 그는 이 작은 방에서, 어두운 빛깔로만 기억되는 과거는 다 잊고 있었다. 지금은 그저 한없이 편한 시간을 살고 있는 것이었다.

꿩탕을 먹고 밖으로 나왔을 때, 그들은 어둡되 청명한 느낌이 드는 검은 하늘에서 푸르게 빛나는 별들을 보았다. 나무와 풀들의 뿌리를 품고 있는 흙내와, 흙과 섞이며 새로운 삶을 살게 될 이파리들의 삭아내리는 냄새 그리고 돌과 바위 사이로 흐르는 개울물 냄새가 어쩌면 사랑일지 몰랐다.

태경은 쉽사리 차에 오르지 못했다. 그는 하늘과 어두운 산과 어슴푸레 보이는 크고 작은 길가의 나무들 그리고 산에 사는 여러 가지 생물들의 소리에 반해 버렸다. 이런 자연들—자기보다 더 나이 먹은 나무, 나이조차 가소로울 산과 바위들 그리고 그 속에서 비비대고 살아갈 수많은 새들과 벌레와 짐승들에게 태경은 난생 처음으로 자신의 생명의 문을 열어놓았다.

자동차의 시동을 걸어놓고 태경이 차에 타기를 기다리던 호준이 밖으로 나왔다.

"저건 북두칠성이잖아!"

가까이 온 호준에게 태경이 감탄조로 말했다. 호준은 담배연기를 뱉어내며, 투명한 어둠 속으로 시선을 던졌다.

"나는… 오늘 처음으로 산에서 살림을 사는 생물들의 냄새를 맡았어요. 학교 다닐 때도 산에는 다녔는데… 지금처럼은… 이 냄새를 맡아낼 수가 없었지요. 내가 이제 늙은 걸까요? 늙는다는 건 마음이 열린다는 걸까요?"

태경의 목소리에선 감동이 물방울처럼 떨어져내렸다.

"걷고 싶어요?"

호준이 말했다.

태경은 그의 말을 꼴깍 삼켜버렸다. 그래서 뭐라고 대답할 수가 없었다. 그들은 손을 잡고 조심스럽게 바위 모서리를 디뎠다. 태경의 뾰족한 구두굽은 자꾸만 주인의 몸을 뒤흔들었다. 호준이 태경을 번쩍 들어 안았다. 순간 태경의 살갗들이 한꺼번에 가시처럼 돋아올랐다. 호준은 물가의 평퍼짐한 돌 위에 태경을 내려놓았다.

태경은 쪼그려 앉았다.

"물을 만져보세요."

호준이 먼저 그렇게 하면서 말했다. 태경은 손을 담그고 물이 차다고 중얼거렸다. 이런 데서 이 남자와 살 수 있다면… 태경은 문득 이런 생각을 했다. 자연과만 상대하면서… 그렇게 살 수는 없을까?

"이런 데서 살고 싶지요?"

호준이 태경의 생각을 훔치기라도 한 듯이 물었다. 그런데 태경은 정작 자신의 생각을 밖으로 드러낼 수가 없었다. 웬지 두려웠다. 호준이 태경의 손을 물 속에서 씻어주었다. 태경은 쑥스러워서 입을 꼭 다물었다. 세상엔 부부라고 묶이어 사는 한 남자말고도 이렇게 다른 남자도 있는 것이다. 태경은 이런 사실이 웬지 서글퍼졌다. 서글픔은 태경의 가슴에서 쉬 지워지지 않았다. 그것은 배어든 냄새처럼 아릿한 느낌으로 태경에게 남아 있었다. 어쩌면 누군가의 몸에 기대어 훌쩍이기라도 해야 나을 증세인지 몰랐다. 태경은 이 느낌 때문에 자동차 속에서도 가라앉은 모습이었다. 호준은 바하의 첼로 조곡들을 듣고 있었다. 태경은 검은 산과 어두운 밤만을 보았다. 자동차의 전조등에 비추이다 사라지는 나무들에게도 이제는 감동하지 않았다. 그들은 빛이 사라진 산길을 '되돌아가는' 것이었다. 되돌아가서는 '헤어져야' 했다. 태경이 헤어질 것을 생각하기도 전에 그의 몸이 그것을 눈치챈 것일까.

태경은 자신의 블라우스 왼쪽 소매끝을 자꾸만 말아올리다 풀기를 되풀이했다.

"태경 씨는… 다른 여자들과 달라요…."

호준이 나직한 목소리로 말했다.

태경은, 왜 그런가 묻기가 겁이 났다. 알만 낳는 닭처럼 갇혀서도 그게 한세상이라고 살아낸 시절을 호준이 꿰뚫어볼까 봐 걱정되었다.

"사물에다 생명을 준다고 할까?"

호준이 혼잣말을 하듯 말했다. 태경은 그게 무슨 의미인지 언뜻 이해되지 않아서 호준을 쳐다보았다.

"시인이 되시지 그랬어요."

다시 호준이 말했다.

"시인은요!"

태경이 펄쩍 뛰는 소리로 말했다. 표정이 사뭇 험악해졌다.

"아까 물가에서 뭐라고 하셨지요. 산에서 살림 사는 생물들의 냄새를 맡았다고 하지 않았어요?"

"몰라요!"

태경은 까닭 모르게 화가 났는데도 눈물이 글썽해지는 자기가 싫어졌다. 그는 호준에게 자신의 눈물 고인 눈을 들키기 싫어 아주 돌아앉아 창 밖을 보았다. 산길을 내려온 차는 마을로 들어섰다. 마을은 갑자기 복잡한 환락가로 변해 있었다. 어둠 속에서 집집의 네온사인은 더 화려하고 무슨 장이니 모텔이니 온천여관이니 하는 간판들은 은밀하고 천박했다. 여긴 도대체 뭐야. 태경은 어느새 물기 가신 눈으로 휘황한 간판들을 보며 움츠러들기 시작했다. 목욕탕 표지가 그려진 여관들과 호텔이 태경의 마음을 불편하게 했다. 어서 이 거리를 빠져나가고 싶어졌다. 좁은 길가에도 차들은 옹색하게 세워져 있고 젊은 사람들이 짝지어, 혹은 여럿이 걸어다니는 게 보였다. 우리야 부부로 보이겠지. 태경이 생각했다. 차는 제 속도를 내지 못했다.

사람들은 취한 듯이 아무렇게나 길을 건너고 차 곁으로 다가서기도 했다.

"이런 데 저런 집들이 있어두 장사가 되나 보지요?"

태경은 트림을 하듯 이렇게 말했다.

"주말에는 방이 없답니다."

호준이 말했다.

추잡해라. 태경은 생각지도 않았건만 마치 생리현상처럼 이런 말을 속으로 뱉었다. 차는 다시 어두운 길로 들어섰다. 의정부를 지나 창동에 이르도록 그들은 아무 말도 하지 않았다.

하지만 차가 수유리로 들어설 때 태경은 가슴이 철렁 내려앉는 걸 느껴야 했다. 이제 헤어지는 거잖아? 그의 마음은 겁먹은 아이처럼 허둥거렸다.

어디 가서 차라도 한 잔.

그러나 그게 무슨 소용이 있으리. 그 평화롭던 시간은 다 어디 가서, 지금은 마디촌충처럼 토막토막 시간이 쪼개지는 것이었다. 언제 만나지? 우리가 또 만날 수 있을까? 누가 먼저 연락하지?

난 할 수 없는데….

"오른쪽으로 가야 되지요?"

호준이 오래도록 닫혀 있던 입을 떼고 말했다.

"네."

태경이 긴장된 목소리로 대답했다. 신호를 받고 차는 오른쪽으로 돌았다.

"수정이 동생네, 다 끝났나요?"

태경이 허겁지겁 일을 찾아낸 사람같이 급하게 말했다.

"이제 시작인걸요. 좀 오래 걸릴 것 같아요. 한번 와보세요."

"그럴까요?"

태경이 반갑게 말했다.

차는 삼거리에서 왼쪽으로 돌았다.

"오늘, 즐거우셨어요?"

호준이 가라앉은 목소리로 물었다.

"말할 수 없어요."

호준이 태경의 손을 잡았다. 태경은 그 순간 자신의 가슴에서 크고 뜨거운 덩어리가 쓰리게 움직이는 걸 느꼈다.

"잘 가요."

호준이 말했다. 태경은 속으로 치받쳐오르는 게 있어 정신만 아뜩했다. 손가락 하나 움직일 수도 없었다. 모든 안타까움이 두 사람을 감싸고 그것으로 화석이 되는 것 같았다. 이젠 더 이상 시간도 흐르지 않고 모든 감정마다 딱딱하게 굳고 뭉쳐버린 것이었다.

"제가, 연락드리지요."

호준이 가라앉은 목소리로 말했다. 태경은 바보처럼, 이제 차문을 열어야 하는 모양이라고 막연하게 생각했다. 그리고 기계처럼 그렇게 했다. 이때, 그의 화석이었던 몸 중의 한 부분―호준과 맞잡은 손에서 피가돌기 시작했다. 두 사람의 엉켰던 손은 그리움과 안타까움의 찐득한 액체 속에서 어렵고 아프게 천천히 나뉘어졌다. 태경은 한 발을 땅으로 내디뎠다.

나는 어디로 가지?

문득 허전함이 회오리바람으로 몰려왔다. 차 안은 아늑하고 밖은 너무 황량했다.

지금 차 안에선 그와 똑같은 감정으로 그를 바라보고 있는 남자가 있건만 태경은 차마 그를 뒤돌아볼 수가 없었다. 차는 처음부터 태경의 집으로 난 길을 따라왔고 더 이상 갈 곳이 없다는 걸 뻔히 아는데, 그 움직일 수 없는 사실이 비현실로 느껴지는 건 무엇일까.

"태경 씨. 잘 자구… 편안히 계세요. 곧 다시 만날 수 있을 거예요…."

등을 보인 채 우뚝 서서 움직이지 않는 태경에게로 다가온 호준이 그의 팔을 잡고 말했다. 태경은 아랫입술을 깨문 채 고개만 크게 끄덕였다. 속으로만, '알아요, 알아요' 라고 크게 말했다. 태경은 천천히 발을 떼어놓았다. 차는 그가 경비실을 돌아들 때까지 서 있다가 출발했지만 그 사이 태경은 한 번도 뒤돌아보지 않았다. 태경은 집에 들어가기가 싫었다. 어디 아무도 없는 곳에 가서 한바탕 울고 싶은 것이었다.

아무도 없는 곳. 내가 나만으로 있는 곳. 딸도 아니고 어머니도 아니고 아내도 아닐 수 있는 곳. 그래서 오직 '나'로서만 있을 수 있는 곳.

태경은 그런 곳에 있고 싶었다. 그는 자신의 우내 같은 혼이 헤매는걸 거의 환상적으로 느꼈다. 혼이 갈 데 없어 헤매는 걸 보았다…. 하지만 그의 두 다리는, 이미 너무도 길이 잘 든 말이라서 그의 몸을 싣고 집으로만 가고 있었다.

"밥 먹었니?"

"네, 전 먹었어요. 어머니는요?"

태경은 그를 기다리고 있었음이 분명한, 그가 낳은 생명인 자식들과 그를 태어나게 한 어머니에게 미안했다.

태경의 마음은 이미 그가 달랠 수 있는 한계를 넘어선 슬픔에 젖어 있었다. 그는 아이들과 어머니가 어디 아프냐, 왜 그렇게 기운이 없어 보이느냐, 혹시 몸살이 아니냐, 요새 어디 독감이 유행한다는데 조심해야 한다… 는 여러 가지 위로와 걱정에도 마음을 내보일 수 없었다. 그는 그냥 자겠다고만 가족들에게 말하고 방으로 들어갔다.

그는 옷을 입은 채 침대 위에 누워서 멍하니 천장을 쳐다보았다. 44년 만에 겨우 혼으로 만나게 된 가을 볕이며 산 냄새들이 그에게서 아직 체온이 느껴지는 추억으로 떠올랐다.

추억은 주술을 시작한 것일까. 태경의 가슴이 송두리째 뽑히는 것 같아, 그의 얼굴은 고통으로 일그러졌다. 태경은 자신의 손으로 자신의 이마를 일자로 그어 내렸다. 그리고 콧등을 그렇게 했다. 이윽고 손은 인중에서 잠시 머물렀다가 입술을 만지기 시작했다. 순간, 어떤 '깨우침'이 그를 날카롭게 때렸다. 그래. 내가 어떤 '다른 남자'와 입을 맞췄던 거야… 아무렇지도 않게. 아무렇지도 않게…. 태경은 그 순간을 떠올렸다. 기억하고 있는 그의 몸이 침대 위에서 자기 스스로 돌아가기 시작했다. 그는 반대로 엎드렸다. 얼굴은 숨쉬기도 어렵게 시트에 파묻혔다.

내 입술과 잇몸과 이빨과 혀에 그의 것이 닿았지. 따뜻하고 부드럽고 달착지근하던 그 맛. 그래! 난 사랑을 한다! 내일은 쇼팽이랑 바하를 사러 레코드 가게에 나가봐야지.

태경은 그냥 누운 채 이런 기억과 그리움만으로 꿈 같은 시간을 가졌다. 시간은 마치 느낄 수 없는 생명처럼 그를 관통하며 흘렀다.

다음날, 태경은 상쾌하게 아침을 맞았다.

태경이 밝고 가볍게 웃고 얘기하자 아이들과 전씨는 무조건 좋아했다. 지난밤, 그들에겐 그저 뭔가 우울하고 아픈 듯이 보여서 걱정이 되던 어머니이며 딸인 태경이 밤 사이에 유쾌한 모습으로 바뀐 것만 기쁜 것이었다.

"근우야, 우리 동네 어디 가면 레코드랑 테이프가 많니?"

태경은 아침을 급하게 먹는 아들에게 날아갈 것 같은 목소리로 물었다.

"엄마가? 뭘 살려구?"

근우는 엄마가 찾는 가게라는 게 너무 평소의 엄마답지 않아, 이렇게 물었다.

"나두 음악 좀 듣구 살련다. 어떠니? 엄마 근사하지?"

태경이 말했다. 그러나 근우는 어머니의 기쁨이 웬지 어울리지 않는 것 같아 괜히 자기가 어색해졌다.

"뭘 살 건데? 대학교 앞에 가봐."

아이가 뜨악하니 물었다.

"너두 뭐 사다줄까?"

태경은 아이의 기분도 눈치채지 못한 채 여전히 우쭐대는 목소리로 말했다.

"엄마는 요새 노래 뭘 아나?"

근우는 가방을 들쳐메며 저만 듣게 웅얼거렸다. 그래도 태경은 도시락 가방을 들고 현관 앞까지 따라나가 아이를 배웅했다.

"엄마, 나 오늘 학교 끝나구 친구네 생일잔치 간다."

학교 갈 준비를 끝낸 소영이도 나와서 말했다.

"어딘데?"

태경이 물었다.

"엄만 몰라."

"그래두 어딘지 내가 알아야 하잖니."

"에이, 엄마는… 우체국 뒤 내 친구집을 엄마가 알아? 나 선물 살 돈 줘!"

"얼마나?"

"천 원이나 2천 원."

"천 원만 가져가라. 그 정도가 좋아."

태경은 아이에게 지폐 한 장을 꺼내주었다.

"할머니 다녀오겠습니다아!"

소영이는 베란다에서 화분에 물을 주고 있는 전씨에게 소리쳐 인사했다. 전씨는 자신을 챙겨주는 외손녀가 귀엽고 고마워서 얼른 물뿌리개를 내려놓고 현관으로 왔다. 그러나 아이는 할머니가 다가오기도 전에 뛰어나가 버렸다.

"어머니 진지 잡수세요."

태경이 전씨를 불렀다.

"몸은 괜찮니?"

전씨가 의자에 앉으며 말했다.

"괜찮아요, 엄마."

태경도 마주앉았다.

"얘 넌 그게 뭐니? 이리 줘라. 그런 건 내가 먹으마."

전씨가 딸 앞에 놓인 눌은밥 그릇을 건너보며 말했다.

"엄마, 난 속이 더부룩해서 이게 좋아요. 엄만 밥 잡수세요."

"자꾸 속이 탈나서 큰일이구나."

"큰일이야 뭐 있겠어요."

"하기야 그렇다. 여자는 네 나이 때 다들 힘들어 한단다. 나두 그때 안 아픈 데가 없었잖니? 그래도 그게 병이 아니라니…."

"갱년기 증세라잖아요."

태경은 이렇게 말하다가 태희 생각이 나서 쿡 웃었다. 밥알이 튀어 김치 그릇 옆에 떨어졌다. 태경은 느닷없이 호준을 떠올렸다. 그와 밥을 먹다가 이렇게 밥알이 튀면 어쨌을까 생각하니 아찔한 것이었다.

"얘, 느이 시모 제사가 이맘때 아니었니?"

전씨가 음식을 삭도록 씹어서 삼키며 말했다.

"그렇네 엄마!"

태경은 놀란 목소리로 말했다.

"큰동서는 요새두 학교 나가니?"

"그렇지 뭐. 대학 교수니까…."

태경은 삽시간에 어두워진 표정이 되어 시무룩이 말했다.

"어서 전화해 보렴."

전씨가 시간을 보며 말했다.

"글쎄…."

태경은 어두워진 표정을 풀지 못한 채 중얼거렸다. 태경은 지난 몇 달 동안 시집 식구들을 까맣게 잊고 지냈던 것이 신기했다. 자기보다 나이가 여덟 살이나 많은 동서는 대학 교수라는 직업 때문에 무조건 어려운 상대였다. 그가 둘째아들이라 아무런 짐도 없다는 중신아비의 말을 믿고 결혼했을 때, 대학 강사이던 동서 내외는 미국 유학을 위해 출국 날짜를 잡아놓은 상태였다. 학위만 마치면 돌아온다던 동서 내외는 홀아비 시아버지가 중풍으로 앓다가 2년 후에 자리 걷고 세상을 떠나도록 귀국하지 않았다. 3남 1녀의 둘째아들이라던 찬수는 결국 태경에게 맏며느리의 모든 역할을 맡기게 되었다. 시동생, 시누이가 대학을 졸업할 때까지 아이도 갖지 않았는데 이때의 피임 방법이 가혹해서 임신 공포증은 태경을 만성 불감증이 되게 했다. 하지만 아내의 불감증에 대해 찬수는 무감각했다.

동서 내외는 시아버지의 3년상이 지나고 시누이는 결혼하고 시동생도 독립할 수 있을 때야 귀국해서 자신들의 제도화된 역할을 가져갔다.

태경은 아직도 동서를 생각하면 마음이 달라졌다. 제사 때도 대학 강의 때문에 나물 하나 무치지 못하고 태경이 가정부와 함께 제수 장만을 했다. 작은동서는 약사라고, 그도 큰동서와 마찬가지였다. 약사 동서는 정서적으로 태경에게 기울어져 보약이라고 한약을 지어오기도 하고 좋다는 비타민도 보내었다. 그러나 태경은 신혼여행에서 돌아오자마자 부닥치게 되었던 '타인'들과의 삶의 그 가파른 생활의 추억을 고운 색깔로 덧칠할 수 없었다. 더욱이 지금 태경에게 결혼으로 인해 맺어진 인척이라는 끈의 본질은, 원망과 분노 그리고 후회뿐이었다.

태경은 여전히 어둡고 굳은 표정으로 달력 앞에 섰다. 그는 음력 날짜를 짚어보았다. 전씨의 짐작이 맞았다. 내일 모레 일요일이 시어머니의 제사였다.

"혹시 오늘은 아니냐?"

전씨가 식탁의자에서 돌아앉으며, 심각한 얼굴의 딸에게 물었다.

"내일 모레네 뭐."

"그거 봐라."

"어머닌 뭘 사돈 제사까지 기억하구… 뭐가 좋다구…"

태경은 경멸기 어린 목소리로 말했다. 그는 정말 어머니가 자신의 시어머니 제사를 기억하는 게 싫었다. 이유없이 그랬다.

"전화나 해봐라. 그래두 니가 손아랜데… 사람은 자기 할 도리만 다하면 언제나 큰소리치구 살 수 있단다."

전씨가 달래듯이 조근조근 말했다. 전씨의 말에 태경은 울화가 치밀었다.

도대체 '사람 할 도리'라니!

그게 뭔가. 다른 사람은 내게 어떻게 하든, 나만 도리를 다하라고? 그래서 오는 게 뭐야? 칭찬? 칭찬이라니…. 태경은 역겨웠다. 그런 따위 칭찬이라면 가마니로 실어 내보내고 싶은 심정이었다. 타인에게 어떤 역할을 주고 그 역할의 열매를 먹으며 칭찬이나 늘어놓는 '집안 어른'들의 '도리'에 태경은 구역질이 나는 여자였다. 자기가 정도 들지 않은 남편의 아버지라는 노인의 아랫도리를 맨손으로 씻어낼 때 자기를 칭찬하는 사

194

람들은 아무도 그 노역을 덜어주지 않았다. 그들은 다만 기회가 왔을 때, '칭찬'만 했을 뿐이었다.

 지난 한때 태경은 '칭찬받는 며느리'가 좋았다. 그러나 그 믿음과 자부심은 마치 환영처럼 그도 모르는 사이에 조금씩 지워져서 다시는 되살아나지 않았다. 태경의 마음과 과거에서 환영이 자리잡았던 자리는 아직도 텅 빈, 어둡고 습하며 고름이 고이기도 하고 마르기도 하는 자리로 남아 있었다. 바쁘게 회사일밖에 모르는 남편의 '무뚝뚝한 사랑'이라는 환영조차 볼 수 없게 될 때면 그 텅 빈 어둡고 습한 자리는 반드시 도지곤 하는 병집이었다. 태경은 지금 또다시 그 병집이 쑤시는 통증을 느끼는 것이었다. 그는 서서 턱을 괴고 찢어진 눈으로 생각에 잠겼다. 그러다가 동서에게 전화를 걸었다. 집에 있을 시간이 아니니까. 전화를 걸었다는 신호는 남기는 셈일테니…. 그런데 웬일일까. 동서가 전화를 받은 것이었다.

 "형님, 아직 안 나가셨군요."

 태경이 내는 목소리는, 소리의 덩어리 속에서 균열이 일어나는 게 분명했지만 동서에겐 그 미세함이 감지되지 못했다.

 "근우 엄마? 오랜만이네. 별일 없지?"

 "형님네는요?"

 "우리야 늘 그렇지 뭐. 서방님 돌아오셨나? 자기 형한테 출장 간다구 전화를 했다던데…."

 "아직요. 곧 올 거예요. 형님은 오늘 강의가 없으신가요?"

 "웬걸. 첫 시간이 11시라서 좀 늦게 나가는 거야. 무슨 할말 있어?"

 "아니요 뭐… 저어 내일 모레가 어머님… 기제사라서 형님은…."

 태경은 자기도 모르게 더듬거렸다.

 "벌써 그렇게 되었나? 그날이 무슨 요일이지?"

 "이번엔 일요일이네요."

 "동서. 동선 어쩌면 그렇게 한국적이지? 난 동서만 생각하면 '부덕'이란 말을 떠올리게 된다니까. 자동적으루 그렇게 돼. 어쩌면 한 번두 잊지 않구… 놀라운 여자야. 동서 같은 여자가 맏며느리감인데…."

동서가 레코드 돌아가듯 말하는 동안 태경은 속으로 욕했다. 개년. 잘 났구나.

미국 박사인 대학 교수 '동서 형님'은 태경에게 일요일에 만나자고 말 했다. 태경은 그날 뵙겠다고 인사했다. 그러나 형님은 태경의 인사말이 채 끝나기도 전에, 늘 하던 부탁을 잊지 않고 했다.

"동서, 우리 가정부 할머닌 갈수록 더 어수룩해지네. 아무래도 이번에 두 동서가 장을 좀 봐줘야겠는데…."

"형님. 제가 어쩌지요? 전 생각두 못 하고… 약속이 있으니요…."

태경은 생각지도 않았던 거짓말을 둘러댔다. 동서에 대해 이런 거짓말 은 처음이라 그런지 태경의 가슴은 주책없이 두근거리기 시작했다.

"그으래애? 어쩌나아… 하기야 뭐 동서라구해서 늘 집에만 있지야 않 겠지…."

교수는 실망을 감추지 못한 맥빠진 목소리로 중얼거렸다. 태경은 그 목소리에서 자신에 대한 원망을 느낄 수 있었다.

"죄송해요, 형님. 슈퍼에 배달시키면 잘…."

"알았어요, 동서. 그럼 일요일에 보자구. 공연한 부탁을 해서… 오히려 미안하네."

교수는 태경의 말을 나꿔채어 제 체면부터 추슬러놓았다. 이날 동서 사이인 두 여자의 통화는 두 사람을 똑같이 불쾌하게 만들었다. 태경은 앵돌아져서 의자에 턱을 괴고 앉아 꼼짝을 않았다. 눈꺼풀이 처진 눈은 발치를 향한 시선을 더욱 날카롭게 만들었고 입술은 뽀족이 나와 있었 다.

지가 뭐가 잘났다고. 태경은 동서의 보이지 않는 얼굴에 침을 뱉었다. 남의 나라 대학에 가서 박사나 따와서 대학생들한테 글이나 가르치면 최고냐? 내가 시집살이하지 않았다면 네 년이 그거나 할 수 있었어? 저

하나 잘난 거밖에 모르는 돌무식쟁이 같으니라구. 사람이 남 위할 줄도 알아야지… 뭐 동서라구 어쩌구 어째?! 늘 집에만 있지야 않겠지?!

태경은 속으로 거품을 품었다. 시어머니 없는 집에 동서 시집살이가 더 밉다더니, 이건 허구헌날 입만 뻥긋하면 남는 게 불쾌감뿐이었다. 툭하면 영어가 튀어나온다며 태경을 주눅들게 했다. 왜 내가 그 동안 '하라면 하라는 대로' 하고 살았지? 태경은 생각할수록 화가 치밀었다. 그 동안 느낀 모욕감을 말로 다 풀어낼 수도 없었다. 처음엔 공부하는 동서 위한다는 기쁜 맘에 시집살이가 고된 줄도 몰랐다. 어차피 형님네가 돌아오면 물려줄 일이기도 했다. 그러나 예정된 2년이 4년이 되고 또 5년에서 7년이 될 때 태경은 더 이상 기쁨을 느낄 수가 없었다. 게다가 그들이 귀국하는 날, 태경은 공항에서 마주친 박사 동서에게서 상상조차 하지 못했던 '이질감'에 질릴 지경이었다. 옷맵시며 머리 모양, 표정과 말투가 자기와는 너무도 달랐다. 이때 받은 이질감의 충격은 아직도 전혀 씻기지를 않았다. 그것을 씻을 기회가 주어지지 않았던 것이다.

대학에서 자리를 얻은 동서는 이내 바빠졌고, 태경은 동서의 영광이 결국은 송두리째 '그 여자의 것'이라는 사실만 쓰디쓰게 깨닫고 그만이었다. 태경을 속으로 우쭐대게 하던 시집 친척들의 공치사—자네가 맏동서 유학시키는 걸세… 라던 게 그저 뜬구름처럼 사라지고 마는 것이라는 걸 뒤늦게 깨달았을 때, 태경은 치욕감 때문에 죽고 싶었다. 공치사 같은 건 아무 소용이 없었다. 태경은 집에서 '살림만 하는 주부'였던 것이다.

"왜 그러구 앉았니? 기분 나쁜 소리 들었니?"

전씨가 전화 끊은 지 오래인 딸이 찬기운 뿜는 독사처럼 앉아 있는 걸 보다못해 쭈뼛쭈뼛 말을 붙였다. 그러자 태경의 독기 서렸던 눈이 한순간에 뿌옇게 풀리며 어머니를 쳐다보았다. 전씨는 슬며시 눈길을 돌려버렸다. 70년 가까이 이 세상 풍상을 겪어온 어머니가 어찌 딸의 괴로움을 헤아리지 못하랴. 차마 입 밖에는 내지 못해도 늘 잘난 동서 때문에

197

기죽어 지내는 저 아린 속을.

"엄마는 왜 날 이런 바보로 났수?"

눅눅한 침묵에 엎어지듯, 태경이 이렇게 말했다.

"난 바보는 안 낳았다!"

전씨가 매섭게 내쏘았다. 그리고 물을 마셨다.

"여자가 돈 벌 줄 알면 팔자가 사납다구… 어머니가 그러지 않았수?"

태경이 울먹이며 소리쳤다. 그러나 목소리는, 힘준 돌팔매가 제 발 아래 떨어지듯 작고 기운이 없었다.

"누가 세월이 이렇게 달라질 줄 알았겠니? 여자가 잘나두 끄떡없이 사는 세상두 올 줄 누가 알았어. 우린 까막눈이면 그저 소리없이 잘 사는 줄만 알았던걸…"

전씨는 혼잣말 하듯 말했다. 그는 어느 날 외손녀 소영이가 제 짝이 엄마 아빠가 다 의사라서 좋은 옷만 입고 선생도 그 애만 이뻐한다고, 그래서 저도 크면 의사가 되겠다고 하던 말을 떠올렸다.

전씨가 이런 생각에 잠겨 있을 때, 태경은 수정의 전화를 받고 있었다. 수정은 온다더니 오지도 않고 어제 온종일 어딜 싸다녔는지 '이실직고'하라고 으름장을 놓는 것이었다.

"어디 좀 갔었어."

태경은 힘없는 목소리로 말했다. 전화벨이 울렸을 때, 그는 경황 중에도 번개같이 호준을 떠올리며 가슴을 두근거렸던 것이다.

"어디!"

태경이완 딴판으로 기가 하늘을 찌르는 소리로 수정이 소리쳤다.

"난 애, 우리 동서년 꼴보기 싫어 어떡하면 좋지?"

태경은 엉뚱하게 이런 말을 했다.

"머리 좋은 여자라구 자랑할 땐 언제구?"

수정이 이죽거렸다.

"여자가 어떻게 나를 지 맘대루 부릴 수 있다구 생각하지? 난 너무 어이가 없어."

태경은 수정의 기분을 헤아릴 여유가 없어서 제 말만 했다.

"마구 퍼대봐라. 있는 욕 없는 욕 다하구. 니 속이 화악 터지게!"

수정이 이를 악문 목소리로 풍구질을 해댔다. 그러나 태경은 더 이상 말하지 못했다. 그저 얄밉고 화가 나는 것이었다.

"제사 돌아온 거지?"

수정이, 기가 차서 말을 못 하는 게 분명한 태경에게 물었다. 태경은 말하고 싶지 않았다. 제사 때면 맏며느린 대학에 자가용 몰고 나가고 자신은 좌석 버스 타고 큰집에 가서 행여 가정부 눈 밖에 날세라 쉬지 않고 일하고 돌아온 뒤, 수정에게 신세 타령을 했던 것이다. 이젠 너무 얘기해서 말하고 듣는 사람도 지겨운 화제였다.

"예, 아주 깔아뭉개! 왜 벌레 있잖니. 그거 신발 바닥으로 싹 문질러봐라. 흙에 묻혀 흔적두 없잖니. 그렇게 해봐."

"그 여자가 벌레니?"

"그렇게 생각하는 거지 뭐."

"자신을 속이는 거잖아."

"아무렴 어때, 그리고 속을 푸는 거야. 쇼핑두 하구 수영두 하구 친구두 만나구… 여자들 돌아다니는 거 다 저마다 이유가 있단다. 넌 우아해서 모르겠지만."

"누구 속 뒤집혀 죽는 꼴 보구 싶니? 너까지 약올리니?"

"그냥 나와! 점심이나 먹게!"

수정이 혀를 차며 큰소리로 말했다. 태경은 딱부러지게 약속은 하지 않고 전화를 끊었다.

그러나 한 시간도 지나지 않아 태경은 무작정 집을 나갔다.

아직 9월이건만 오늘따라 스산하게 부는 바람에 메마른 흙먼지가 낮게 날리고 찢긴 비닐이며 종이들이 여기저기 흩어진 골목으로 들어섰을 때, 태경은 초라한 나무 간판 앞에 설 수 있었다. '인생 철학'이라는 간판

앞이었다. 그러나 가슴이 두근거려 선뜻 문을 열 수 없었다. 자기가 알고 싶은 '인생 철학'이 무엇인지도 몰랐다. 다만 태경은 지금 당장, 호준과 만나고 싶은 것이었다. 그와 지낸 어제의 일이 거짓인지 아닌지 알고 싶은 것이었다. 그와 자기가 앞으로 어떻게 될 것인지… 그가 알고 싶은 '인생 철학'은 그것이었다.

태경은 망설이다가 떨면서 문을 열었다. 세 평도 안 되어 보이는 방에 앉은뱅이 책상을 놓고 앉아 있는 철학자는 영양실조의 인상이었다. 그가 태경을 쳐다보자, 그 앞에 초라하고, 초조하게 앉은 50대의 곤궁해 보이는 여자들도 태경을 힐끔 돌아보았다.

"좀 기다리세요."

철학자가 말했다.

태경은 비닐을 깐 바닥에 엉거주춤 앉았다. 여자들 중의 하나가 폭력으로 구속된 아들이 잘 풀릴지, 그걸 묻고 있는 중이었다.

이윽고 태경의 차례가 왔다. 태경은 후회스러웠다. 모욕 같은 기분이 들기도 했다. 그러나 마치 잘못 디딘 발이 빠지지 않듯, 그는 주머니에서 복채를 꺼내 상 위에 놓았다. 생년월일을 대라고, 철학자가 말했다.

태경은 갑자기 입이 굳어졌다. 생년월일이라니… 그는 호준의 나이도 모르고 있었다. 안다 한들… 그걸 차마 물어볼 수 있으리….

"죄송합니다…."

태경은 당황한 목소리로 말하고는 도망치듯 방을 나왔다.

"미친년두 많지. 단단히 바람이 들었구만!"

태경은 자신의 등뒤에서 이렇게 철학자가 자신을 욕했다고는 상상도 못 했다.

가을

흐린 가을날 오후에, 정신이 혼미해진 늙은 암쥐처럼 태경은 가본 적이 없는 골목길을 오래도록 헤매였다. 골목길 담벼락 사이의 작은 모퉁이엔 바람 부는 대로 흩날리던 나뭇잎이며 종이 조각, 비닐 따위들이 마침내 쉴 수 있게 된 듯 모여 있었다. 허물처럼 군데군데 칠이 벗겨진 다세대 주택의 벽 아래쪽에선 아직도, 시멘트가 삭아서 운모같이 슬몃슬몃 떨어져내렸다. 태경은 골목의 한가운데서 크기가 다른 두 마리의 개가 한 번쯤 뜻을 맞춰보려고 이리저리 애쓰는 모습을 아무 생각 없이 바라보았다. 그의 눈앞은 흐린 날보다 더 침침했고 자꾸만 축축하게 젖어들었다.

태경은 '어제'를 알고 싶었다. 그는 '어제'를 이해할 수 없었다. 어제가, 자신의 삶에서 무엇인지… 지금 그가 살아낸 맨 마지막날인 어제는 그의 눈앞을 가로막는 벽과 같아서 어제 이전의 과거를 하나도 볼 수 없게 되었다. 이제 그의 과거는 '어제' 하나뿐이었다. 그의 지난 삶들은 '어제'라는 시간 속에 들어가 하나가 되어버린 것이었다. 태경은 '어제' 속에 파묻히고 싶었다. '어제'를 덮고 그냥 잠들고 싶었다. 그러나 어제는 무엇인가.

나이도 모르고 생일도 모르는 그 남자는 어디 있을까. 왜 그를 만날 수 없을까. 태경의 가슴은 의문과 기쁨 그리고 절망이 서로 부대끼는 힘 때문에 폭발할 것 같았다. 하지만 고개 숙이고 천천히 걷고 있는 허름한 옷차림의 중년 여자에게선 그가 지금 앓고 있는 열정도 절망도 겉으로는 보이지가 않았다. 그저 한 여자가 걷고 있을 뿐이었다.

어떻게 그가 자기 집까지 갔을까. 아무것도 보지 못한 채, 어느 소리도 듣지 못한 채 그저 습관의 다리가 그를 그곳으로 이끌었던 것이다.

"애야, 김서방이 왔다아!"

태경이 벨을 눌렀을 때 문을 열어준 전씨가 긴장한 얼굴에 숨죽인 목소리로 말했다. 태경은 꼼짝도 않은 채 눈을 크게 떴다. 이건 너무 엉뚱한 세계였다. 얼음과 불처럼 아주 달라서 태경은 마음을 가눌 수가 없었다. 그래도 전씨는 태경에게 여전히 작고 화난 목소리로 말했다.

"아비가 왔어. 벌써 반 시간두 더 됐는데… 넌 어딜 갔었니? 소리두 없이… 어디 갔는지 알아야 뭐라구 말하지… 차암 너두…. 한두 살 어린 애두 아니구."

태경은 뭐라고 할말이 없었다.

남편이 왔다니… 남편이… 왔구나….

하지만 태경의 비탄에 젖었던 감정이 일상으로 되돌아오는 데는 많은 시간이 걸리지 않았다.

"당신 왔어요?"

남편을 보자마자 태경이 태연하게 말했다. 두어 달씩 떨어져 지내다 하루 이틀 함께 지내오는 부부에게, 남편의 20여 일 해외 출장은 어쩌면 일상일는지도 몰랐다.

"내일이 어머니 제살걸."

찬수는 아내를 바라보며 이렇게 말했다.

"여보, 어머님 제사는 일요일이에요!"

태경이 말했다. 여태 가슴 졸이던 전씨는 딸이 신을 벗고 들어서며 사위에게 스스럼없는 목소리로 말을 하자 비로소 마음이 놓여 사위와 딸을 번갈아 바라보았다.

"당신은 한번 나가면 집에 연락을 할 줄 몰라요?"

태경이 언제부터 이런 생각을 하고 있었는지 술술 말했다.

"연락할 게 뭐 있어. 당신이 다 잘하고 있는데."

찬수는 베란다의 화분들을 바라보면서 대꾸했다. 전씨는 사위가 화분
에 관심을 가져주는 게 기뻐서 얼른 그의 곁으로 갔다.

"저기 보게나. 내가 뿌리를 내려서 기른 거라네."

전씨는 꽃을 피운 손바닥 선인장을 가리키며 자랑했다.

"국화도 금방 꽃피겠는데요."

찬수가 말했다.

"그렇지? 내가 이른 봄에 사다가 모양을 잡았는데, 꽃이 어떨는지 모
르겠네."

전씨가 말했다.

태경은 어머니와 남편의 뒷모습을 바라보고 안방 가운데 덩그마니 놓
여 있는 남편의 여행가방도 바라보았다. 온종일 태경을 사로잡아서 그의
정신을 몽환 같은 상태로 몰아넣었던 어제의 기억은 다 어디로 갔을까.
지금은 그저 외국출장에서 돌아온 남편을 맞은 아내가 있을 뿐이었다.
그 남편의 갑작스런 귀가가 단지 자신의 어머니 제사 때문이라는 걸 알
았을 때, 태경은 몽환에서 순식간에 깨어났던 것이다. 남편은 주술을 푸
는 마법사 같았다.

태경은 남편의 밤색 가방을 열었다. 남자의 속옷내가 물씬 풍겼다. 그
는 속옷 뭉치를 꺼내들고 나왔다. 전씨와 찬수는 아직도 꽃이며 분재에
대해 얘기하고 있었다.

태경은 냉장고에서 반찬거리를 살폈다. 야채 몇 가지를 꺼내놓고 냉동
실을 열었다. 돌덩이 같은 도미를 꺼냈다.

이때 벨이 촐랑이처럼 거푸 울리더니 문이 열렸다.

"엄마아! 문두 안 걸구우!"

소영이가 소리지르며 들어왔다. 문단속을 거푸 이르는 어른들이 정작 문을 걸지 않고 있어서 아이가 이때다 싶게 책을 잡았던 것이다.

"아빠 왔어?!"

아이가 검정 구두를 보더니 다시 소리질렀다.

"아빠 왔다."

"소영이냐?"

전씨와 찬수가 한꺼번에 말했다. 찬수는 들어서는 딸과 순식간에 한덩 어리가 되었다.

"아빠. 내 초콜릿 사왔지?"

아빠의 품에서 빠져나오며 소영이가 물었다.

"사오구말구. 누구 명령이신데."

찬수가 기쁨에 젖은 목소리로 말했다.

그들은 방에 들어가 초콜릿을 들고 함께 나왔다.

이때 전화벨이 울렸다.

태경은 첫번째 울린 전화벨 소리는 듣지 못했다. 도미를 해동시키느라 전자 레인지가 윙 소릴 내며 돌아가고 있었기 때문이다. 그러나 두번째 벨이 울렸을 때, 태경은 갑자기 그 자리에 붙박였다.

"소영아, 전화 받아."

"싫어, 아빠가 받아."

태경은 아버지와 딸의 말소리를 들었다. 그러면서 그는 로봇처럼 움직 여 거실 쪽으로 갔다. 그때 벌써 소영이가 수화기를 들고, 여보세요 하고 있었다.

아무것도 아니야.

태경은 자신에게 말했다. 그러나 전화벨이 울리고 소영이가 받고 하는 그 1분도 되지 않는 시간이 태경에게는 참기 어려운 시간이었다. 태경은 어지럼증을 느꼈다.

벌써 전화할 리가 없어. 그런데 왜 가슴은 이리 조여들고 또 마냥 부풀어 터질 것 같을까.

"엄마! 전화! 남자야!"

소영이가 소리쳤다.

아이는 너무도 천연덕스러웠다. 뜯다 만 초콜릿을 빨리 먹어보고 싶을 뿐이었다.

태경은 남편의 존재가 자신을 에워싸는 걸 느꼈다. 그래서 앞이 잘 보이지 않았다. 그래도 전화는 받아야 했다.

"여보세요."

태경은 힘없이 풀린 그리고 떨리는 목소리로 말했다.

"호준입니다. 괜찮으세요?"

정호준의 목소리는 굵고 당당하고 부드러웠다.

"저어… 네… 잘못….."

태경은 더듬거리다가 수화기를 떨어뜨리듯 내려놓았다. 그리고 부엌에 급한 일이 있는 것처럼 허둥지둥 그쪽으로 갔다.

"누구니? 어디서 왔어?"

전씨가 재빨리 딸의 눈치를 살피며 물었다.

"요샌 잘못 걸리는 전화가 많아요. 장난 전화들두 자주 오구….."

태경은 지나치게 길게 설명했다.

하지만, 조리대 앞에 섰을 때 그가 무엇을 장만하고 있었는지 아무것도 생각나지 않았다. 전화를 받기 전에 하던 그의 행동이나 생각들이 도무지 이어지지가 않는 것이었다. 해동이 끝난 도미가 전자 레인지에 있다는 것도 시금치를 데쳐야 한다는 것도 떠올리지 못했다. 그의 눈은 시금치 단이 담겨 있는 통을 바라보는데도 그랬다.

이런 암흑 같은 상태, 어쩌면 반죽음 같은 상태는 거의 1분이나 지속되었다. 태경은 겨우 정신을 가다듬었다. 그는 놀라서 전자 레인지를 열고 도미를 꺼냈다. 그런데 도미도 시금치도 다 만들기가 싫어졌다. 음식에는 아무런 정성도 들어가지 못했다. 전씨는 넋빠진 듯 보이는 딸을 그냥 둘 수가 없었다.

태경은 도마 위에 파를 올려놓고 또다시 멍청히 서 있곤 했다. 가스대 위에서는 냄비 물이 뚜껑을 들썩이며 끓고 있었다. 그는 그것을 바라보면서 끓는 물에 무엇을 해야 하는지 생각나지가 않았다. 전씨가 물 다 졸아들겠다고 하면서 뚜껑을 열어젖힐 때야 깜박 정신을 차렸다.

전씨가 서둘러 시금치를 데쳐냈다. 태경은 파를 썰었다.

이날, 전씨가 마치 조종사처럼 태경을 이끌지 않았다면 저녁상은 엉망이었을지 몰랐다. 그래도 아주 오랜만에 식구들이 한자리에 모여 앉아 저녁밥을 먹었다. 근우는 어서 빨리 커서 대학생이 되면 1학년 여름방학에 유럽여행을 떠나겠다고 말했다. 신문에서 읽었는데 어떤 여자 대학생 둘이 유럽의 몇몇 나라를 자전거로 여행했다고, 그게 부럽다는 것이었다.

찬수는 아들에게 사람은 왜 여행을 해야 하는지 말했다. 낯선 곳, 낯선 사람들 속에서의 새로운 경험과 경험의 축적이 사람을 성숙시킨다고 그리고 높이 나는 새가 많은 걸 볼 수 있다고, 특히 사나이의 이상은 높을수록 좋다고….

태경은 저녁식사 내내 입도 뻥긋하지 않았다. 찬수는 아이들이 이것저것 외국풍물에 대해 질문하는 걸 대답하느라 신이 난 모습이었다. 찬수는 기분이 좋았다. 이제 여자티가 나기 시작하는 딸은 귀엽고 사랑스러웠다. 더욱이 소영이가 아빠 같은 남자와 결혼할 거라고 말할 때면 형용키 어려운 뿌듯함에 젖곤 했다. 근우에 대한 기대도 대단했다. 한 번도 실패했다고 생각한 적이 없는 자기 인생보다 더 잘난 삶을 살아야 한다고, 그는 아들에 대해 그런 기대를 했다. 아내에게도 큰 불만이 없었다. 그가 청춘기의 한때 멋모르고 짝사랑했던 여자는 아니었지만, 그는 그 동안 자신의 결혼을 후회해 본 적이 단 한 번도 없었다. 아내는 그가 바라는 아내의 역할을 탈없이 잘해 내는 여자였다. 그 동안 미안한 내색을 한 적은 없으나, 형님 내외가 유학하고 있는 동안 병든 아버지의 간병도

훌륭히 해내주었던 것이다. 결국 아내의 그런 내조는 집안에서 찬수의
영광으로 돌아왔다.

아내에 대한 찬수의 기대나 요구는 평범하고 일상적이며 단조로운 것
이었다. 살림을 잘하고 집안간에 말을 내지 않으며 투기가 없고 차분한
것─찬수는 이런 점에 만족했다. 아내는 이런 요구에 불편을 끼친 적이
없었다. 지난 봄 여수에 내려와 '깽판'을 치긴 했지만 그건 상황이 그랬
으므로 충분히 이해하고 넘어갔다.

식사를 마친 가족들은 계절 과일로 후식을 들며 텔레비전을 보았다.
그들의 따뜻한 휴식시간에, 태경은 설거지를 하고 걸레질을 했으며 안방
에다 잠자리를 준비했다.

뉴스가 끝나자 찬수가 기지개를 켜며 고단해서 그만 자야겠다고 방으
로 들어갔다. 태경은 그의 커다란 몸이 방으로 들어가는 모습을 부엌 쪽
에서 바라보았다.

전씨가 텔레비전을 끄며 아이들을 방으로 들여보냈다. 거실은 갑자기
침묵 속으로 깊이 가라앉았다. 태경은 식탁의자에 앉아서 아득한 눈길을
바닥에 댄 채 물잔을 움켜쥐고 있었다.

"넌 안 자냐? 아비 방에 들어갔잖니?"

전씨는 서툰 신부를 신방으로 몰 듯, 중년의 딸에게 걱정되고 비밀스
런 목소리로 말했다.

태경이 말없이 무거운 몸짓으로 일어섰다. 그리고 부엌 불을 껐다. 문
득 어둠이 싫어졌다. 그러나 이제 거실과 주방은 캄캄했다. 그는 화장실
로 들어갔다. 어깨가 축 처져서 기운이 없는 모습이었다. 그는 힘없이 칫
솔을 꺼내 치약을 묻혀 입에 넣고 문지르기 시작했다. 그러다가 그는 마
주보이는 거울에서 늙고 우중충한 여자를 보았다. 태경은 조건반사처럼
고개를 돌렸다. 중년 여자에게 우울이나 좌절은 더 이상 아름다움이 아
니었다.

태경은 도망치듯 이빨을 닦고 헹궈내고 화장실을 나왔다. 눈앞은 어둠

고 뒤는 허전했다. 그는 왼쪽에 있는 문을 열고 들어가야 했다. 그것은 습관이고 선택의 여지가 없는 것이었지만 태경은 불현듯 습관을 거역하고 싶어졌다. 습관이 불편하고 싫었다.

"여보. 물 좀 가져와."

하지만 태경이 살며시 방문을 열었을 때 찬수가 거침없는 목소리로 말했다.

태경은 발을 들여놓다 말고 다시 돌아서서 물을 가져갔다. 찬수는 입만 축이는 듯하더니 그냥 서 있는 아내에게 도로 내밀었다. 태경은 그것을 한켠에 놓았다.

"자자구. 불 꺼."

찬수가 말했다.

태경은 옷을 갈아입고 그가 시키는 대로 했다.

찬수가 옆에 누운 아내의 몸을 쓱 손으로 더듬어왔다. 태경은 남편의 손에서 섬뜩한 이물감을 느꼈다. 너무도 낯선 느낌이어서, 태경의 몸이 굳는 것 같았다. 그러나 찬수에겐 아내의 새로운 감각이 느껴지지 않았다. 그는 동침을 한 지 오래된 아내를 '기쁘게' 해줘야 했다. 그는 그런 남편의 임무에도 충실한 남자라는 데 스스로 만족하는 형이었다. 잠들기 전에, 가능하면 즐겁고 버겁지 않게 임무를 수행하고 싶었다.

아내는 '색을 밝히지 않는' 여자이므로 언제나처럼 '수동적'이었다. 그는 아내의 이런 현숙함을 사랑하는지 몰랐다. 그는 아내의 잠옷을 벗기고 속옷도 벗겼다. 적당히 애무도 해주었다. 젖가슴과 아랫배… 아내는 주검같이 누워 있건만, 찬수는 그런 아내의 상태에 주의를 기울이지 않았다.

이윽고 그는 순서를 지키는 모범생처럼 자신의 발기한 성기를 아내의 질 속으로 넣었다. 아내를 기쁘게 해야 한다. 아내에게 쓸데없는 불만이 생기지 않도록… 그래서 찬수는 나름대로 최선을 다했다. 그런데 이상했다. 몇 분도 지나지 않았는데 갑자기 태경의 질 속이 메마르는 것 같았던 것이다.

"좋아?"

찬수가 물었다. 태경은 평소와 마찬가지로 눈을 꼭 감고 있었다.

"당신 너무 피곤할 텐데… 난 괜찮아요….."

태경이 괴로운 목소리로 말했다.

찬수는 웬지 미적지근한 느낌이 남아 개운치가 않았다. 좀더 세게 밀어붙여 사정까지 할까 생각하다가 그만두었다. 정액을 무턱대고 빼는 건 무능력한 남자라는 게 그의 평소 생각이었다.

아내가 일어나 재빨리 자기 옷을 찾아 입고 밖으로 나갔다. 언제나처럼 그는 힘을 쓴 가장을 위해 꿀물을 대령할 것이었다.

찬수는 곧 시원한 꿀물을 마시고 팬티만 입은 채 바랄 것 없는 상태로 잠에 빠져들었다.

그러나 그의 아내 태경은 달랐다.

그는 잠들 수가 없었다. 그는 답답하고 갑갑해서 남편의 옆에 누울 수가 없었다. 더욱이 남편과 성교를 하는 중에, 호준이 떠오르고 그와 입맞추던 기억이 살갗을 파고들 때, 그는 몸이 차게 식고 굳는 걸 느꼈던 것이다. 이 세상에 태어나 성교를 해본 단 하나의 남자인 남편 그리고 그와 10여 년 길들여진 습관에 자신의 감각이 저항하는 것도 처음 있는 일이었다. 남편의 몸이 갑자기 무겁게 느껴지기 시작했던 것이다.

하지만 이 밤에, 곤한 잠에 빠진 남편과는 달리 파랗게 눈뜨고 있는 아내는, 오래도록 남편을 생각하지 않았다.

태경의 마음은 벌써 호준으로 꽉 차 있었다.

그의 목소리가 되살아나서였다.

호준입니다. 괜찮으세요?

호준의 목소리는 한순간에 태경을 감싸고 방 안에 가득 차고 집 안에 쌓이고 세상으로 번져나갔다.

그러나 태경은 자신의 가증스런 거짓말이 떠올라서, 차라리 죽고 싶었다. 부끄러움 때문에 해를 볼 수 없을 것 같았다.

호준 씨는 나를 만나지 않을 거야.

왜 그때, 지금 바쁘다고, 남편이 출장 갔다 돌아왔다고, 나중에 연락드리겠다고 말하지 못했을까. 수정이의 동생네 얘길 하면 의심받을 리 없을텐데. 우리는 '나쁜 짓'을 한 게 없는데.

태경은 생각할수록 자신의 옹졸함이 미웠다.

'호준입니다. 괜찮으세요?'

'저어… 네… 잘못….'

태경은 이 두 개의 말이 잊혀지지 않아 잠들 수가 없었다. 밝고 당당하며 부드럽던 목소리. 그리고 자기가 '저어…'라고 말할 때 이미 교감되던 반가움…. 그러나 비열하게 거짓말을 하고 수화기를 내려놓은 자신의 태도….

태경은 어두운 주방의 식탁의자에 앉아 오래도록 이 한 가지 상념에 사로잡혀 있었다.

이제 모든 것―생전 처음 느껴본 간절한 그리움의 세계와도 이별인가. 다시 그를 만날 수 있을까. 졸렬하고 자신없는 나를 보여놓고 무슨 낯으로 그를 만날 것인가. 먼저 전화를 해볼까? 그가 받지 않는다면 찾아가볼까? 문턱에서 기다려볼까? 현관 앞에 긴 의자가 있었지. 거기 앉아 있을까? 편지를 쓸까? 잘못했다고. 너무 부끄럽다고. 남편이 있었다고. 이해해 달라고. 그럼 그가 용서하고 다시 나를 받아들여줄까?

태경은 너무도 괴로웠다.

지난 봄부터 여름까지 그리고 가을날의 엊그제까지 그가 보낸 예기치 않았던 나날들의 여러 가지 경험들이 떠올랐다. 하나같이 기쁜 일들이었다. 비행기에서 마주친 밝고 편한 얼굴, 불쾌하지 않은 친절, 새싹과 아지랑이의 발견, 비와 새벽 그리고 자신의 비밀스런 교감들. 사람의 말을 알아들을 수 없는 생명들에게 털어놓은 사랑의 고백. 가을날들. 송추와 장흥의 길들. 두렵지 않은 입맞춤…. 왜 이 모든 것들은 기쁨뿐일까. 왜 기쁨만 떠오르는 것일까.

정말 그 사람을 잃는 것인가?

하느님.

제발. 알려주세요. 저는 이제 그 사람을 잃게 되었나요? 결국 이렇게 되고 마는 건가요? 제가 느낀 기쁨과 행복, 사랑은 죄악인가요? 그때 전화를 그렇게 받은 건 잘못인가요? 그가… 용서를 빌면 다시 저를 받아줄까요? 하느님이 그렇게 되도록 도와주실 수 있나요? 저는 도대체 사랑을 할 자격이 없는 여자인가요? 사랑하면 안 되나요? 제발… 저를… 제 목숨을… 부탁드립니다.

태경의 얼굴은 그 사이 한정 없이 흘러내린 눈물로 질퍽했다. 그는 전혀 알지도 못하는 하느님에게 필사적으로 매달린 것이었다.

문 밖의 수은등 빛은 거실의 커튼 주름에 그림자를 만들었다. 태경은 아무 생각 없이 그것을 바라보다가 벌떡 일어났다. 그는 거실과 식탁의 불을 켰다. 볼펜과 종이를 찾아 식탁에 앉았다. 식탁 위의 갓 씌운 백열전등은 마치 태양처럼 흰 종이를 내려다보고 있었다. 태경은 태양이 내리쬐는 백지 위에다 이렇게 썼다.

사랑하는 당신께.

거침없는 이 한 마디를 쓰고 났을 때, 태경은 자신의 가슴뼈가 녹아내리는 걸 감득했다.

당신은 나에게 너무도 큰 기쁨을 주었습니다. 봄이면 잠들었던 나뭇가지에 생명이 돌고 싹이 나는 걸 깨닫게 해준 당신에게 나라는 존재는 얼마나 하찮은지…. 당신에 대한 부끄러움 때문에 나는 밝은 대낮의 삶을 살 수 없을 것 같습니다. 그러나, 한 번만 용서해 주실 수 있어요? 나의 가혹한 처지를 이해할 수 있을지요. 당신을 잃는다는 게 왜 이렇게 두려운지. 당신을 잃고 어떻게 살아갈 수 있을지…. 어쩌면 이런 내 감정들이 욕심은 아닐는지….

호준 씨.

당신은 왜 나를 보았지요? 왜 그럭저럭 살면서, 그것이 사는 거라고 믿고 있던 나를 뒤흔들어 놓았지요? 왜 내게 다른 인생도 있다는 걸 알게 했나요?

태경은 순식간에 여기까지 썼다. 숨이 차올라 더 이상 쓸 수가 없었다. 그런데 이상했다. 그는 지금, 오랜 옛날의 자기가 돌아온 것 같은 기이한 느낌을 느끼는 것이었다. 테스를 밤새워 읽고 새벽녘에 주인공의 인생이 가여워 마구 울던 때가 떠올랐다. 마음에 드는 시는 수도 없이 쓰고 외우고 벽에 붙여놓고 밤을 지새던 시절의 자신이 되살아나는 게 느껴졌다. 결코 돌이켜지지 않는 시간… 죽음이나 다름없던 과거였다. 하지만 추억은 신비스럽게 현재에 되살아나, 마치 밤비처럼 시간을 적셨다.

태경은 먼 곳, 살아낼 수 없는 시간을 추억만으로 씹으며 턱을 괴고 앉아 있었다. 식탁 위의 갓 쓴 태양이 그를 따뜻하게 감싸주었다.

얼마 동안 그렇게 안식 같은 시간을 살던 태경이 태양 빛에 하얗게 드러나 있는 종이와 검은 글자들을 문득 발견했다.

사랑하는 당신께… 로 시작되는 글을 그는 다시 읽었다. 자기가 조금 전에 쓴 편지건만 가슴이 뭉클하고 눈시울이 뜨거워졌다.

사랑이야.

태경은 속으로 자신에게 말했다. 이젠 적어도 자기 자신과는 결론이 난 이야기 같았다. 이건 사랑이라고. 더 이상 얘기할 것이 없다고.

태경은 편지를 접었다. 웬지 한 가지 일을 끝낸 뒤처럼 후련한 느낌이 들었다. 그는 편지를 가슴에 넣었다. 네 겹으로 접힌 종이가 이물감 없이 그의 가슴에서 쉬기 시작했다. 태경은 편지가 녹아 자신의 살이 되기를, 그것이 가능하기를 빌어보았다.

이때, 안방문이 열리며 찬수가 나왔다. 그는 불빛에 눈이 부셔서 낯을 있는 대로 찡그렸다.

태경은 인기척 때문에 그쪽으로 고개를 돌렸다.

저 남자… 태경은 낯선 남자를 바라보았다. 순간적으로 스친 느낌이었다.

"당신 여태 안 잤어?!"

찬수가 놀라운 목소리로 물었다.

태경은 아직도 낯선 시선을 수습하지 못하고 있었다.

"시차 때문에… 한 2, 3일 고생 좀 하겠는데…."

찬수가 혼잣말하듯 지껄이며 벽시계를 보더니 옆구리를 벅벅 긁었다. 그리고 그는 베란다 쪽으로 걸어갔다. 커튼을 젖혔다. 아직 수은등이 어둠을 밀어내고 있었다.

"사우나가 몇 시부터지?"

찬수가 잠긴 목소리로 물었다.

태경은 한꺼번에 자기의 현재 상태를 깨닫고 질겁해서 가슴에 품었던 편지를 꺼내 소리나지 않게 찢어 쓰레기통에 넣고 괜시리 수돗물을 틀고 있는 중이었다.

태경은 수돗물을 껐다. 찬수가 식탁 쪽으로 다가오고 있었다.

"당신 뭐라고 했어요?"

태경이 얼버무리는 고갯짓으로 남편을 바라보며 물었다. 목소리가 탁하고 가라앉아 있었다.

"사우나 아직 안 열었겠지?"

찬수가 사람 좋은 목소리로 말했다. 그리고 식탁의자를 끌어당겨 걸터앉았다.

"지금이…"

태경이 벽시계를 보려고 고개를 길게 빼며 중얼거렸다.

"5신데. 당신은 안 잤나?"

찬수가 이제 부신 눈이 제대로 보이는지 아내를 살피며 물었다. 때론

밉고 답답할 적이 있으나, 그래도 동생같이 느껴지는 아내였다.

"안 자긴요 여보. 미쳤다고 밤을 왜 새요?!"

태경은 어쩌면 이다지도 가증스러울 수 있는지, 준비되지도 않은 연극을 잘도 해냈다.

"뉴욕이 지금 몇 시냐아… 당신 커피 한잔 해줄래? 그리구 졸리우면 들어가 자라구. 애들은 아직 멀었지?"

찬수가 말했다. 그에겐 집이라는 건 자신의 살처럼 편하기만 한 곳이었다.

"졸립진 않아요. 낮잠을 쪼끔씩 자니까…."

태경이 주전자에 물을 올리며 말했다.

"낮잠을 적당히 자는 건 좋대. 누구더라? 깜박 생각이 안 나네. 요새 부쩍 건망증이 생긴 거 같아…. 유명한 정치가던가? 그 사람은 건강 비결이 낮잠 반 시간 자는 거라니깐."

태경은 듣기만 했다.

새파란 불은 이내 주전자의 밑을 뜨겁게 달구고 물이 설설 움직이게 했다.

"근우는 요새 어때."

찬수가 커피잔을 꺼내느라 딸그락대는 태경의 등에 대고 물었다.

"잘해요."

태경은 짧게 대답했다.

"소영이는 어제 보니 처녀티가 나대. 요새 애들은 차암 발육두 빠르구…. 그거 목마 태우구 다니던 게 어제 같은데…."

찬수가 말했다. 동틀 무렵, 모처럼 고요한 집 안에서 아내와 둘이 커피를 마시게 된 찬수는, 스스로 감각하기조차 쑥스러운 향수에 젖은 것 같았다.

태경은 커피잔에 끓은 물을 부었다. 커피 향기가 코끝으로 스며들었다. 그런 향기에도 태경의 감정은 무감각했다. 그는 기계처럼 움직이고 있었다.

"내가 없어서 애들한테 지장 있는 건 없나?"

태경이 김이 오르는 찻잔을 앞에 놓을 때 찬수가 말했다. 태경은 그 말을 언뜻 이해하지 못했다. 그래서 그는 잠시 멀뚱한 낯으로 남편을 바라보았다. 앞머리 한쪽에 희끗희끗 센 머리털이 보였다. 새치 한두 개씩을 즐겁게 뽑아주던 게 어제 같은데, 이제 인생의 가을로 접어든 저 남자는 나의 무엇일까…. 태경은 엉뚱하게도 이런 생각을 하였다.

"슬슬 올라오두룩 해볼까?"

한 입 삼킨 커피잔을 내려놓으며 찬수가 말했다.

올라온다고?

태경은 비로소 남편이 무슨 말을 하고 있는지 깨달았다.

"아이 여보, 여긴 괜찮아요."

태경은 재빨리 말하며 싱크대 쪽으로 몸을 돌렸다. 그러나 곧 고개만 돌려 찬수를 바라보며,

"당신이 좀 불편하시죠? 아무래두…."

하고 말했다. 그리고 그의 반응을 기다렸다.

"글쎄. 불편이야… 하겠지. 장단점이 다 있기 마련인데…."

찬수가 나직한 목소리로 말했다.

"여긴 걱정하지 말아요. 당신 건강이나 신경 쓰시구…. 애들은 다 잘하구 있으니까…. 내가 뭐 하는 일 있어요? 당신이 벌어주는 돈으루 애 키우구 살림하는 게 전분데…. 사실은 당신이 없으면 내 일은 좀 준다구요. 여자는… 그래요. 남편이 상전이니까…."

태경은 깊은 우물에서 퍼올리는 물처럼 깊고 낮은 목소리로 그러나 말 사이사이에 작은 웃음소리도 내면서 말했다.

"오랜만에 당신이 끓여주는 커피를 마시니, 역시 집이 좋은 거 같아. 편해."

찬수가 말했다. 태경은 웃고 싶었다. 하지만 얼굴이 굳은 것 같은 느

215

낌만 느껴지고 웃음이 나오지 않았다.

"당신은 피곤해 보이는데 들어가 자지 그래. 난 서류나 좀 보다가 6시 되면 사우나 갈테니깐. 열쇠나 줘. 잠그구 갔다오게."

찬수는 가볍고 편안하게 말했다.

태경은 열쇠를 찾아 식탁 위에 올려놓았다.

당신… 여기 걱정은 말아요. 내가 잘할테니깐. 공기 좋고 당신 말대로 싱싱한 회 맘껏 먹을 수 있는 그곳에서 지내세요…. 당신 올라올 생각하지 말아요.

태경은 자꾸만 이런 말들을 생각했다. 어떤 식으로든지 남편이 돌아오지 않겠다는 그런 생각을 못박아 두고 싶었으나 마땅한 방법이 떠오르지 않았다.

"방에 내 여행가방 좀 가져와."

찬수가 태경에게 말했다. 그는 있는 대로 허리를 펴고 기지개를 켰다. 태경은 남편이 이런 심부름이라도 시키지 않았다면 계속 그렇게 서서 한 가지 생각에 골몰했을 것이다. 찬수는 거실의 등이란 등은 모두 켜서 대낮처럼 하고 서류를 꺼내 살펴보기 시작했다. 태경은 아직도 식탁에 기대 서서 눈길이 닿는 것과는 딴판인 것에 대해 생각하고 있었다.

늘 일이 좋은 찬수는 서울에 있을 때처럼 7시 조금 넘어 출근했다. 그는 오전 중역회의에서 이번 출장에서 있었던 기술 도입건을 브리핑해야 했다. 복합수지 원료 공장 증설과 기술 도입은 그가 현지 공장에 부임해서 해내는 가장 큰 임무였다.

찬수가 출근하고 아이들이 학교에 가자마자 태경은 어머니에게 잔다고 한 마디 툭 내뱉고 방에 들어가 이불 속에 파묻혔다. 새벽녘에 잠시 눈을 붙이다 말았건만 머릿속은 피곤과 흥분만이 자글자글 끓고 있었다.

우선 잠을 자야지. 그래야 해.

태경은 자신에게 말했다. 그리고 이불 속에서 눈을 꼭 감았다. 그러나 잠은 오지 않았다. 갑자기 숨이 답답하게 쉬어지는 것 같아 이불을 걷어 냈다. 시간을 보았다. 8시 20분이었다. 그 사람은 9시가 출근이랬어. 태경은 호준을 생각했다. 먼저 전화를 걸어서 잘못했다고 말할까? 태경은 중병을 앓는 환자처럼 어렵게 일어나 앉았다. 얼굴은 창백하고 눈은 병자 같은 열기로 번들거렸다.

  … 나 같은 주제에… 잊어야지. 잊어야 한다. 그까짓 거… 어쩌다가 영화 한번 같이 보고 야외에 나가 입 한번 정신없이 맞춰본 거… 그게 뭐가 대단해. 그 남자가 연락하지 않으면 나는 그냥 쓰다 버린 물건처럼 내버려지는 신세인데…. 그래도 남편은… 아무것도 모르고 나를 믿는 거야…. 내 나이가 얼만가. 마흔넷에 무슨 부끄럽고 죄 같은 상사병에 걸려서…. 이웃에 소문이라도 나면… 자살하는 게 낫겠지…. 벌써 몇 달째야. 그 동안 살림두 팽개치고…. 수정은 다 눈치챘겠지…. 그래두 설마… 도대체 사랑이 무슨 대수라고, 안 보면 그만이겠지. 그 사람도 아내와 자식이 있는데… 결국 끝은 뻔한 거… 그런데 왜 이렇게 미칠 것 같지? 정말 미칠 것 같아. 차라리 죽어버릴까….

  태경은 혼수상태 같은 잠에 빠졌는가 하면 문득 깨어서 이런 생각을 하다가 다시 이불 속에 겨울잠을 자는 짐승처럼 파묻고 울기도 하고 가슴을 쥐어뜯기도 했다. 수정이나 태희를 만나 속에 있는 걸 전부 털어놓고, 그들의 도움을 받아 생각을 정리할까, 이런 생각도 해보았다.

  그러나 태경은 전혀 엉뚱하게, 시장 가듯 집을 나가 길가의 비디오 가게에서 《폴링 인 러브》를 빌려왔다. 주인 여자가 주연배우들이 좋고 상도 탔으며 내용도 좋다고 태경에게 전해 줬던 것이다.

  유부녀와 유부남… 그들은 정말 그랬다. 다만 비행기가 아니라 기차에서 만나는 게 태경과 달랐다.

  전 결혼했어요. 남편이 있어요.

  여자가 남자에게 말할 때, 태경은 자기 생각이 나서 웃었다. 그러나 웃음은 잠깐이었다. 영화는 태경을 가슴 저리게 만들었다. 태경은 울면서 영화를 보았다. 그는 이제껏 영화 속에 자기 자신이 이렇듯 녹아드는 걸 경험한 적이 없었다. 영화는 태경의 현재가 무엇인지를 가르쳐주었다. 어쩌면 사랑은 하나의 사람이 태어나듯 그렇게 불가사의하게 태어나는 것인지 모른다고 태경은 생각하기 시작했다. 영화가 그런 생각을 하게 했다. 사랑은 아무리 피하려 해도 피해지지 않고 탐욕 때문에 훔치려 해도 훔쳐지지 않으며 빼앗아지지도 않는다. 그래서 사랑은 운명이라고 태경은 생각했다. 헤어질 것 같던 여자와 남자가 다시 만나고, 그들의 자연 같은 포옹으로 영화가 끝났을 때, 의외로 태경의 마음은 개운했다. 더 이상 가슴도 쓰라리지 않았다.

그런데 태경이 여태 그저 상식적으로 알고 있던 낱말―'운명'이라는 말이 어떤 경건한 느낌으로 태경에게 각인되었다. 그는 이런 느낌의 운명이라는 존재를 느끼게 된 것이 스스로 대견스러웠다. 그리고 그는 운명의 느낌에 자신의 부질없는 감정들을 의지하고 싶어졌다. 어쩌면 운명이 자기를 이끌어줄 것 같았던 것이다.

그는 비디오를 빼서 껍질에 있는 사랑에 빠진 중년 여자와 남자의 얼굴을 들여다보았다. 태경은 그들이 부러웠다.

태경은 한동안 꼼짝도 않고 앉아 있었다. 그러다가 그는 아무 생각도 하지 말자고, 자신과 약속하면서 장을 보기 위해 집을 나섰다. 저녁엔 남편이 돌아올 것이었다. 반갑지도 않은 사람, 그렇지만 자신은 그런 사람의 아내였다.

장을 볼 때 태경은 거의 말을 하지 않았다. 입 안에 부스럼이라도 난 사람같이 그랬다. 손짓으로 이것저것 가리켜서 사고 인사하는 낯익은 얼굴들에게도 그저 멍청한 눈길을 스치고 그만이었다. 소나기를 품은 무거운 구름 같았다. 태경은 장을 보아 집으로 돌아왔다. 열쇠로 문을 열 때, 그는 자꾸만 헛손질을 해서 한참만에야 문을 열 수 있었다. 그러나 문을 안에서 잠그고 현관에 섰을 때, 그는 흐흑 하고 느껴 울기 시작했다. 슬픔이 핏덩이처럼 뭉클뭉클 솟구쳐올라서 울음소리도 그렇게 파도 치

218

듯 했다. 태경은 울면서 반찬거리와 과일이 든 자루들을 부엌으로 옮겼다.

정신을 차려야 해.

태경은 이런 목소리를 들었다.

그래. 정신을 차리자. 태경은 울면서 자신에게 말했다.

때도 되지 않았는데 태경은 음식을 만들기 시작했다.

저는 마흔네 살입니다.

태경은 마늘을 다지며 하늘에다 말했다.

아이를 둘 낳았어요. 큰애는 아들이고 둘째는 딸입니다. 남편도 있습니다. 우리는 중매로 결혼했습니다. 남편은 저보다 다섯 살이 위입니다. 그 동안 행복이 뭔지 모르고 열심히 살았습니다. 불행도 몰랐습니다. 아이들 돌보고 집안 살림을 알뜰하게 했어요. 주부가 되어 살림을 소홀히 하고 돌아다니기 좋아하는 여자는 천박하게 보았습니다.

태경은 끓는 물에 느타리 버섯을 넣어 한 번 뒤집어 건졌다.

그 동안 부끄러운 걸 모르고 살았습니다.

태경은 다시 땅에다 말하기 시작했다.

사람을 사랑하는 게 무엇인지도 몰랐어요. 남편과 아이들에 대한 저의 자연스런 감정이나 태도 그리고 내 친정식구들에 대한 그런 것이 사랑이라면, 그럴 겁니다. 때때로 동서가 밉고 싫지만, 그것 때문에 고통에 빠지지는 않았습니다. 남편한테도 큰 불만은 없었어요. 여자 문제가 있었지만 그런 건 '바람'이라고 해서…

태경은 풋콩의 미끌거리는 속껍질을 물 속에서 비벼 깠다.

그런데 요새 왜 자꾸만 '내'가 보이기 시작하지요? 이건 무슨 증세인지요. 이렇게 슬프고 가련한 저의 모습이 저 자신에게 보이고 느껴집니다. 저는 '혼자'인 것 같습니다. 사실은 '누가' 몹시 그립습니다. 눈만 뜨면 그 사람이 생각납니다. 앉으나 서나 머릿속에서 그 사람이 떠나지를 않습니다. 이런 건 처음 겪는 경험입니다. 전에는 이런 적이 없었습니다.

학교 다닐 때, 막연히 어떤 남학생이 괜찮다고 생각되거나 좋아질 것 같던 적은 있었어요. 하지만 이렇게 온통 한 사람 생각으로 머리가 꽉 차다니…. 이런 일이 있다니…. 그런데도 그를 만날 수 없고 만나기가 두렵고, 고통은 살을 말리는 것 같습니다. 그리움을 없애는 약이 있다면…. 저는 병이 든 걸까요? 이게 정말 병인가요?

태경은 살아서 버둥거리는 게의 등을 힘주어 벌렸다.

다음엔 토막을 쳐서 냄비에 담았다. 찬수는 알 든 게찌개를 좋아했다.

남편이 거의 보름 만에 돌아왔는데 그다지 반갑지가 않았습니다. 남편은 저의 이런 마음을 들여다보지 못했어요. 아무런 기쁨이 없습니다. 이제 저는 어떡하지요! 그 사람이 남편이 있을 때 전화를 했습니다. 벨이 울릴 때, 저는 이미 '그 사람이다!' 하고 생각했습니다. 제가 전화를 받았는데 그는 저의 목소리를 알아듣고 반가워했는데… 저는 잘못 건 전화라고 거짓말을 하고 급히 전화를 끊었습니다. 이게 마지막입니다. 이제 마지막인가요. 마지막….

태경은 깍둑썬 당근과 감자를 게 밑에 깔고 물을 부어 불에 올렸다. 호박을 썰어놓고 양파와 파도 썰었다. 밖에서 문 두드리는 소리가 났다.

태경은 너무 놀라서 칼을 떨어뜨렸다. 칼은 싱크대 속에 떨어졌다. 손에 힘이 풀어지고 칼이 떨어질 때, 태경은 불현듯 호준을 떠올렸다.

태경은 문턱으로 가서 누구냐고, 떨리는 목소리로 물었다.

"엄마! 나야!"

밖에서 화가 잔뜩 난 소영의 목소리가 들렸다. 태경은 저도 모르게 휴우 막혔던 숨을 내쉬고 현관문을 열었다.

"엄마 잤어?!"

소영이 골이 잔뜩 난 목소리로 태경을 흘겨보며 물었다.

"자긴 소영아…"

태경의 목소리는 아이의 것과 정반대였다.

"그럼 왜 문 두드리는 소리 못 들었어?"

"벨을 누르지."

"고장났단 말야!"

"벨이?"

"그래! 단추가 쏙 들어갔다구!"

아이는 말하며 신주머니를 내던졌다. 태경은 현관 밖으로 나가보았다. 소영이 말대로였다. 태경은 손톱으로 양쪽 끝을 잡아 끌어올려 놓고 들어왔다. 아이는 아직도 성이 풀어지지 않아 씩씩거리고 있었다. 태경은 그런 아이 앞에 앉아서 아이의 허리를 끌어안았다. 거의 경건하게 그랬다. 그리고 깊은 숨을 쉬었다.

"엄마, 왜애?"

아이는 어머니의 이런 관심이 좋기는 했지만 느낌이 이상해서 얼떨떨했다.

"엄마는… 우리 소영이를 사랑한단다."

태경은 주문을 외듯 가라앉은 목소리로 말했다. 아이에게서 굳은 침묵의 기운이 피어오르는 듯했다. 아이는 손을 들어 어머니의 머리카락을 올올이 만지작거렸다.

시간이 흘렀다.

어머니와 딸은 흐르는 강물 속에 가라앉은 돌멩이 같아 보였다. 이윽고 태경이 아이를 놓아주었다. 소영이 폴짝 뛰어서 거실 쪽으로 달아났다. 아이는 어색하고 쑥스러웠던 것이다. 그리고 그것을 어머니에게 들키는 건 미안한 것이라고 본능적으로 생각했던 것이었다.

이상했다.

자식의 정기가 어머니에게 들어간 것일까. 태경의 소용돌이치던 갈등이, 해일이 지나간 부둣가처럼 고요해진 것이었다. 그렇다고 솟구치던 그리움이 아주 씻겨 내려간 것은 아니었다. 그것은 태경의 감정의 창고 속 밑에 고요히 가라앉았을 뿐이었다.

찬수는 회식을 했다면서 밤 10시가 넘어서야 돌아왔다. 그래서 태경은 습관처럼 장만한 게찌개며 버섯볶음, 대합찜을 남편에게 맛보이지 못했다. 그래도 섭섭하지가 않았다. 섭섭함하고는 성질이 다른, 남편과 자기의 사이에 먼 틈이 생기고 있는 그런 느낌을 확인했을 뿐이었다.

찬수는 요란하게 물소리를 내며 씻었다. 집에 오면 그는 '자기 마음대로' 할 수 있어 좋았다. 그를 긴장하게 하는 것이 하나도 없었다. 이미 그가 잠든 뒤, 아내가 장작처럼 자신의 옆에 누운 거야 어찌 알랴.

찬수는 계획대로 일요일 밤, 돌아가신 지 오래될수록 그리고 자신의 나이가 무거워질수록 새삼스레 그리움이 더해 가는 자신의 어머니 제사를 모시고 월요일 이른 아침 집을 나섰다. 태경은, 아침 기운이 새벽의 박명을 삼키는 때에, 현관 밖까지 나가 남편을 배웅했다.

"시간 나면 한번 다녀가라구. 당신두 회 좋아하잖아? 사람한텐 그저 회가 제일 좋아."

찬수는 편안함이 한결같아 다른 생각이 들지 않는, 질 좋은 대물림 장롱 같다고 생각하는 아내에게 듬직한 웃음을 웃는 얼굴로 이렇게 말했다. 아내는 보이지 않게 입술을 달싹거리다가 말았다. 그리고 이들 부부는 등을 보이고 헤어졌다.

태경은 현관 안으로 들어서며 크게 숨을 내쉬었다. 힘든 일을 마쳤을 때, 혹은 어려운 손님을 떠나보내고 났을 때 흔히 사람들은 그런 한숨을 쉬곤 했다.

집 안은 아직 고요했다. 태경은 백열전등 아래 벌거숭이처럼 드러나보이는 식탁을 바라보았다. 늘 그랬기 때문에 오늘도 그렇게 한 수삼 쉐이크—태경은 우유에 수삼과 사과를 넣어 갈아서 공복에 집을 떠나는 남편의 위장을 간수해 오곤 했는데 스스로 개발한 이 음료수를 수삼 쉐이크라고 불렀다. 그 찌꺼기가 붙어 있는 빈 유리잔을 바라보면서 태경은 왜 문득 다른 남자를 떠올리게 되는지 그리고 누구에게라도 어서 빨리, 이제 남편이 갔다고 말하고 싶은지…. 그러나 태경은 자꾸만 몸 밖으로 터져나오려는 이런 기분을 자신의 살과 뼈 속으로 밀어넣었다. 그는 의

222

자에 붙박인 듯 앉아서 한 손가락으로 식탁보의 꽃무늬를 따라 그렸다.

그러나 잡을 길 없는 그의 마음은 제풀에 어떤 하나를 생각하고 그 생각이 그의 손가락으로 내려가 글자를 만들기 시작했다. 그가 방금 그린 흔적 없는 꽃무늬 자리에다 태경은 이렇게 썼다.

사랑.

사랑하는 당신.

내 사랑 호준.

정호준….

그의 손가락 위로 그리고 의자에 붙박인 그의 몸 주위로 무게 없는 시간이 안식처럼 가라앉았다. 태경은 눈을 감았다. 가슴도 신맛을 느끼는 걸까. 그는 가슴이 시어서, 그 시디신 느낌이 사라지도록 기다렸다. 그리고 그가 눈을 떴을 때, 그는 쓸쓸하기 그지없는 식탁과 싱크대와 냉장고, 가스 레인지, 찬장 따위를 보아야 했다. 희뿌연 안개에 잠긴 저 공간. 자신의 손길이 만들어놓은 생활이 이끼처럼 혹은 습관처럼 배어 있는 저 부엌이 왜 지금 비현실로 다가오는 것일까. 마치 잘못 떨어진 물감처럼 짙은 이질감으로 자기 존재가 느껴지는 까닭은 무엇일까.

정호준!

태경은 이 이름을 목청껏 소리쳐 불러보고 싶었다. 목이 터지도록. 그래서 그 외침 속에 자신의 온갖 느낌이 녹아버리도록. 하지만 태경의 이런 형체 없는 감정들은 오래갈 수 없었다. 근우의 방에서 자명종이 기절하듯 울어대었던 것이다. 어머니와 주부로서의 하루 일은 언제나 저 자명종의 울음으로 시작되었다.

오전 9시 반.

태경은 집에 혼자 남았다. 집 안은 고요하고 주위도 그랬다.

가을 볕이 거실 바닥에 세모꼴의 융단으로 깔리고 미처 바닥을 차지하지 못한 볕은 벽에 붙어서 교합을 시작했다. 태경은 열린 유리문짝에 등을 대고 섰다. 먼 눈길이 북한산의 한 등성이에 닿았다. 가을 산이었다. 빛과 어둠이 산의 표정을 바꾸고 물든 가을 잎들이 또한 산의 마음을 바꿔놓았다. 그곳에 다시 갈 수 있을까? 태경은 송추와 장흥을 생각했다.

그리움이 이적처럼 산과 골짜기를 옮기고 사람도 옮겨놓아, 태경은 자신이 장흥의 어느 곳에 있다는 착각에 빠졌다가 순간적으로 깨어나곤 했다. 이런 혼란이 되풀이되면 태경은 쓰러질지 몰랐다.

그리움은 왜 생기는 건지, 왜 사랑하게 되는지, 산다는 건 무엇인지, 결혼은 다시 할 수 없는 건지…. 태경은 잠에 취한 기분으로 이런 생각에 빠져들었다. 그러나 이런 의문들보다 태경을 더욱 못 견디게 하는 것은 억눌려지지 않는, 이미 자신의 의지 밖으로 벗어난 욕구였다. 한 남자가 보고 싶은 것, 그를 만나고 싶은 것, 그와 말하고 싶은 것, 그의 살을 만지고 싶은 것… 이었다.

태경은 편지를 쓰기로 했다. 그는 편지를 썼다.

말할 수 없이 부끄럽습니다. 거짓말을 할 수밖에 없었어요.
그럴 수밖에 없는 내가 너무 부끄럽고 싫습니다.

태경은 이렇게 썼다.
그러나 한 번 읽고 글자들 위에 가위표를 해버렸다.
보고 싶어요.
그는 가위표가 된 종이 여백에 이런 글을 흘려 썼다. 여러 번 같은 글을 썼다. 이미 망쳐진 편지였다. 그는 자해하듯, 나는 당신을 사랑하고 있습니다, 라고 아무렇게나 갈겨 썼다. 그리고 쓰라린 마음으로 그 망친 편지지를 구겨서 갈기갈기 찢었다.

전화를 할까? 어차피… 만약에… 이런 식으로 헤어진다면 오해는 남기지 않는 게 옳지 않을까? 전화를 하자. 미안하다고. 내가 초라한 여자라는 걸 솔직히 말해야지. 차라리 그게 나을 거야. 그래서 그가 불쾌해

한다면, 나는 그가 그런 선택을 하는 사람이라는 걸 알아야 하니까….

태경은 비장하게 수화기를 들고 이미 잘 기억된 번호를 눌렀다.

어쩌면 이게 마지막일 거라고. 마지막이어도 어쩔 수 없다고. 모욕을 당한다면, 차라리 그게 자신의 약일지도 모른다고. 잠시 깊은 꿈을 꾸었노라고, 그렇게 자신을 속이자고.

그러나 호준의 반가운 목소리가 들려왔을 때, 태경의 이런 모질고 비장한 장치들은 거품보다 허술하게 스러져버렸다.

"그날 미안했어요. 얼마나 죄송하던지…."

호준이 먼저 이렇게 말했던 것이다. 태경은 울 것만 같았다.

"아니요, 아니요."

태경은 아이처럼 떼쓰듯 젖은 목소리로 말했다.

"아직 난 어른이 되자면 멀었나 봐요. 아직두 나만 생각하는 버릇이 있으니…."

"아니요. 아니예요. 그렇지 않아요…."

"아무 일 없었습니까?"

"아무 일두."

"다행입니다. 걱정이 되는데 차마 전화를 할 수가 있어야지요. 정말 다행입니다."

태경의 귀에는 이렇게 말하는 호준의 목소리가 부드럽고 촉촉하며 따뜻하게 느껴졌다. 그의 눈엔 눈물이 그렁거리고 속눈썹은 이미 젖어 있었다.

"남편이 아침에 여수로 떠났어요."

태경이 고자질하듯 말했다.

저쪽에서 한 덩어리의 침묵이 건너왔다. 태경은 침묵이 겁났다. 그리고 걱정이 되었다.

"만나서… 사과드리고 싶었어요."

태경이 말했다.

그쪽은 아직 침묵이고, 그의 숨소리가, 무엇을 더듬는, 으음 하는 소리가 섞여 들려왔다.

"제가 곧 나가거든요… 가는 길에…."

호준이 말했다. 그는 시간과 일과 태경을 어떻게 엮어보려는 것이었다.

"제가 방해를 하는 건… 자꾸만 그렇게 되면 저 자신이…."

"괜찮아요. 제가 용문 쪽으로 가야 하는데, 잠깐 차나 한잔 하죠 뭐."

생각을 정리한 호준의 목소리는 단호했다.

"네."

태경은 바보처럼 이렇게 대답했다. 그리고 그가 말하는 장소를 안다고 얘기했다. 약속은 40분 후였다.

40분은 태경에게 너무 바빴다. 이를 닦고 세수를 하고 화장을 하고 옷을 갈아입고 뒤가 뻗친 머리를 물로 축여 억지로 자리를 잡아주고…. 그런데도 그의 마음엔 40분이 길고 지루했다.

찻집에는 아직 그가 와 있지 않았다. 태경은 거울을 꺼내 도둑질하듯 자신의 얼굴을 훔쳐보았다. 얼굴 화장이 얼룩진 것처럼 보였다. 눈은 피로에 찌든 것 같았다. 속이 상했다. 또다시 잊고 있던 사실—자신이 늙었다는 생각이 떠올랐다. 그럼에도 불구하고 이런 곳에 이런 약속으로 정신없이 달려와 있는 자기가 한심해 보이기도 했다. 하지만 곧 호준이 찻집 문을 열고 들어서는 모습을 보았을 때, 태경의 갈등은 자취 없이 사라졌다.

"기다리셨어요?"

호준이 말하면서 손을 내밀었다.

태경은 이런 인사가 낯설었지만 그의 내민 손을 잡았다.

"혹시… 시간 있으세요?"

호준은 앉지도 않은 채 이렇게 물었다.

태경은 그 말에 무슨 말로 대답해야 할는지 어처구니없게도 생각이 꽉 막히는 것이었다.

그 사이 종업원이 물잔을 들고와 무엇을 마실 거냐고 물었다. 호준이 손을 내밀며 그에게 기다리라는 시늉을 했다. 그는 이곳에 앉고 싶지 않았다.

"시간 있으세요?"

호준이 다시 물었다. 그는 맑고 깊은 눈길로 태경을 들여다보고 있었다.

그러나 태경은 아직도 '시간 있으세요?'라는 너무도 쉬운 우리말의 뜻을 이해하지 못해 얼떨떨하고 당황한 표정이었다.

어디로 간다고 했잖아? 잠깐 짬을 내서 차를 마시기로… 그런데 시간이 있느냐니? 그가 말하는 '시간'은 무슨 뜻이지? 도대체 그건 어떤 시간이지?

태경은 이런 생각에 헤매이는 자신이 답답했다.

"지금… 같이 갈 수 있어요?"

호준이 부드러운 목소리로 물었다.

순간, 태경은 살갖이 졸아드는 기이한 느낌을 느꼈다. 그리고 호준을 외면한 채 고개를 끄덕였다. 예기치 않았던 어떤 일, 어떤 인생 속으로 빠져드는 기분이었다.

"그럼, 갈까요? 시간을 아껴 쓰는 게 좋으니까요."

이렇게 호준이 말하며 기대었던 몸을 세우고 앞장섰다. 그는 못마땅한 얼굴인 종업원에게 미안하다, 다음에 다시 오겠다고 말했다.

호준의 차는 시동이 걸린 채로 밖에 세워져 있었다.

그는 운전석 옆의 차문을 열어놓고 태경이 타기를 기다렸다. 태경은 자동차 문을 열고 서서 자신이 타기를 기다리는 호준의 모습―그 하나의 살아 있는 장면 앞으로 다가가면서 그로서는 좀체 경험하기 어려운 느낌을 느끼었다. 이건 분명 예사롭지 않은 선택―그래서 '운명'의 냄새가 나는 것 같았다. 그러나 그는 전혀 내색하지 못한 채 차에 탔다.

"이렇게 될 줄 알았습니다."

말없이 차를 몰던 호준이 이런 말을 했다. 태경은 갑자기 호준이 단순한 사람이 아니라 자신의 삶을 에워싸고 있는 천사나 마귀처럼 생각되었다.

"보통 땐 제가 운전을 하지 않아요. 차 속에서 그림도 그리고 생각도 해야 하거든요. 그런데 오늘은 태경 씨와 같이 가게 될 것 같았어요."

호준이 기사에게 운전을 맡기지 않은 이유 그리고 자신의 정확한 예감에 대해 말했다. 태경은 아무 말도 하지 않았다. 그는 지금 자기가 하고 있는 일이 두렵고 낯설기도 했지만 싫지는 않았다.

차는 어수선하고 시끄러운 서울 변두리를 지나 언덕길로 올라섰고, 이윽고 서울의 경계선을 벗어났다. 낮은 산과 들판 그리고 오른쪽으로 한강이 바라보였다. 태경의 가슴이 울렁거리기 시작했다. 산과 들이 그리고 강물이 다정하게 보였다.

"무슨 생각을 하시지요?"

호준이 물었다. 그 말에 창 밖을 보던 태경의 얼굴이 호준이 쪽으로 돌아가는가 싶더니 딱 멎어버렸다. 호준이 그의 왼손을 잡았던 것이다. 태경은 숨이 막히는 것 같은 압박감을 느꼈다. 몸이 돌덩이처럼 굳는 것도 같고 물같이 녹는 것도 같았다.

"무슨 생각을 했어요? 말을 한 마디두 하지 않으니까… 괜히 불안해지잖아요."

호준이 부드럽고 따뜻하게 말했다.

태경은 뭐라고 말하고 싶었다. 밖의 들판과 낮은 산의 단풍들, 흔들리는 코스모스와 갈대… 그가 방금 보았던 자연에 대해, 그 아름다운 정취에 대해 말하고 싶었다. 아무런 생각도 하지 않고 다만 그런 것을 바라보았노라고.

그러나 그는 말하지 못했다. 그는 행여나 호준과 눈이 마주칠세라 고개를 전혀 다른 한 곳에 붙들어매고 꼿꼿이 앉아 있었다. 하지만 이런 그의 안쓰러운 노력은 허사였다. 호준은 자기가 잡고 있는 태경의 손을 통해, 마치 진맥을 하는 한의사처럼 태경의 피가 끓고 있는 것을 알아채고 있었던 것이다. 햇볕처럼, 태경의 피는 자글자글 끓고 더러는 불똥처럼 호준의 살에 튀어오르기도 했던 것이다.

태경이 갑자기 찬물에 들어간 듯, 급하게 느끼며 숨을 몰아쉬었다.

"지금… 편해요? 불편하지 않아요?"

호준이 물었다.

태경은 아랫입술을 깨물었다. 그는 순간적으로 자신의 몸이 허물어져 호준에게로 녹아들어가는 환상에 빠져들었다. 정신이 아득해졌다. 태경은 호준에게 잡혀 있던 손을 고통스럽게 끌어당겨 자신의 무릎에 올려 놓았다. 차 안은 고요하고 두 사람은 고요 속에 잠겨들었다. 한동안 그랬다.

"오늘은 왜 음악을 듣지 않으세요?"

태경이 잠겼으되 흥분이 감춰지지 않은 목소리로 물었다.

"아, 그랬나요? 전 그런 건 생각두 못 하고 있었는데!"

호준이 놀랍다는 목소리로 말했다.

"듣고 싶으세요?"

그가 다시 태경의 얼굴을 돌아보며 물었다.

"아니요. 전 음악을 잘 몰라요. 그냥… 늘 그랬으니까… 차만 타면 음악부터…."

태경이 말했다. 호준이 낮은 소리로 웃었다. 태경은 그가 웃는 까닭을 몰라 공연히 얼굴을 붉혔다. 자기가 무슨 실수라도 했는지, 켕기기부터 했다.

"사실이 그래요. 차만 타면 테이프를 끼우는 게 습관인데… 당신이… 당신이 내 오랜 습관조차 무력하게 만들었습니다. 바로 당신이…."

호준이 천천히 말했다.

태경은 그의 낮고 무게가 느껴지는 목소리에서 웬지 슬픔의 냄새가 나는 것 같다고 생각했다. 그리고 그런 느낌과 냄새로 자신의 마음에 옷이 입혀지는 듯한 느낌도 느끼었다. 그러나 옷이 무슨 옷인지, 왜 입어야 하는지도 모르는 아이처럼, 태경은 호준이 한 말의 뜻을 전혀 이해하지 못했다. 그것을 이해하기도 전에, 태경에겐 타인의 말을 옷처럼 입는, 기이한 작용이 일어났으므로.

"어떤 데서 살고 싶어요?"

호준이 물었다.

태경은 호준이 자신의 대답을 기다린다고만 생각할 뿐, 정작 입을 열어 말할 줄은 몰랐다.

"어떤 데서 살고 싶어요?"

다시 호준이 물었다. 그는 태경을 위해 집을 짓고 싶다는, 방금 영감처럼 떠오른 생각에 사로잡힌 것이었다.

"이상해요. 생각이 안 나요. 아무것도 생각할 수가 없으니…. 난 바보 멍청이가 되었나 봐…."

태경이 안타까운 목소리로 중얼거렸다. 한쪽으로 고개를 갸우뚱하고 호준의 옆얼굴을 바라보았다. 태경은 정말 자기 자신이 이상했다. 이 나이에 이르도록 집에 대해 한 번도 생각해 보지 않았다면, 그게 거짓일 터였다. 그런데도 지금 호준이 그런 걸 묻는데 왜 전혀 아무 생각도 떠오르지 않는지, 왜 생각이 나지 않는지… 태경은 스스로도 답답했다.

"태경 씨."

앞을 보며 운전만 하던 호준이 태경을 불렀다.

"네."

태경은 가라앉은 목소리로 대답했다.

"이 손을 잡을 수 있겠어요?"

호준이 자신의 오른손을 태경이 쪽으로 내밀며 말했다. 태경은 그 손을 바라보았다. 시간이, 태경의 눈길과 호준의 손 사이에서 매듭 짓듯 탁탁 뒤며 흘러갔다.

곧, 태경이 시간의 매듭을 풀며 자신의 손으로 한 남자의 손을 잡았다. 크고 따뜻한 감촉이 순식간에 태경의 가슴으로 흘러들었다. 그러나 그 따뜻함은 태경의 가슴에서 쓰라린 비애로 돌변했다. 태경은 고개를 오른쪽으로 돌렸다. 아무것도 보이지 않았다. 지금이 언제인지도 알지 못했다. 그는 다만 자신의 왼손을 가득 채운 따뜻함과, 가슴에서 일어나는 쓰라린 슬픔 때문에, 그 서로 다른 성질의 반란 때문에 혼이 빠진 것이었다.

"편하세요?"

호준이 물었다. 이제 곧 연수원 부지에 닿을 것이었다. 오늘 그가 할 일은 1천5백 평 부지의 현장답사였다.

"편해요."

태경이 대답했다.

"정말 그래요?"

호준이 다시 물었다.

"아니요. 몰라요. 난… 아무것도… 모르겠어요."

태경이 흔들리는 목소리로 더듬더듬 말했다.

"지루하진 않으세요?"

호준이 물었다.

"아니요."

태경이 대답했다.

"이제 이 굽이만 돌면 됩니다. 연수원을 맡았는데, 오늘 현장을 보려구요."

호준이 말했다.

차는 길가 샛강 옆에 멈췄다. 가을이 아니래도 강바람은 시원하고 시골의 공기는 싱그러울 것이었다. 샛강 기슭 저만큼 앞에 서양식 건물이 보였다. 서쪽으로 기운 햇살이 건물의 5층 지붕 쪽을 샛노랗게 태우고 있었다. 태경은 샛강을 향해, 풍경처럼 서 있었다. 강 건너 쪽으론 저절로 일궈진 것처럼 한가로운 작은 밭뙈기가 있고 홀로 훌쩍 큰 미루나무가 팔랑개비마냥 잎을 흔들고 있었다. 호준이 태경의 등뒤로 와서 어깨에 손을 얹었다. 태경은 놀라지 않았다.

"강물을 보세요?"

호준이 물었다.

태경이 고개를 끄덕였다.

"강물 속으로 들어가는 빛도 보십니까?"

"아니요. 어디요?"

태경이 물었다.

"저쪽을 보세요."

호준이 태경의 어깨 너머로 손을 뻗쳐 한 곳을 가리켰다.

"강물이 어두운 곳과 반짝이는 곳으로 갈리었지요? 그렇지요. 모든 것이 다 저렇게 관계하는 겁니다."

호준이 말했다. 그의 강물을 가리키던 손이 어느 결엔가 태경의 어깨 살을 만지고 있었다. 태경은 그의 말을 이해할 수 없었다. 듣지도 못했으니까.

하지만 현재의 정경이 너무 벅차고 의외여서 제대로 감당할 수도 없는 감흥에 사로잡혀 있었다.

"연수원은 어디에 지으세요?"

태경이 침묵이 불편해 이런 말을 물었다.

"저 건너편이지요. 강에 다리를 놓을 겁니다. 다리는 이쪽과 저쪽을 이어줍니다. 우리 사이엔 보이지 않는 다리가 놓였습니다. 그걸 알고 계세요?"

호준이 말했다. 태경은 숨이 막히는 걸 느꼈다. 졸리울 때 같은 몽롱함도 느껴졌다.

"저 부드러운 산봉우리를 보세요. 부드러움만큼 강한 건 없는 것 같아요. 태경 씨한테서 얻은 생각입니다."

호준이 말했다. 태경은 뭔지 모르지만 고개를 젓고 싶었다.

"나는 저 산의 부드러움을 살려낼 작정입니다."

호준이 말했다.

"어디에다가요?"

태경이 물었다.

"최종적으론… 결국 사람이지요. 연수원에 드는 사람들의 심성에 그걸 살려내는 겁니다."

호준이 말했다. 태경은 호준이 말하는 동안 자갈과 풀 그리고 나무에 부딪는 바람의 소리를 들었다.

"커피를 한잔 할까요?"

호준이 물었다.

"일을 다 해야죠."

"끝났습니다. 강과 터와 산을 보았잖습니까. 하늘도 보고 새소리도 들었으니까요. 머리와 가슴에다 영감을 실었습니다. 당신 때문에 사물이 더 명확하게 보였구요."

그들은 다시 차에 탔다. 차 안은 고요하고, 아무도 입을 열지 않았다. 태경이 차유리를 내렸다. 자동차의 속도에 반항하는 바람들이 거칠게 들이쳤다. 태경의 머리칼과 블라우스의 깃이 함부로 날렸다. 태경은 아무것도 생각할 수 없었다. 꿈이라고 밖에는 생각할 수 없는 상태에 빠져든 것이었다.

차는 이내 강가에 외따로 서 있는 서양풍의 호텔 주차장에 닿았다.

여기는 어딜까.

태경은 정신없이 자동차 밖으로 나와 서서 몽환 같은 상태로 이런 생각을 했다. 앞마당 주차장엔 여러 대의 차가 있었지만 사람들은 보이지 않았다.

"괜찮겠어요?"

차 문을 잠그고 온 호준이 넋이 빠져 보이는 태경에게 달아오른 목소

리로 물었다. 태경은 머뭇거렸다. 뭐라고 대답해야 할지 말이 떠오르지
않았던 것이다.

호준은 바람결에 너풀거리는 태경의 머리카락 한 끝을 손가락 사이에
넣고 만지작거렸다. 그들 사이로 망설임과 갈망의 시간이 빛처럼 흘러
지나갔다. 태경은 이 순간, 자기라는 생명이 녹아 없어지거나 기체로 날
아가 버리기를 바랐다. 그에겐 단지 이런 바람뿐이었다.

호준이 깊은 숨을 내쉬더니 태경의 손을 잡았다. 그는 커피숍의 입구
에서 한켠으로 난 객실 쪽 문으로 들어갔다. 호준이 종업원에게 '강 쪽
방…'이라고 말하는 소릴, 태경은 듣지 못했다. 그의 귀는 이미 멀어버렸
고 다만 눈만 뜨여서 겨우 움직이는 사물만 분간할 뿐이었다.

호준이 사무적인 일을 보는 잠깐 동안, 위로 오르는 층계 구석에 벌레
처럼 숨어 있던 태경은 그 잠깐 동안 수천만 년의 세월을 보냈다는 착각
에 빠져들었다.

이윽고 호준이 태경의 손을 잡았다. 몇 층이나 되는 계단을 말없이 올
라갔다.

그들이 들어간 방은 호준이 원했던 대로 강이 내려다보였다. 그리고
검은 바위가 드러난 산엔 단풍이 곱고 아름다웠다. 호준은 문을 걸고 아
직도 낯선 경험을 감당하지 못해 하는 중년의 소녀를 혼을 불어넣듯 끌
어안았다. 태경의 몸은 물결 같았다. 호준의 팔에 으스러지는가 하면 휘
어감기고 뭉클거리는가 하면 단단했다. 그가 태경의 열린 입에 자신의
입술을 대었을 때, 그 여자는 아침의 신선한 상쾌함과 달고 부드러운 맛
에 취하기 시작했다. 그래서 호준이 선 채로 자신의 옷을 벗기는 것도
느끼지 못했다.

이건… 안 된다.

태경은 아득한 곳에서 이렇게 말하는 자신의 목소리를 들었다.

아, 제발….

그리고 그는 속으로 애원했다. 하지만 그의 이런 말과 애원보다 먼저

그의 몸이 흠뻑 젖은 채 열려 있었다.

열린 그의 몸 속으로 뜨겁고 부드러운 하나의 생명이 들어오기 시작했다. 태경은 눈을 감은 채, 자신의 속살을 가득 채우는 충만함에 서서히 일상의 그물을 풀어버렸다. 일상의 그물, 그것은 너무도 하찮고 구질구질하고 거짓투성이였다. 자신을 지배하고 있던 그런 허위들의 거친 껍질이 이렇게 아무런 저항도 못 하고 벗겨져 나가더니… 태경의 몸이 울기 시작했다. 그의 생명이 따라 울었다. 슬프지 않은 울음. 이렇게 편안한 슬픔. 이토록 가벼운 타인의 육신이 또 어디 있을까. 두 사람은 서로의 맨살에 존중의 낙인을 찍었다. 샅샅이. 구석구석에. 조물주도 모르는 곳까지. 시간이 그들을 그곳에 둔 채 한쪽으로 비껴 지나갔다. 마침내 온갖 조바심과 안타까움이 그저 부드러움으로 녹아버린 후에, 두 사람은 얼굴을 마주보았다. 그들은 단순한 웃음을 웃었다.

"태경 씨."

호준이 태경의 이마에 젖은 모습으로 붙어 있는 머리카락을 떼어서 올리며 태경의 이름을 불렀다. 태경은 말없이 그의 가슴살에 이마를 대었다. 호준이 태경의 목덜미를 어루만졌다. 그는 이 여자와 자기가 어쩌면 전생에도 만났을지 모른다는 생각을 했다. 그렇지 않고서야 이렇게 편안할 수 없었다. 그는 이런 생각에 잠겨서 그리고 모든 욕망으로부터 해방된, 고운 심성에 놓인 채, 태경의 어깨와 팔 그리고 가슴과 허리를 차례로 어루만지기 시작했다. 그래서 그는 지금 태경이 소리없이 울고 있다는 걸 알지 못했다. 얼마 후에, 태경이 마치 미끄러지듯 돌아누우며 시트에 얼굴을 휘감고 크윽 소리내며 느껴 울 때야, 비로소 태경의 울음을 눈치채었다.

호준의 가슴이 찢기는 듯 아렸다. 미안하다고 말해야 하는지, 울지 말라고 해야 하는지, 도무지 알 수가 없었다.

그는 잠시 태경을 그대로 두었다. 문득, 이 여자는 남편이 있는 여자라는 사실이 무슨 구조물처럼 떠올랐다. 호준은 담배를 피워 물었다. 그가 피우는 담배가 절반이나 타들어갔을까? 그때 태경이 말갛게 씻긴 얼굴로 호준의 눈앞에 환영처럼 나타났다. 반갑고 기뻤다.

"걱정하지 말아요."

호준이 말했다.

태경이 호준의 왼손을 잡아, 손가락을 가닥가닥 만졌다.

"당신이… 너무… 고마워."

태경이 울먹이며 말했다.

고통의 속살

태경은 온밤을 뜬눈으로 새웠다. 그래서 오래도록 해온 아침 일이 손에 떴다. 아이들의 도시락에 수저를 빠뜨린 것도 깨닫지를 못했다.

전씨는 태희네로 간다며 아침부터 분주했다.

"그 앤 뭘 공부를 더 하겠다는지… 욕심두 참 어지간한 애다…."

아침을 뜨는 둥 마는 둥하더니 자리에서 일어서며 혼잣말처럼 뱉었다. 태경은 전씨의 그 말을 귓등으로 흘렸다. 밤에, 태희가 전화로 '어머니가 필요하다' 말하며 영어공부를 계속하겠다고 했을 때 무조건 좋은 생각이라고 맞장구를 쳤건만, 지금 그는 그런 사실조차 까맣게 잊고 있었다. 왜 어머니가 태희네로 가려는지, 알 수도 없으면서 물으려고도 하지 않았다.

"그럼 난 갈란다. 전철을 타는 게 아무래두 빠르겠지 아마."

전씨가 속옷을 넣은 가방을 들고 나와 태경에게 말했다. 그는 열병난 사람처럼 번들거리는 듯 보이는 딸의 눈을 웬지 바로 쳐다보기가 민망해 딴전을 부리며 말했다. 전씨가 신을 찾아 신었다.

"태희네 갈려구 엄마?"

태경이 깜박 생각났다는 듯이 물었다.

"그래. 거기 좀 있게 될라나 부다. 시험이 다음 달이라나 뭐 그러더구나…."

전씨가 말하며 나갔다.

태경은 현관 앞에서 환영을 보는 듯한 표정으로 서 있기만 했다. 현관
문이 닫히고 어머니가 동생네로 가는데 인사를 한다거나 차비를 드린다
거나 하는, 너무도 익숙한 행동을 하나도 하지 못했다. 멍청이처럼. 그러
나 습관이 무서워 현관문을 걸고 자신의 방으로 들어갔다. 두 겹의 커튼
이 쳐진 방 안은 아직도 밤인 것 같았다.

태경은 누웠다. 이불을 머리끝까지 덮었다. 그때 무엇—어떤 격렬한
느낌이 태경의 몸 안에서 용트림을 했다. 그는 순간적으로 자신의 몸 안
에서 일어나는 해일을 감지했다. 용트림은 거세고 위협적이었다. 마치
오장육부를 휘감아 살가죽을 훑어내는 것 같았다. 그러나 이런 현상은
이내 사라졌다. 감각도 사그라들었다. 태경은 눈을 감았다. 아무 생각도
하지 않았다. 그러나 이건 사실이 아니었다. 그는 지금 너무도 벅찬 느낌
에 휩싸여 있고 너무도 큰 생각에 사로잡혀 있어서 자기가 무엇을 느낀
다는 것, 무엇을 생각하고 있다는 걸 전혀 감각하지 못할 뿐이었다.

이윽고 태경은 잠의 늪에 몸을 뉘었다. 그의 몸은 천천히 잠겨들기 시
작했다. 아주 몽롱하게. 어쩌면 겨울잠에 들 듯이. 그래서 태경은 지금이
언제인지, 자기가 무엇인지 아무것도 알 수 없었다. 지금, 투명하고 안타
까운 가을 햇볕이 세상에 가득 차 있다는 걸, 태경의 잠 속에는 시간이
없어 알지 못했다. 어쩌면 혼령같이 가벼워진 그의 형체 없는 생명은 지
금 전혀 다른 세계를 살고 있을지도 몰랐다.

태경은 속이 훤히 비치는 가느다랗고 꼬불거리는 아지랑이 사이를 헤
엄쳐다녔다. 그는 아지랑이보다 더 투명하고 더 가늘고 더 가벼워서, 아
지랑이조차 엉뚱한 생명이 자기들 사이사이를 헤집고 다니는 걸 느끼지
못했다.

얼마나 오래도록 아지랑이 숲을 누비고 다녔을까. 태경은 부드럽고 미
끄럽고 따뜻한 감촉 속에서 눈을 떴다. 눈을 뜨자마자 어떤 느낌이 기다

렸다는 듯이 태경의 가슴속으로 들어왔다. 태경은 그 느낌이 무엇인지 금방 알아차릴 수 있었다. 자신의 몸의 크기만큼, 그런 부피로 다가와 전신으로 꽉 차는 느낌… 호준이었다. 호준은 마치 아침처럼, 태경의 목숨을 품었다. 태경은 놀랍고 반가웠다. 그는 자신의 운명처럼 자신의 생명에 꽉 찬 그리움에 자신을 내맡겼다. 그는 그리움을 만지는 듯이 자신의 살을 어루만지기 시작했다. 그의 손이 자신의 젖가슴을 만졌다. 손 안에 뿌듯하게 담겨지는, 속부터 뜨거운 가슴살이었다. 오돌거리는 젖꼭지… 호준의 입술과 혀 그리고 이빨… 싱싱한 흡입력… 허리살과 아랫배는 어떤가. 태경은 까슬거리는 거웃을 더듬고 그 밑의 부드럽게 젖은 샅도 확인했다.

그래. 얼마나 편안한 관계였던가. 태경은 그때를 기억했다. 부끄러움이나 죄악감은 다 거짓 같았다.

"당신은 아주 훌륭해요."

그때 호준이 이런 말을 했었지. 태경은 그 말을 떠올렸다. 문득 그런 호준의 목소리가 보일 것 같아 눈을 크게 떴다. 소리는 형체가 없었으나 태경은 웬지 호준의 목소리를 보고 만진 것 같은 감각을 느꼈다. 태경은 기뻤다. 그의 몸과 마음이 온통 기쁨이 되는 것 같았다.

어떻게 그런 일이 있을 수 있는지… 기쁨 중에서도 태경은 이런 의구심이 생겼다. 사실이건만 믿기지 않고, 믿기지 않아도 기쁜 그 일. 마치 흙과 뿌리처럼, 생명과 대기처럼, 아무런 거리낌도 없이 깊게 들어가고 받아들이던 그 순간… 이제 활짝 핀 꽃처럼, 그래서 벌에게 꿀을 주듯이 …. 태경은 이런 감동 상태에서 신을 생각했다. 살아가는 일이 고통과 권태라면, 신은 그런 축복으로 새 힘을 솟게 했으리라. 그래서 그건 축복이리라… 축복. 태경은 그 시간에 그랬던 것같이 소리없는 울음을 울었다.

당신이 너무 고마워요. 태경은 천번 만번 이렇게 말하고 싶었다. 호준이 찾아준 자기라는 여자에 대해, 태경은 감사하고 싶었다. 자신이 여자라는 것, 여자에게 남자가 무엇이라는 것 그리고 둘의 깊은 교합이 얼

마나 아름다운 것인지를… 호준이 깨우쳐준 것이라고… 태경은 그렇게
생각했다.

… 만약에, 호준과 다시 만날 수 없다 하더라도 태경은 그에 대한 감
사를 잊지 않겠다고… 거의 비장한 기분으로 생각했다.

태경은 가볍게 일어났다.

이제 현실이 보였던 것이다. 그러나 지금의 현실은 예전과 달랐다. 태
경은 보고 느끼는 모든 것이 다 즐거웠다. 우울과 권태와 불만족과 짜증
과 불안… 이런 온갖 어두운 감정들이 흔적도 없이 사라진 것 같았다.

태경은 커튼을 젖혔다. 노르스름하게 잘 익은 가을 볕이 세상에 가득
차 있었다. 어디선가 아지랑이 같은 것이 아른대는 것도 같았다. 태경은
창문도 열었다. 소리와 바람이 한꺼번에 들어왔다. 태경은 그런 모든 것,
세상에 존재하는 모든 것에 인사를 했다. 모든 것이 반갑고 또한 편안했
다. 일찍이 이렇게 세상을 향해 자기 자신을 내던지고 거리낌없이 마주
선 적이 있었던가. 공연한 쑥스러움과 어색함 그리고 근거도 없는 자책
감의 야비한 껍질을 벗어던진 채로. 이렇게 당당하게. 따뜻하게. 태경은
물든 단풍나무와 은행나무를 바라보고 건너편 집과 축대도 보았다. 가을
볕 속에서 아직 형체도 없이 예비되고 있는 겨울도 느꼈다. 모든 것이
다 좋았다. 이토록 좋은 것을 세상에 알리고 싶은 생각이 들었다. 우선
사람끼리 사람의 말이 통하는, 그런 누구에게라도 말해 보고 싶었다.

나를 보렴. 얼마나 행복해 보이니? 나는 세상의 행복을 경험했단다.
신이 여자와 남자에게 준 축복 말이야….

태경은 입으로 소리내어 말했다. 자신의 느낌, 말하고 싶은 말을 소리
내었다. 그러나 지금은 혼자였다. 쥐도 새도 그의 마음의 소리를 들을 수
가 없었다.

태경은 일기를 쓰고 싶었다.

그는 지난 초여름에 사다둔 공책을 찾아냈다. 공책은 아무것도 적히지
않은 채 화장대 서랍 밑바닥에 뉘어 있었다.

1991년 10월 29일

태경은 날짜를 적었다.

그러자 가슴에서 슬픔인지 격정인지 알 수 없는 덩어리가 용트림을
치다 아리게 가라앉았다.

태경은 볼펜을 힘주어 잡았다. 절대로 풀어놓지 않을 것처럼. 그리고
이렇게 썼다.

나는 사랑한다.

사랑하는 사람과 같이 잤다.

부끄럽지 않고 죄책감도 들지 않았다.

나는 그 동안 내가 미처 알지 못하고 살아온 내 속살의 진실과 만났
다. 이런 기회를 살게 해주신 내 운명의 신에게 눈물로 감사한다.

내 사랑 정호준.

내 생명에, 내 운명에 덧씌워진 여러 가지의 거짓들을 물리쳐준 사람.
그립고 보고 싶다. 그는 지금 호흡처럼 내 속에 살아 있다. 나는 그를 느
낀다. 내 몸에 들어와 있는 남자. 내가 내 생명을 느끼도록, 용기가 힘겹
지 않다는 것을 일깨워준 남자. 함께 있고 싶은 그 사람에게, 부디 축복
을 내리소서….

태경은 일기장에 얼굴을 대고 울었다.

행복해서. 그리워서. 그리고 아무에게도 말할 수 없어서. 기쁨을 얘기
할 수가 없어서. 나눌 수가 없어서. 그래서 울었다. 하지만 그는 자신의
울음 뒤에 버티고 있는 엄청나게 커다란 벽을 차마 볼 수 없었다. 보려
고 하지 않았다. 호준이 옆에 없다는 사실, 그와 얘기할 수 없다는 사실
…. 그 벽이 아릿하게 느껴질라치면 태경은 불현듯 자신의 '어제'를 떠올
렸다. 어제만으로 좋다고 자신에게 말하는 것이었다. 더 이상은 욕심이
라고, 욕심을 부리면 반드시 화가 닥친다고, 태경은 그렇게 자신을 서글

241

프게 타일렀다.

태경은 얼굴을 들었다. 아직 눈물이 마르지 않은 일기장의 종이가 물집처럼 부풀어 보였다. 태경은 그 일기장의 슬프고 아픈 홈집 때문에 다시 눈시울이 뜨거워졌다. 그는 마치 망설이는 것처럼 일기장의 겉장을 덮었다. 그리고 나서 그것을 와락 움켜안았다. 그런 격정의 몸짓과 함께, 그가 이제는 아주 서럽게 흐느끼기 시작했다. 도저히 감출 수 없는 그리움 때문에 그러나 결코 채워질 것 같지 않은 그리움 때문에. 그렇게 울면서, 태경은 '그래도 그는 살아 있는 사람이다'라고 자신에게 말했다. 그리고 그 사람과 자기가 '같은 하늘' 아래 있다고, 이 서울 땅에 있다고, 택시만 타면 20분 만에 그가 일하는 사무실 앞에 갈 수 있다고… 자신에게 말했다.

그런데 무슨 조화였을까. 이때 문득, 세상에는 죽음이 갈라놓은 그리움도 있다는 생각이 영감처럼 떠오른 것이었다. 태경은 부르르 몸을 떨었다. 온몸이 차게 식으며 소름이 끼치는 것이었다. 죽음이 갈라놓은 그리움…. 태경은 무슨 저주 같은 이 생각에서 도망치고 싶었다. 그는 일기장을 품은 채 벌떡 일어났다. 어딘가에 꼭꼭 숨겨야 했다. 아무도 볼 수 없게. 빛도 스며들 수 없고 운명도 찾아낼 수 없게. 정말 그래야 했다. 태경은 지금 선 자리에서 서너 번이나 빙빙 돌았지만 안심할 데를 찾지 못했다.

결국 그는 장롱 밑바닥 제일 끄트머리, 벽과 맞닿은 곳에 일기장을 밀어넣었다. 방 안에서 그가 찾아낸 일기장의 안식처였다. 태경이 눈을 감았다. 하고 싶은 기도가 많았으나 하소연할 말이 떠오르지 않았다. 이윽고 그는 아직 젖은 눈을 손등으로 비비며 방에서 나왔다. 한나절이 지나 있었다. 저 혼자 밀물처럼 들어왔던 햇살이 이미 앞 베란다 끝에 보자기만큼 남아서 무슨 소리 같은 모양으로 아롱거렸다. 태경은 마음이 잡히지 않았다.

집 안이 왜 어둡게 보이는지 몰랐다. 그는 두 팔이 어긋나게 어깻죽지를 부여잡고 서성대다가 전화기 옆에 습관처럼 앉았다.

태경은 왼손 엄지손가락을 입에 물었다.

지금 무엇인가를 해야겠는데 그것이 무엇인지 전혀 감이 잡히질 않는 것이었다. 더 이상 바랄 것이 없는 기분이다가도 허전함이 무섭게 밀려들었다. 어머니가 필요하면서 어머니의 존재를 알지 못하는 갓난아이처럼, 그는 그저 보채고 싶은 것이었다. 무엇을 어디에 어떻게 보채야 할지도 모르면서 그랬다.

태경은 이런 종잡지 못할 갈등의 소용돌이를 몸에 숨긴 채 손톱을 씹다가 수화기를 들었다. 수정이라도 불러서 아무 얘기나 떠들어대고 싶어서였다.

그런데 이상했다.

태경이 숫자를 누르고 신호음이 두 번 울렸을 때, 귀에 익은 젊은 여자의 목소리가 '준 건축입니다'라고 했던 것이다.

태경은 질겁하고 수화기를 내려놓았다. 순간, 무엇에 홀린 기분이 들어 머릿속이 다 얼얼했다. 자기는 분명히 수정이네 번호를 눌렀는데 왜 준 건축이 나왔는지… 태경은 기가 막혔다. 다시 숫자를 누르기가 두려웠다. 그러나 오래도록 가만히 있을 수는 없었다. 그는 돋보기 눈을 뜨고 숫자를 하나하나 확인하며 눌렀다. 신호음이 달음질치듯 울렸다. 한 번 그리고 두 번… 태경은 다섯 번까지 무심하게 기다렸다. 그러나 열 번이 넘게 빈 소리가 울리고 나서야 맥없이 수화기를 내려놓았다.

수정이도 없다니… 누구하고 얘길 하지? 태경은 갑자기 자기가 더없이 외로운 외톨이로 느껴졌다. 그뿐만이 아니었다.

갑자기, 정호준이라는 남자는 아주 먼 별나라에 있는 존재처럼 생각되었다. 자기로선 도저히 가 닿을 수 없는 상대. 태경은 죽고 싶었다. 자신의 마음이 마구 구겨져서 한 움큼도 되지 않게, 그런 모습으로 버려지는 게 문득 눈에 보였다. 태경은 곤두박질치듯 무릎에 얼굴을 묻었다. 그리고 그는 자신의 마음 깊은 동굴 속에서 울리는 소리를 들었다. 물에 흠

빽 젖은 소리─나는 어떤 남자랑 잤단다아아아….

1초가 지나고 10초가 지나갔다. 소리는 물이랑을 따라 세상으로 퍼져나가고 태경은 검은 점 하나로 초라하게 내던져져 있었다. 태경은 그런 환상에 사로잡혔다.

1분이 지나고 10분이 지났다. 태경은 마치, 그래도 살고자 하는 생명처럼 고개를 들고 태희네로 전화를 걸었다. 신호음이 울리기 무섭게 전씨가 여보세요, 했다.

"엄마, 나야."

태경이 힘없는 목소리로 말했다.

"목소리가 왜 그렇냐? 좀 잤니?"

전씨는 본능처럼 딸의 건강을 염려했다.

"잤어요."

"기운이 하나두 없어 보이는데…."

"괜찮아."

"그래! 괜찮다! 네 나이 때 나두 이유없이 아팠단다. 여자가 그 나이 되면 늙느라구 자꾸만 아프단다. 걱정 마라."

걱정 마라….

태경은 자신의 가슴에서 자꾸만 메아리치는 이 말을 가만히 듣고 있었다. 눈물이 그렁거리는 눈을 하고.

전씨가 계속 말을 했지만 태경은 듣지 못했다. 그는 속으로, 어머니, 그게 아니라구요… 나는 다만… 내 비밀이 너무 두렵고… 그리고 너무 힘이 들어서… 라고 말했다. 전씨는 태희가 얼마나 살림을 엉터리로 사는지, 요새 젊은 남자들은 많이 달라졌다고, 그런데도 집 밖으로 나돌지 못해 발광하는 젊은 것들이 한심하다고, 집안이 단단해야 세상도 좋아지는데 젊은 사람들 사는 방식은 희한스럽다고… 얘기했다. 태경이 거의 한 마디도 새겨듣지 못한다는 걸 털끝만큼도 눈치채지 못한 채.

"태희 오면 전화 하래라?"

전씨가 물었다.

"그럴까요?"

비로소 태경이 대답이라고 한 마디 이렇게 말했다.

"야, 누가 왔나 부다. 기다릴래?"

초인종소리가 울리자 전씨가 급한 소리로 말했다.

"아니 엄마. 다음에 다시 걸게요."

"그래라."

어머니와 딸은 이렇게 어긋나는 통화를 끝냈다. 그래도 태경은 어머니와 몇 마디 얘기해서 기분이 달라졌다. 그는 혼자서 걷고 싶은 생각이 들어 바지와 셔츠를 입고 운동화를 신었다. 집 뒤쪽의 북한산으로 갈 생각이었다.

주택 사잇길을 걸을 때, 태경은 챙이 밭은 등산 모자를 깊이 눌러 썼다. 오후에 중년의 유부녀가 산으로 혼자 간다는 게 아무래도 태연스럽지 않아서였다. 이웃의 아는 얼굴과 마주칠까 염려도 되고 이상한 소문이 돌까 지레 걱정도 되어 몇 번이나 되돌아가려고도 했다. 하지만 그의 발걸음은 이런 주저와 망설임을 밀어내며 산 쪽으로만 향했다.

평일 오후의 가을 산이라고 아주 텅 비어 있지만은 않았다. 산속 샘에서 약수를 길어오는 늙수그레한 아저씨들, 도토리를 줍고 있는 시골 출신의 아주머니들도 있었다.

새가 날갯짓을 하며 서로 자기들 소리로 얘기하고, 바람은 물든 나뭇잎 사이로 헤엄치고 더러는 시나브로 잎을 타고 땅바닥에 구르고… 하늘에서 볕은 산과 숲과 나무와 바위와 흐르는 물 위에 공평하게 내려앉아 평화로운 교합을 하고 있었다.

태경은 크고 작은 바위가 내려앉은 골짜기로 내려섰다. 바위 뿌리 사이로 맑은 물이 소리내며 흘렀다. 태경은 손바닥으로 따뜻한 바위를 어루만졌다. 예기치 않았던 위안이 느껴졌다. 그는 깊게 숨을 쉬었다. 맞은편 동쪽 바위산 기슭은 기운 햇살에 무참히 알몸을 내놓은 모습이었고,

단풍든 잎사귀들은 소리도 없이 여기저기서 떨어져내렸다.

　바위야.

　태경은 속으로 바위를 불렀다.

　내 비밀을 지켜줄래?

　태경은 바위를 쓰다듬었다.

　내 비밀을 네게 줄테니…. 난, 사랑하는 사람이 생겼단다. 이건 너만 알아야 해. 세상에 이런 사랑이 있다는 걸 난 정말 알지 못했어. 내가 어떤 처진지 말하지 않아도 잘 알겠지. 그런데 사랑을 한단다! 그래서 죽고 싶단다.

　나무야. 내 비밀을 간직해 줄래?

　내가 어떤 남자랑 잤다는 거. 이건 정말 비밀이야. 그때 느낀 행복감도 너에게 줄게. 그건 신의 축복이었으니까. 그렇지만 나는 그걸 간직할 수 없단다. 내 가슴은 너무 작고 보잘것없어서. 그런 비밀의 보석을 담아둘 자격이 없구나. 나무야. 나를 이해할 수 있겠니? 이해할 수 있겠지.

　시냇물아.

　내가 사랑하는 건 사람인데 왜 나는 사람이 무서워 너에게 말해야 하는지 모르겠다. 내 비밀을 싣고 먼 바다로 나가렴. 그래줄 수 있겠니?

　태경은 하늘을 보고 볕을 품은 바위산을 보고 바람을 나르는 잎사귀들을 바라보았다. 마음이 편안해졌다. 힘겹던 짐을 내려놓는 기분이었다. 태경은 바람을 받고, 바람과 함께 땅으로 흘러내려 뒹구는 단풍든 잎사귀를 보았다. 바람은 잎사귀의 추억 속에 들어가 한몸이 되고 마침내 흙으로 환생할 것이었다. 태경은 노래를 부르기 시작했다.

　　눈부신 아침 햇살에
　　산과 들 눈뜰 때
　　그 맑은 시냇물 따라
　　내 마음도 흐르네

가난한 이 마음을
당신께 드리리
황금빛 수선화
일곱 송이도…

태경은 다람쥐를 보았다. 사물을 관찰하는 영리한 두 눈도 보았다. 털
이 예쁘고 부드럽다는 걸 처음 알아냈다. 태경은 그 다람쥐의 유연한 등
허리에도 비밀을 얹어주었다. 산 위쪽에서 남자들의 목소리가 들려왔다.
　문득, 태경의 평화가 유리처럼 깨어졌다. 태경은 질린 표정이 되어 뒤
를 돌아보았다. 등산복 차림의 남자 둘이 내려오고 있었다. 태경은 일어
나 아래쪽으로 걸었다. 머잖아 건물과 길이 보이고 자동차소리도 들려왔
다. 사람들 사이의 어리석고 옹졸한 생채기들이 공기처럼 태경의 가슴으
로 스며들었다. 저녁때야. 태경은 자신에게 꾸짖듯 말했다. 어떡하면 좋
지? 마치 지병처럼 불안이 태경을 사로잡았다. 산에서 그와 화해한 평화
로운 그리움은 어디 갔을까. 태경은 자기가 무엇 때문에 켕겨 하는지도
모르면서, 마냥 움츠린 채 집으로 들어갔다. 문 앞에 소영이의 책가방과
도시락 주머니가 무슨 질책처럼 놓여 있었다. 가슴이 철렁 무너져내렸
다. 내 정신 좀 봐. 열쇠도 안 맡기고….
　태경은 겁먹고 당황한 눈으로 주위를 두리번거렸다. 아무도 없었다.
　그는 서둘러 주머니의 열쇠를 꺼내 현관을 열고 아이의 가방들부터
집어넣었다.
　내가 미쳤어!
　태경은 잘 벗겨지지 않는 운동화를 뿌리쳐 벗으며 자신을 꾸짖었다.
집 안은 우중충하고 을씨년스럽게 보였다. 태경은 쓸데없이 거실과 방들
의 불을 켰다. 아직 저녁때는 아니었다. 그런데도 태경은 집 안이 겨울
저녁처럼 보였고, 그것이 다 가정주부인 자신의 죄 때문이라고 생각했
다. 자신이 지은 죄 때문에 집 안이 이렇게 스산하고 우중충하다고.

이 앤 어딜 갔지? 어디 가서 처량하게 서 있는 건 아닐까? 엄마가 어디 갔다고. 열쇠도 맡겨놓지 않고. 그래서 이집 저집 찾아다니면…. 태경의 마음은 불길하고 불안한 쪽으로만 내달렸다. 불과 한 시간 전에, 그가 자신의 정신을 다 바쳐 노래부른, 그 해맑은 황금빛 수선화 일곱 송이는 어떻게 되었을까. 그리고 바위와 시냇물과 바람에 실려 보내던 애절한 소망들은 무엇이란 말인가. 이제 태경은 애매모호한 습관적 죄책감에 시달리는 가련하기 짝이 없는 중년의 가정주부일 뿐이었다.

그는 경비실에 인터폰을 해봤다. 경비는 소영이가 어디 갔는지 모른다 했다. 조금 전에 열쇠를 찾으러 와서 엄마가 어디 갔느냐고 묻기는 했다는 것이었다. 태경은 소영이가 갈 만한 집에 인터폰을 했지만 두어 군데다 아이가 없었다.

다아 내 탓이다. 내 탓이야. 집구석을 이 지경으로 만들고… 내가 미쳤어… 미쳤어….

태경은 옷을 갈아입고 무작정 아이를 찾으러 나섰다. 그런데 그가 현관 밖 계단을 내려서자마자 소영이가 노래를 부르며 들어오고 있었다.

"소영아!"

태경이 감격적으로 아이를 불렀다. 그러나 소영이는 그런 어머니의 엉뚱한 모습을 이해하지 못해 뜨악한 눈으로 쳐다보았다.

"화났니?"

태경은 딸을 끌어안으며 흔들리는 목소리로 물었다.

"아아니이."

아이는 정말 태연스러웠다.

"어디 갔었어?"

"미영이네."

"정말 화 안 났니?"

"아니."

"정말?"

"엄마가 멀리 안 갔다구 생각했지 뭐. 열쇠를 안 맡겼으니깐."

"그랬니? 어쩌면 우리 소영인 이제 다 컸네. 엄마보다두 속이 넓구."

태경은 말하며 아이의 등을 토닥거렸다.

"온 지 오래되진 않았구나."

태경은 아이와 함께 집 안으로 들어서며 물었다.

"엄마. 그런데 어디 갔었어?"

"엄마? 요기 산에."

"산에는 왜?"

"그냥… 건강하게 살아야 하니까. 운동이지 뭐. 우유 마실래?"

태경은 아이의 말을 듣기도 전에 냉장고부터 열었다.

"우유가 없네. 오늘이 무슨 요일이지? 우유가 안 오는 날이구나. 주스
두 없구… 사과 줄까?"

이렇게 말하면서 태경은 야채실을 열었다. 먹던 파 두어 뿌리와 껍질
깐 양파 한 개만 달랑 들어 있었다. 냉장고가 이렇게 비도록 내가 정신
을 잃고 살았구나… 태경은 기가 막혔다. 비어 있기는 냉동실도 마찬가
지였다.

"엄마, 나 멸치하고 장조림 지겨워!"

식탁에 앉아 있던 소영이가 갑작스런 목소리로 소리쳤다. 태경이 켕기
는 표정으로 어린 딸을 돌아보았다.

"월요일부터 매일 그것만 싸줬잖아!"

"어머 그랬니?"

"엄만 그것두 몰랐어?"

태경은 할말이 없었다.

그는 아무 말도 못 하고, 시집살이가 무엇인지도 모르는 시집살이 새
댁같이 무조건 주눅든 몸짓으로 여태 열고 있던 냉장고 문을 닫았다.

"1동에 내 친구 이사 온 거 알아, 엄마?"

"1동에?"

"5학년 때 나랑 짝이었던 혜순이 말야!"

"그랬니? 잘되었네. 친구두 생기구."

"그런데 혜순이 엄마는 기자다. 엄마보다 더 멋쟁이야. 신문사에 다닌 대. 아빠는 교수구. 혜순이네 거실엔 책으로 벽을 쌓았어. 엄마두 한번 가봐."

"혜순인 엄마가 집에 없겠네. 일하러 다니니까."

"엄마두 집에 없잖아."

"내가?!"

태경은 아이의 말뜻이 제대로 삭혀지지 않았다. 그럼에도 온몸에 불이 끼얹히는 느낌이 들었다.

"나두 크면 기자가 될 거야."

아이가 뻐기듯 말했다. 태경은 더 이상 아이와 말하고 싶지 않았다. 어린 딸아이로 하여금 모멸감을 경험하게 되다니… 상상인들 했으랴. 아이도 어머니의 심난함이 느껴졌는지 슬며시 일어나 냉동실을 열었다. 낱 개로 포장된 아이스크림 하나를 꺼내더니,

"나 혜순이네 가보구 올게."

하고는 태경의 대답도 듣지 않고 나갔다. 태경은 아이가 나간 다음 식 탁의자에 주저앉았다. 자신의 살이 분명하다고 믿었던 어떤 부분이 우습 지도 않게 떨어져나간 것 같아서, 그는 망연하고 서럽고 분한 것이었다. 자기가 무엇을 잘못 알고 있었는지, 아니면 자신의 반응이 차라리 어리 석은 건지, 도무지 헤아릴 수가 없었다. 내가 도대체 무얼 잘못 살았나.

요사이 한두 달… 그 일 때문에?

태경은 화가 났다. 자기 자신에 대해. 부모 자식의 당돌한 관계에 대 해. 자신의 하찮은 현재에 대해. 그러나 태경은 화를 내고 있는 자기 자 신만의 시간을 오래도록 가질 수가 없었다. 아직도 현관 문턱에 놓여 있 는 아이의 도시락 가방이 태경을 일하라고 했다. 싱크대 설거지통엔 아 침나절 그릇이 그대로 담겨 있었고 비우지 않은 쓰레기통엔 생선 뼈와

계란 껍질, 과일 껍질이 말라가고 있었다. 살짝 문이 열린 다용도실엔 빨래대야에 아무렇게나 빨랫거리가 담겨 있고 화분의 마른 흙도 물을 먹어야 했다. 빈 냉장고도 채워야 하고 무섭게 들리던 아이의 도시락 반찬 편잔도 해결해야 할 것이다. 화장실 수도꼭지엔 비눗물 얼룩이 지저분하고 변기엔 노리끼리한 오물 이끼가 끼었다. 웬지 뿌옇게 느껴지는 집 안의 가구들과 의자, 모노륨 무늬에 낀 검츠레한 때, 양탄자 털 속의 먼지, 유리의 얼룩과 액자 틀의 먼지…. 이 모든 것이 태경의 세상으로 뻗은 욕망과 열정을 잡아채었다. 그리고 그런 욕망과 열정이 죄악이라고 지레, 스스로 겁을 먹게 했다.

1동으로 이사 왔다는 기자라는 여자는 어떻게 살지? 그 여자도 아이가 있고 남편이 있을테지. 그럼 가정은 누가 돌보나? 파출부가 올테지. 가정부가 있을지 아나. 그럼 나는 뭐야? 파출부고 가정분가? 소영이가 왜 그 여자가 나보다 '멋쟁이'라고 찍어서 말했을까? 파출부고 가정부인 엄마가 부끄러워서? 나는 '현모양처'인데. 누구나 그렇게 말했는데. 가정만 위해서 산다고. 아이와 남편, 시집식구들과 친척들을 위해서. 그런데, 지금 나는 뭐야?

마흔네 살에, 온통 흘러내려 볼품 없는 얼굴, 아랫배의 군살. 남편은 더 세련되고 젊은 여자가 있겠지….

태경은 갑자기 머리가 팽 도는 걸 느꼈다. 갑자기 아… 하고 하늘이 갈라지게 울부짖고 싶은 충동이 솟구쳤다. 태경은 그렇게 북받치는 충동에 정신을 잃을까 봐 혀를 깨물었다. 때때로 느끼듯 숨을 거푸 몰아쉬었다. 이때, 느닷없이 하나의 음성이 들려왔다.

"당신은 아주 훌륭해요."

한 개의 커다란 찌꺼기같이 굳었던 태경의 몸이 이 한 마디 말에 스스로 녹기 시작했다. 그래! 그가 있었구나. 너무 고마운 사람!

완벽한 일체감… 태경은 그가 그리웠다.

이렇게 혼처럼, 대기처럼 다가온 그리움이 그의 현재, 그리고 그가 놓인 일상을 거짓말처럼 걷어내 버리는 것이었다.

태경은 기쁨을 느꼈다. 그는 기쁨과 눈물이 가득 고이되 아주 가벼워진 듯한 자신의 몸을 일으켰다. 아이의 도시락 주머니를 풀고 그릇을 씻고 청소를 시작했다. 빨래도 하고 흰색의 면속옷들을 삶았다. 화장실의 스텐 재질 수도꼭지도 반짝거리게 닦았다. 그리고 저녁밥을 지었다.

배가 고프다고 저녁밥을 재촉하던 아이 둘은 텔레비전에서 개그 쇼가 시작되자 딴전을 피웠다. 태경은 싱크대에 허리를 기대고 서서 저녁밥이 차려진 식탁과 빈 의자들 그리고 거실에서 식탁과는 아랑곳없이 깔깔대고 웃는 아이들을 바라보았다.

김이 오르고 있는 돼지 갈비찜, 아이들이 좋아하는 과일 샐러드… 태경은 식탁에 오른 음식들에서 자신의 방치된 자책감을 보았다. 생전 처음 혼자 나가본 오후의 짧은 산행에서 돌아왔을 때, 태경을 참혹하게 후려치던 자책감이 결국은 저런 빈 식탁이란 말인가? 태경은 아이들을 사로잡는 개그 쇼의 영향력과 싸울 수가 없었다. 아이들이란 어머니라는 밭에서 자유분방하게 자라는 식물일지 몰랐다. 밭은 다만 그것을 자라도록, 그것이 필요로 하는 것을 주기만 할 뿐…. 그것이 유일한 역할이 아닐까.

태경의 시선은 식탁과 아이들을 무심히 지나 거실 유리문 밖의 어스름에 잠긴 뜰로 나갔다. 붉던 단풍잎은 어두운 갈색으로 잠겨들고, 나뭇가지 사이의 허공도 잿빛의 불투명한 색조를 띠고 있었다.

갑자기, 태경은 저 유리문 밖으로 나가고 싶어졌다. 나무와 저무는 저녁 대기 속에 끼어들고 싶은 것이었다. 어두워지는 저녁이 태경의 마음을 집 밖으로 이끌어내다니… 기가 막힌 일이었다. 집 밖에 나갔다가도 날이 저물기 전에 집으로 들어가려고 생리처럼 인간힘을 쓰던 여자였는데….

근우가 먼저 식탁으로 왔다.

"오빠 안 볼 거야?"

소영이가 공범자를 놓칠새라 앙칼진 목소리로 물었다.

"밥 먹으면서 볼 거야."

근우가 돼지 갈비 토막을 입에 물며 대꾸했다.

"치이!"

소영이가 혀를 찼다. 그러면서 느즈러지게 식탁으로 왔다. 태경은 말없이 갈비 그릇을 따끈한 것으로 갈아놓았다. 그러나 정작 그는 의자에 앉지 않았다. 간을 보느라 몇 개씩 집어먹은 게 터무니없게도 그의 속을 더부룩이 채워버린 것이었다.

"엄마는 안 먹어요?"

거실 쪽으로 가려는 태경에게 근우가 물었다. 태경은 문득 발을 멈추고 아들 뒤에 섰다.

"난, 하면서 집어먹었단다."

아들의 사소한 친절에도 괜시리 목이 메일 것 같아, 태경은 간신히 이렇게 말하며 아이의 목덜미를 어루만졌다.

"언제나 엄마는 안 먹으면서 우리보구만 먹으래더라."

소영이도 끼어들었다. 태경은 아이들에게 무엇이 더 필요한가 살펴보고 거실로 갔다. 소파에 주저앉아 뜰을 바라보았다. 뜰은 그 사이 어두워져서 방 안 풍경만 음각으로 비추고 있었다. 태경의 마음에도 어둠이 고였다. 깊이를 잴 수 없는 마음의 어둠 속에 슬픔이 수은 방울처럼 떨어졌다. 슬픔이 어둠을 흔들고, 그의 마음이 흔들렸다. 태경은 슬픔이 싫지 않았다. 그리고 그는 슬픔이 자신의 몸 안 가득히 퍼지고 차오르는 걸 느꼈다. 그는 슬픔과 둘이만 있고 싶어졌다. 자신의 슬픔을 느끼고 쓰다듬고 얘기하고 싶었다. 저 어두워진 세상으로 나가서. 어둠에 서 있는 나무처럼. 깊은 가을처럼. 별처럼. 하늘처럼. 태경은 세상에, 드넓은 세상 속에 서 있고 싶었다. 태경은 그래야겠다고 작정했다. 그는 엉덩이를 덮는 스웨터를 걸쳤다. 그리고 아직 저녁을 먹고 있는 아이들을 외면한 채 말했다.

"나 시장에 좀 다녀올게."

그는 현관에서 신발을 신을 때 등이 따갑고 목뒤가 켕겨드는 걸, 죄책감처럼 느꼈다. 그러나 아이들은 그의 죄책감의 무게에 비하면 너무도 가벼워서 차라리 장난같이 응, 그래, 라고 대답하고 그만이었다.

태경은 'ㄹ'자로 휘어진 긴 골목의 보안등 사이, 그 어둠과 밝음의 거리를 흡사 풍경처럼 지나갔다. 그리고 시장 골목도 그렇게 지나쳤다. 태경은 지금, 한 사람이 보고 싶었다. 그가 있는 곳으로 가고 싶은 것이었다. 슬픔 속에 녹아 있던 그리움이 밤거리에 나서자 더 이상 참지 못하고 터져나오는 것이었다. 눈부신 아침 햇살에 산과 들 눈뜰 때 그 맑은 시냇물 따라 내 마음도 흐르네. 가난한 이 마음을 당신께 드리리… 태경은 속으로 노래했다. 노래하면서 자꾸만 걸었다. 가로등과 가로수, 찻길과 인도로 뒹굴거나 구석진 곳에서 몸을 풀고 있는 낙엽, 택시와 자가용과 버스, 어른과 학생, 여자와 남자… 땅에 그려진 길과 집, 산과 강, 들과 바다… 거기 어디엔가 있는 한 사람…. 이렇게 걷고 또 걷다 보면 마침내 그에게 닿지 않을까… 내 가난한 마음을 드릴 수 있는….

얼마나 걸었을까. 어쩌면 한 세월이 지났을지도 모른다. 혹은 10분. 그러나 지금 태경에게 그런 시간들은 아무짝에도 쓸모가 없었다. 태경은 언젠가 준 건축에 다녀오던 날 들렀던 레스토랑 앞에 닿았을 때, 주저없이 지하 계단으로 내려갔다. 어둑한 조명등 아래 테이블을 차지한 사람들이 보이고 귀에 익은 수십 년 전의 팝송이 들려왔다. 종업원이 쭈뼛쭈뼛 들어서는 태경을 안내했다. 이런 시간에 혼자서 이런 곳에 들어오는 건 아무래도 태경에겐 서툴었다. 태경은 우선 어색한 대로 자리에 앉았다. 종업원이 손님을 기다리느냐고 물었다. 태경은 엉겁결에 그렇다고 대답했다. 그리고 자신의 생각지도 않았던 대답 끝에 수정을 떠올렸다. 그래서 그는 전화를 걸었다. 전화를 받은 수정은 기겁하는 시늉을 했다.

"지금이 몇 시니? 9시가 다 되었잖아?"

수정이 반가움과 궁금증에 들떠서 소리쳤다.

"안 되겠지?"

태경은 주눅들고 아쉬운 목소리로 물었다.

"가만 있어 봐. 아빠가 오늘따라 일찍 들어왔으니… 내가 말해 볼게."

"관둬라. 날 뭐루 생각하시겠니."

"잠깐 있어 보라니깐!"

수정은 정작 망설이는 태경보다 더 흥미로워서 이렇게 윽박질렀다. 태경은 빈 수화기를 들고 기다렸다. 텔레비전 소리, 그리고 멀리 수정이 내외의 알아들을 수 없는 말소리가 들리는 듯했다. 이윽고 수정이,

"기다려! 금방 갈게. 아빠가 한잔 하고 오랜다 야. 멋쟁이지?!"

하고 소리쳐 말했다.

수정은 정말 바람처럼 잽싸게 나왔다. 화장기 없어 해맑아 보이는 중년 부인의 얼굴이었다.

"웬일이래? 근우 아빠 내려간 게 언제라구?"

수정은 앉자마자 이런 말을 했다. 태경은 아무 말도 할 수가 없었다. 종업원이 주문을 받으러 왔다.

"맥주 한잔 할래? 넌 양주파지?"

수정이 말했다. 태경은 어설프게 웃기만 했다.

수정은 맥주를 시켰다.

"왜 그래? 심각해 가지구."

태경은 다시, 이번에는 짐짓 진지하게 묻는 수정의 물음에도 고개만 갸웃 기울이고 말았다.

"답답해 죽겠네. 인기 작전이야? 설마 이혼하려는 건 아니지?"

수정이 물었다.

"이혼?!"

갑자기 태경이 짧고 강한 목소리로 되물었다.

"아냐. 정신차리라구 해본 말이야. 사실 말이지, 아닌 밤에 홍두깨 아니야? 누가 밤에 술집에서 불러낼 줄 상상이나 하겠어? 더군다나 당신

같은 사람이 말이야."

두 사람은 건배를 했다.

수정은 남편이 흔쾌히 밤외출과 음주를 허락했으므로 거침없이 잔을 비웠다. 태경은 남편과 관계 없이 목이 타서 잔을 비웠다. 두 여자는 다시 빈 잔을 채웠다.

"이 기분두 괜찮아. 남자들이 이래서 밤에 한잔씩 하나 봐."

수정이 팝송을 따라 흥얼거리다가 말했다. 태경은 두 잔을 마시고 다시 세 잔을 비우려 했다.

"왜 이래. 자기 취하기루 작정했어? 자기답지 않게 이상두 해라…. 천천히 마시라니까. 얘기나 하구. 술 핑계 댈 일 생겼어?"

수정이 꾸짖듯 말했다. 태경의 얼굴에 복잡한 표정이 물결처럼 일렁였다. 입술이 파르르 떨렸다. 손으로 턱을 고였다. 아래로 내려뜬 눈은 아까부터 탁자 위 한 곳에 멈춰 있었다.

"나… 죽을까…."

태경이 흘리듯이 말했다.

"뭐라구?"

수정이 눈살을 찌푸리며 물었다.

"차라리… 죽을까… 봐…."

태경이 낮고 무겁게 말했다.

"세상에… 40대 사춘기라더니… 중증이네 중증이야. 왜 그런대 도대체? 말해 봐. 속시원하게. 근우 아빠가 살림 차렸어? 젊은 여자가 쳐들어왔어?"

수정은 짜증과 화가 뒤섞인 목소리로 말했다. 태경의 고개는 점점 더 탁자 쪽으로 떨어졌다. 잘못하다간 코방아를 찧을 것 같았다. 그러더니 고개를 천천히 무겁게 저었다.

"그런 일은 아니야?"

답답한 수정이 해답을 찾아야 했다. 태경이 고개를 끄덕거렸다.

"그럼 뭐야? 남자 생겼어? 애인 생긴 거야?"

수정은 다그치는 기분으로 이렇게 물었다. 그런데 뜻밖에도 태경의 고개가 굳는 듯 보이더니 끄덕이기 시작하는 것이었다.

어무나… 웬일이래… 이런 얌전한 고양이가!

수정은 믿기지 않아서 놀란 가슴을 가누지 못했다. 잠시 혼란의 침묵이 두 사람을 가뒀다. 침묵 속에서 태경이 술잔을 잡았다. 그리고 천천히 잔을 비웠다. 술 마시는 일에 인생을 던진 것처럼 보였다. 그런 태경을 놀란 표정의 수정이 깊게깊게 바라보았다. 그러나 다시 두 사람은 침묵에 묻혔다. 태경은 마른 안주 접시에서 잔멸치 한 마리를 들어서 잘게 바수었다. 손가락 사이에서 맷돌밥처럼 멸치가루가 떨어져내렸다.

"정말이야?"

수정이 깊게 가라앉은 목소리로 물었다. 태경은 가늘게 내리뜨고 있던 눈을 감았다. 수정이 너무도 가라앉은 목소리로 정말이냐고 물을 때, 태경은 전혀 알지 못하는 세상의 끝을 본 듯한 야릇한 느낌에 흠칫 놀랐다. 이상한 느낌이었다. 푸른 색깔의 적막 그리고 부드러운 절벽… 편안함….

"애인이 생겼어?"

그런 야릇한 느낌 속에 잠긴 채, 수정의 이런 세속적인 질문을 들었다.

애인이 생겼느냐구? 태경의 입가에 흐릿하지만 분명한 웃음기가 어른거리다 사라졌다.

"그래."

태경의 목소리는 마치 자장가라도 부르는 것같이 편안하게 들려서 오히려 거짓말처럼 느껴졌다.

"애인이라구?"

믿기지 않아서, 웬지 믿기가 싫어서, 믿는 게 고통스러워서 수정이 다시 이렇게 물어보았다. 이번에는 태경의 고개가 끄덕거렸다.

그래.

그랬어.

어딘가 다르게 보이더라. 그전 같지 않게… 하지만… 이럴 수가…. 수정은 머릿속이 얼얼했다.

왜 태경이 지방에 내려가 있는 잘난 남편 때문에 고통받지 않고 자신의 문제로 괴로워하는지, 그게 도대체 있을 수 있는 일인지, 있어도 되는지 갈피를 잡기가 어려웠다. 괴로워하는 친구가 안쓰럽기 전에 이상한 배신감 같은 게 느껴졌다. 어쩌면 질투일지도 몰랐다. 집 안에서 쓸고 닦고 절약이나 하는 천생 현모양처인 태경에게 '외간 남자'가 생기다니! 놀랍고 불쾌하고 신기했다.

태경은 더 이상 술을 마시지 않았다. 마냥 탁자 바닥으로 처박힐 것 같던 고개도 바로 들려 있고 표정은 거의 침착하다고나 할까? 당황한 빛을 수습하지 못하는 건 수정이었다. 술잔을 들었다 놓고 안주도 이것 저것 집었다 놓고 입 안에 넣었다 그냥 꺼내기도 했다.

"대단하다…. 사랑하니?"

사랑하느냐구? 태경이 속으로 되물었다. 더 이상 무엇이 사랑인지… 태경은 알지 못했다. 그래서 그는 대답하고 싶지 않았다. 그러나 수정이 태경의 애인이라는 '외간 남자'에 대해 꼬치꼬치 캐묻기 시작할 때, 태경의 가라앉아서 짐짓 평안하기까지 하던 정서가 흔들리기 시작했다. 공포와 의심의 어둡고 초췌한 싹이 툭툭 불거져 나오는 것이었다.

"무얼 하는 남자니?"

수정이 물었다. 태경은 자신도 모르게 손바닥으로 입을 막았다. 수정은 여전히 놀랍고 신기하고 웬지 얄밉기도 한, 아주 복잡한 기분으로 태경을 뚫어지게 바라보고 있었다. 그리고 참을성 있게 기다렸다. 태경이 스스로 모두 말하기를.

한동안 두려움과 공포의 침묵이 감돌다가 지나갔다.

"아무한테도 말하지 않지?"

이윽고 태경이 떨리는 목소리로 물었다.

"얜 정신이 있니? 이런 얘길 어디 가 하니! 큰일나게."

오히려 수정이 질겁하는 소리로 말했다.

태경은 그래도 곧장 입을 열지 못했다. 눈을 아래로 내리깔고 손가락을 입에 댄 채 생각에 잠기는 것이었다.

"뭐하는 남자야?"

다시, 수정이 물었다. 이제 태경은 더 이상 물러날 데가 없다는 걸 느낌으로 깨달았다. 수정에게 '비밀'을 털어놓는 것이 어쩌면 자살 같은 짓일지 몰랐다. 그러나 혼자 간직하기가 너무 벅찼다. 비밀이 너무 무겁고, 한편으론 '자랑'도 하고 싶은 것이었다.

"… 그이야… 너두 아는 사람… 호준 씨…."

"어무나! 그랬구나! 어쩐지…."

태경의 부드럽고 차분한 목소리가 채 사라지기도 전에 수정이 외쳤다. 그는 언젠가 자신의 동생이, 아무래도 호준 씨와 태경 씨가 가까운 사이 같다고 말하던 걸 새삼스레 떠올렸다. 동생이 그렇게 말했을 때, 수정은 흘려들었던 것이다. 그런데 두 사람이? 그런 멋쟁이 남자가 태경이 같은 특징 없는 여자에게…. 수정은 이해할 수 없었다.

그러나 지금 태경은 영락없이 '사랑에 빠진 여자'였다. 차분하고 부드럽고 따뜻하며 가뿐해 보이는 인상과 싱그러운 기운이 감도는 분위기가 그랬다.

"사랑하니?"

한동안의 침묵 끝에 수정이 물었다.

"이런 감정은 처음이야. 늘 울어. 그런데… 행복하단다. 문득 행복감이라는 게 이런 거구나… 하구…. 그런 생각이 들 때가 있어…. 그 사람 생각이 한시도 떠나지 않아. 눈만 뜨면…."

태경은 여기에서 말을 멈췄다. 잠들었다가 깨어나는 그 짧은 순간에 자기 자신 속으로 꽉 차게 들어오는 느낌—그것을 설명하기가 어려웠던 것이다. 태경과 함께 자고 함께 눈뜨는 또 하나의 태경이라고나 해야 할지.

"어디까지 왔어?"

수정이 물었다.

태경은 그의 말뜻을 알아들을 수 없었다.

"자주 만나니?"

수정은 꼭 이렇게─같이 잤니? 라고 묻고 싶은 걸 두 번씩이나 헛소리를 하고 있었다.

"어제."

태경이 짧게 대답했다.

눈에 물기가 그렁그렁 차 있었다.

"오늘은 안 만나구?"

태경이 고개를 아이처럼 끄덕거렸다.

그러다가 태경은 두 손으로 얼굴을 감쌌다. 눈물이 손을 적시고 손가락 틈으로 번져나갔다.

… 그래. 우린 어제 만났단다. 그렇지만 어제는 얼마나 먼 과거니….

태경은 눈물 흘리는 얼굴을 감춘 채 속으로 말했다.

어제는 흘러간 시간. 돌이킬 수 없는 때. 죽음으로도 다시 가볼 수 없는 과거. 어제는 아무 소용이 없다. 어제는 소용이 없고 내일은 불확실하고 지금은 이렇게 감당할 수 없는 그리움의 고통에 빠져 있다….

수정은 알고 싶은 게 아주 많았다.

그러나 지금 이렇게 울고 있는, 저 괴로움의 덩어리인 여자에게 무슨 말을 더하게 할 것인가. 바로 저 모습이 수정의 궁금증에 대한 모든 대답일 것이었다. 하지만… 수정은 그가 언젠가 카바레에서 만난 남자와 잠깐 정신을 잃듯 짧고 황망스런 성교를 하고 났을 때의 그 짜릿하고 비밀스럽고 한편 혐오스럽기도 하던 경험으로 태경을 재보려 했다. 하지만 달라 보였다. 이건 전혀 다른 사정이었다. 자기와 선배가 함께 나누고 있는 비밀스런 순간순간의 통정들과 그 쾌감으로 태경을 이해할 수가 없는 것이었다. 아이가 있고 남편이 있는 여자는 재주껏 그런 감쪽같은 '재미'를 비밀의 창고에 넣어두는 편이 현명하다고, 수정은 믿고 있었다. 그런데 숙맥 같은 현모양처 태경에게 무슨 일이 생긴 걸까. 고통의 바다에 빠졌나? 저게 사랑이라는 증세일까? 그래도 이것만은! 알고 싶었다. 같이 잤는지…. 그걸 알아야 태경의 괴로움의 실타래를 풀어줄 수 있을 것 같았다. 그런데 왜 이렇게 망설여지는 것일까. 어린 애기의 살에 식칼을 들이대는 것 같은, 어쩌면 야비함을 지나쳐 잔혹하게까지 여겨지는 까닭은 무엇일까.

태경이 얼굴을 가리고 있던 손을 뗐다. 젖었으되 청결해 보이는 인상의 태경이 그윽하게 수정을 바라보았다.

"정말… 사랑하는구나…"

수정이 감격적인 낮은 목소리로 중얼거리듯 말했다.

"몰라. 난 아무것도 모르겠어. 내가 꿈을 꾸는 건지… 생시인지… 이런 경험은 처음이야. 두렵다가두… 행복하구… 고통스러워…. 너무너무 슬프구… 그렇단다 수정아…"

태경이 꿈꾸는 목소리로 말했다.

"그쪽두 너 같애?"

수정이 물었다.

"몰라. 그리움이 같은 것 같기두 하구… 그렇지만 난 지금 혼자잖니."

"만나기루 안 했어?"

"응."

"왜? 약속하지."

"그 사람은 일이 바쁘잖아."

"그럼 왜 야단이야?"

"나두 내가 왜 우는지… 그걸 모르겠어. 그냥… 이렇게 된단다…"

수정은 입을 벌린 채 태경을 넋놓고 바라보았다. 엄청난 말을 부드러운 바람결처럼 내뱉은 태경은 예전의 그 여자인가? 아니면 본디 저런 여자인가. 수정의 경험과 감각으로는 도저히 이해가 되지 않았다. 그래서 넋놓고 마냥 바라보았다. 태경은 이런 수정의 눈길을 느끼지 못하는 표정이었다. 두 사람은 이렇게 각각 서로 마주보면서도 다른 생각에 빠져서 현재의 상태를 잊고 있었다. 한동안 그랬다.

"태경아."

이윽고 수정이 태경을 불렀다.

태경이 대답 대신 수정을 똑바로 바라보았다. 순간 수정은 입을 열지 못했다. 태경의 눈이 너무도 깨끗하고 영롱하게 빛나 보이기 때문이었다. 여러 가지 분별할 수 없는 풍상에 시달렸을 중년 가정부인의 눈이 저럴 수는 없었다. 예전에 태경의 눈은 저렇지가 않았다. 무엇이 저 여자의 눈을 저토록 아름답게 바꾸어놓았을까…. 수정은 그저 놀랍고 신기했다. 그러나 자신의 발견을 말하지는 않았다.

"비밀을 지켜줄 수 있지?"

태경이 어린아이 같은 목소리로 말했다. 맑은 눈에 보이지 않는 두려움이 한켜 덮이고 있었다.

"애, 그걸 말이라구 하니? 내가 어디다 말하겠어. 걱정 마!"

"물론… 걱정하진 않아. 어차피… 이렇게 말하지 않구는 견딜 수가 없으니까…. 그런데 이상하지? 왜 자꾸만… 불현듯… 겁이 나는 거야. 그럴 땐 몸이 타버릴 것 같애. 숨도 쉴 수가 없구…."

"그런데… 태경아… 내 말 오해하지 말구 들어줄래?"

수정이 이렇게 말할 때, 태아를 받아내는 조산원처럼 그를 간절히 바라보고 있던 태경의 눈길이 아래로 힘없이 떨어졌다.

"같이 잤어…."

태경의 44년 인생의 전 무게가 실린 목소리였다.

"후회하지 않아. 그날처럼, 내가 여자로 살아 있다는 걸 느껴본 적이 없었어. 기쁘고 행복했어. 여자와 남자가 함께 누릴 수 있는 축복이 무엇

262

인지… 그런 걸 알았단다…. 그 사람 때문에…. 내가 무얼 후회해야 하는
지… 나는 몰라…."

태경은 영화 속의 사람 같았다. 무엇에 홀린 것도 같고, 어쩌면 신들
린 무녀같이도 보였다. 수정은 그저 넋만 놓고 있어야 했다. 태경에게 할
말이 없었다. 서로 다른 세계에서 사는 듯한 착각마저 생겼다. 그런데도
둘이 레스토랑 앞에서 반대쪽으로 헤어져야 할 때, 태경이 다시 수정에
게 약속을 받아냈다.

"수정아. 죽어도 말하지 말아야 돼. 알지?!"

"걱정하지 말라니깐. 내가 한두 살이냐?"

수정이 자신있게 말했다. 그럼에도 불구하고 태경은 불확실한 내일 앞
에서 주눅이 들 듯, 수정의 약속에 평화를 느낄 수가 없었다. 무엇인가
자기를 마구 뒤흔드는 느낌이 사라지지 않았다. 두렵고 외로웠으며 서글
퍼졌다. 수정과 헤어져 돌아오면서 내내 서슬 같은, 그런 느낌에 휩싸여
있었다.

11시가 넘어선 주택가의 골목은 한산하고 고즈넉했다. 보안등은 나무
처럼 서서 제 발 밑을 드러내고 가끔 고양이가 길을 가로질러 마실돌이
를 다니는 게 보였다. 무거운 가방을 어깨에 멘 고등학생이 지친 걸음으
로 걷고 승용차와 택시도 지나쳤다. 태경은 시간에 대해선 신경을 쓰지
못했다. 얼마나 늦었는지, 아이들이 자기를 기다리는지…. 하지만 현관문
앞에 섰을 때, 가볍게 초인종을 두어 번 눌러도 문이 열리지 않을 때, 그
래서 별생각 없이 문을 잡아당겼을 때, 문은 안에서 잠긴 채 배반의 힘
같은 것이 빼근하게 느껴졌을 때, 비로소 그는 자신이 깜박 잊고 있었던
자신의 현실을 뼈저리게 깨우쳐야 했다. 지금이 자기의 일상에선 얼마나
밤늦은 때인지, 태경은 소스라치게 깨달았던 것이다. 태경은 짧은 산행
에서 돌아왔을 때보다 더 허술하게 허물어졌다. 그가 거리낌없이 살아낸
얼마 되지 않는 그리움의 시간들, 그리고 그 세계가 얼마나 자기와 맞지
않는 것인지…. 어쩌면 유리구두가 벗겨지고 자정이 가까워지는… 그런

처지의 신데렐라인지도 몰랐다.

현실은 무자비하게 태경의 초라함을 드러내었다. 벨을 또 한 번 누르고 다시 눌러도 아이들은 깊은 잠에 빠져서 인기척도 내지 못했다. 공허한 집 안을 유령처럼 찢는 초인종소리는 하수구와 환기통, 문틈을 타고 2층과 건너편으로 퍼져서, 결국은 자기 역할을 내팽개친 가정주부를 욕되게 할 것이 뻔했다.

태경은 초인종으로 아이들을 깨우는 짓은 그만두었다. 뒷목이 땡기는 일이었지만, 태경은 경비의 도움을 청해야 했다. 경비는 인터폰과 전화를 하고, 그래도 안 되어 사다리를 놓고 근우의 방 창을 두드렸다. 그제서야 아이를 깨울 수 있었다. 경비는 고맙다고 거푸 인사하는 태경에게 상투적인 경멸을 보내고 돌아갔다. 술내를 풍기며 밤늦게 싸돌아다니는 여편네의 꼴이라면, 누구라도 경멸할 수 있다는 게 그 남자의 생각이었다.

근우는 문을 열어주지 못한 것보다, 깊은 잠에서 어거지로 깨어나야 한 게 더 언짢다는 표정이었다.

"일찍 자려면 열쇠라두 맡겨야지!"

태경이 화풀이를 이렇게 해도 눈을 찌푸려 보이며 이내 제 방으로 들어가 문을 있는 대로 꽝 닫아버렸다. 그러나 태경은 참지 못하고 마치 아이의 그림자처럼 달려들어갔다.

침대에 누워 이어폰을 끼려던 아이가 찔끔하는 기색이더니 이어폰을 내던지고 이불을 뒤집어썼다.

"나쁜 자식! 니가 엄마를 조금이라도 아낀다면…."

태경이 모질게 씹어 뱉었다.

이불이 짐승같이 꿈틀 움직였다.

애들만 두구 나갔다 와서… 뭐가 잘났다구….

태경은 이불이 시위처럼 꿈틀댈 때, 이런 소릴 들은 기분이었다.

그는 더 할말이 없어졌다. 30초쯤 서 있다가 아이의 방을 나왔다. 거실엔 아이들이 아무렇게나 벗어던진 양말짝과 셔츠들이 널려 있고 텔레비전 리모콘도 거실 바닥에 내던져져 있었다. 스산스럽기는 식탁이 더했다. 빈 밥공기, 두어 숟가락 남은 밥이 말라가고 있는 그릇, 피망과 당근이 남아 있는 돼지 갈비 냄비, 마요네즈가 산화된 채 절반이나 남은 샐러드….

태경은 을씨년스럽고 정나미 떨어진 표정으로 그것을 내려다보았다. 사실 이런 광경은 오늘 처음 있는 일은 아니었다. 남편과 아이들은 언제나 이런 태도였고 태경은 그런 태도로 말미암아 자기 존재를 확인하는 데 버릇이 들어 있었다. 그런데 오늘은 왜 저것이 태경을 절망하게 할까. 지금 태경의 기분은 절망만이 아니었다. 울화도 치밀고 모욕감도 느껴졌다. 하나의 관습으로 된 현상에 대한 태경의 태도가 달라진 것이었다. 반응이 바뀐 것이다. 태경에게 주어지는 이런 종류의 '뒤치다꺼리'가 있음으로 해서 가족에게 자기가 절대적으로 필요한 존재라는, 자기 확인의 기쁨은 이제 느낄 수가 없었다. 느껴지지 않았다. 이렇게 함부로 어질러놓은 집 안과 식탁이 왜 가족들에게 필요한 자기 존재의 값어치로 여겨질까. 그렇게 비쳐졌을까. 마치 인격이 다르게 취급되는 노예처럼. 능멸의 감각도 마비된 하녀처럼. 왜 태경은 지금 그런 참담한 기분에 젖고, 뻐근한 분노를 느끼는 것일까. 하지만 그는 참담함과 분노를 두엄처럼 쳐내며 자기에게 맡겨진 일을 했다. 그릇을 씻고 거실을 대충 치웠다. 집 안이 고요했다. 덧문이 열린 부엌 창의 유리는 새카맣게 보였다. 태경은 부엌 불을 끄고 거실 의자에 파묻히듯 앉았다. 벽시계의 초침소리가 크게 들리기 시작했다. 태경은 한동안 꼼짝도 하지 않았다. 마치 초침소리에 들킬까 봐 죽은 시늉을 하고 있는 것 같았다. 지금이 언제지?

태경은 갑작스런 오한에 몸을 떨 듯, 그렇게 시계를 쳐다보고 달력도 보았다.

오한은 번개처럼 지나가고, 몸의 살갗이 오그라들기 시작했다. 그뿐만

265

이 아니었다. 가슴뼈도 졸아드는지 태경은 숨쉬는 게 버거웠다. 호준과 헤어진 게 서른 시간이 채 되지 않았다는 걸 알아차리고부터 그랬다. 이제 겨우 스물아홉 시간. 그런데 왜 이렇게 오랜 날들이 지나간 것처럼 상기되었을까. 도대체 스물아홉 시간이 왜 그렇게 길고 지루할까. 언제 아침이 오고 또 하루가 가고 밤은 어떻게 보내야 할까. 태경은 걷잡을 수 없이 밀려드는 이런 생각 때문에 가슴이 아팠다. 태경은 베란다 쪽 커튼을 열었다. 수은등에 비친 뜰의 나무도 잠든 모습이었다.

정호준.

태경은 그 남자를 생각했다. 가슴이 철렁 내려앉았다. 부끄러움이 뜨겁게 느껴졌다. 있지도 않은 그 남자가 지금 등뒤에서 자기를 보고 있는 듯한 착각에 사로잡힌 것이었다. 지금 나는 얼마나 초라한데…. 태경은 이런 모습을 그에게 들키고 싶지 않았다. 태경은 잠든 뜰의 가을 나무를 바라보았다. 가지 사이로 보이는 철책의 담과 건너편 주택의 축대도 보았다. 그러나 이런 것을 더듬는 그의 눈에는 마음이 실려 있지 않았다. 그의 마음은 지금, 자신의 몸 속으로 들어오는 당당하고 따뜻하며 부드럽고 힘찬 호준의 성기—너무도 생생하게 되살아나는 몸의 감각 때문에 전신이 전율하는 걸 느끼고 있었다. 전율은, 감당할 수가 없었다. 정신을 마비시키는 듯한, 현실을 느낄 수 없는 것 같은… 그러나 너무도 기쁘고 황홀한 마비…. 태경은 그 남자가 그리웠다. 자신의 살과 뼈 그리고 이제까지의 경험을 한순간에 시시하게 만들어버린 그 엄청난 기쁨에 대해… 태경은 감사했다. 하지만, 지금 혼자인 것이 싫었다. 혼자일 수밖에 없다는 것도 싫었다. 사람들에게 이런 엄청난 기쁨을 죄처럼, 수치처럼 감춰야 한다는 것도 싫었다. 태경은 흐느끼듯 숨을 쉬었다. 그 남자는 어디 있을까. 내 몸이 무엇인지 모르고 있던 나를 깨워 일으켜준 그 몸은 어디 있을까. 태경은 발작처럼 커튼을 치고 돌아섰다. 집 안이 칸막이처럼 답답하게 느껴졌다. 칸막이 속의 불을 껐다. 답답한 어둠이 집 안을 빈틈 없이 채웠다. 태경은 안방으로 들어갔다. 불을 켰을 때, 형광등이 흔들릴 때, 태경은 화장대 옆의 옷걸이에 걸려 있는 남편의 옷들을 보았다. 조금 전 그를 전율케 한 그 감각은 해일처럼 지나가고 이제 그의 몸은 무기력해져서 남편의 옷을 바라보는 것이었다. 남편의 옷은 단순한 옷이 아니었다. 그것은 특별한 주술 능력을 지녔는지도 몰랐다.

너는 유부녀. 결혼한 여자다.

옷이 말했다.

마흔도 넘은 여자다…. 한창 크는 남매가 있지 않느냐…. 돈 벌러 외지에 나가 쓸쓸하게 지내는 지아비를 두고….

옷이, 누에가 실을 뽑듯이 끝없이 말했다. 태경은 허물어지듯 방바닥에 주저앉았다. 방 안엔 마치 연기처럼 옷이 내뱉은 주술들로 꽉 차 있었다. 너는 유부녀. 마흔도 넘은 여자. 외지에 나간 남편을 두고. 젊은 남자와 정을 통하고. 간통한 여자. 한창 크는 남매를 두고.

태경은 귀를 막았다. 눈을 감았다. 몸을 웅크렸다. 저토록 크고 넓은 세상으로 거리낌없이 떠돌던 그의 무게도 없고 부피도 없던 감성이 한순간에, 벌레의 허물이나 덜 아픈 헌데의 딱지같이 쪼그라든 것이었다. 부드럽고 당당한 사내의 몸과 하나가 되던 그 황홀의 기억으로 마냥 날아오르던 그의 육신은 쓸모없는 껍질처럼 하나의 방 안에 놓여 있는 것이었다. 높은 산의 골짜기는 가파르고 깊듯, 그의 열정이 뜨겁고 크면 클수록 절망도 가혹했다. 태경은 자기가 자꾸만 졸아드는 기분에서 좀체 헤어날 수가 없었다. 몸은 딱딱하게 굳고 마르고 오그라들어 숨도 쉬지 못하는 지저분한 쓰레기같이나 되는 건 아닌지…. 차라리 그렇게라도 된다면… 아무것도 모르게… 느낄 수도 없게… 생명이 없어진다면…. 태경은 갈등 때문에 가슴의 생살이 소금에 으깨지는 것 같은 고통을 느꼈다.

너는 유부녀.

이 말의 각목이 태경의 가슴을 짓눌렀다.

간통한 여자.

또 다른 각목이 가위표로 얽혔다.

267

마흔도 넘어서.

이 말이 태경의 손과 발을 오라지었다.

한창 크는 남매를 두고.

이 말이 태경의 얼굴에 물보자기를 씌우고 또 씌웠다.

태경은 정신을 잃었다. 차라리 정신을 잃는 게 구원인지 몰랐다.

얼마 후 기진한 태경이 그림자처럼 일어섰다. 그는 문턱에 있는 전등의 스위치를 눌러 불을 껐다. 그리고 침대에 습관처럼 올라가 누웠다. 목은 무겁고 머릿속도 뻐근한데 잠은 오지 않았다. 팔다리도 축 늘어졌건만 왜 정신은 새파랗게 혼령 같은 불을 켜는지 알 수 없었다.

… 그래. 애당초 당치 않은 일이었지. 내 분수도 모르고. 무슨 '사랑'을 하겠다고…. 태경은 이렇게 자신을 책망했다. 자기는 집에서 밥이나 하고 빨래나 하며 청소에 재미를 붙이고 살던 여자라고. 그래서 아는 것도 없고 본 것도 없다고. 아랫배엔 불필요한 군살이 불거졌고 턱은 늘어졌다고. 세상엔 너무도 잘난 사람이 많다고…. 태경은 이렇게 이렇게 자꾸만 생각하면서 자신의 '분수'라는 걸 깨달으려고 애를 썼다.

나는 유부녀.

태경은 숨쉬고 있는 자신의 '자아'에다 이런 낙인을 찍었다. 자아의 생살 타는 내가 나도록.

그러나 이상했다. 생살에 찍히는 낙인인들 무슨 소용이 있으랴. 슬픔이 부드럽게 다가와 소리 소문 없이 낙인을 지우기 시작하는 것이었다. 태경은 숨소리도 내지 못했다. 생채기를 어루만지는 이 느낌. 따뜻한 감촉. 가슴을 억눌렀던 각목이 녹아서 자취도 없이 사라지고 오라가 풀어져 흩어지고… 그리고 마침내 생살에 찍힌 낙인조차 지워버린, 아… 이 부드러움…. 자신의 몸 위에 와서 또 한 겹으로 얹히는 내 몸 같은 다른 몸의 감각…. 모든 억압과 갈등을 풀어내고 어루만지는 느낌….

태경은 어둠 속에서 눈을 크게 떴다. 느낌의 속에 느낌처럼 들어 있는 하나의 존재가 보였다.

당신이다!

태경은 호준을 느꼈다. 그가 고통을 풀러 태경에게 온 것이었다. 고통과 슬픔의 몸으로, 호준이 태경에게 왔다. 태경은 지쳐서 널부러져 있던 손을 끌어 가슴에 포개 얹었다.

그래. 이대로… 죽어도… 좋다. 죽는다는 건, 아마 이런 것이겠지. 감각과 호흡이 멈추는 것. 지금 나는 무덤 속보다 조금 큰 방 안에 혼자 누워 있다. 이 상태의 다른 모습…. 그래. 죽음이다. 태경은 아무런 두려움도 없이 아주 편안하게 '죽음'과 인사를 했다. 그 동안 단 한 번도 가까이 느껴보지 못한 죽음과 이토록 스스럼없이 교감할 수 있다니. 생각도 할 수 없던 일이었다.

나는 사랑을 '밴' 여자. 사랑을 낳고 키우리라. 사랑을 밴 여자. 사랑을 낳고 키우리….

환절기

"좀 참아봐라. 겨우 일주일 지났잖니. 사람마다 다 성격이 다른데…
거기다 그 남잔 오죽 바쁘겠니. 아무리 연애라는 게 바쁜 중에 하는 거
라지만 야, 그 나이에 일없이 여자한테 미쳐 지내면 그것두 문제야! 제
비족 아닌 담에야…"

수정은 높은 목소리로 말했다.

그럴까? 정말 그럴 거야….

태경은 속으로 대답했다. 그는 지금 자신이 무엇을 하고 있는지 잘 모
르는, 그래서 정신이 나간 멍청한 얼굴이었다. 오늘은 아침 내내 이랬다.
손은 손대로 움직이고 발은 발대로 움직였으며, 눈이 가는 데로 마음이
따라가지 않았다.

"야! 내 말 듣고 있어?!"

수정이 소리쳤다.

"듣구 있어."

소리친 수정의 목소리와는 너무 딴판으로 맥빠진 대답이어서, 수정은
그만 피식 웃고 말았다.

"정신차려. 니가 지금 제정신이 아니라니까. 그쪽은 멀쩡한데 말이
야!"

270

"내가 뭘 잘못했니?"

태경이 문득 진지한 목소리로 물었다.

"누구한테?"

"그 사람한테."

"그날 그렇게 헤어지구 나서 뭐 나 모르는 다른 일 또 있었니?"

"다른 일? 아니, 만나지두 못했는데 뭐."

"통화두 못 했다면서."

"응."

"그런데 뭘 잘못했느냐구 묻구 그래!"

"내가 그렇게 이상하니? 이상하지? 내가 왜 이러지? 뭐가 뭔지 모르겠어."

"참을 수 없으면 먼저 안부 전화를 해보려무나. 시침 뚝 떼구…."

"난… 그렇게 못 해. 그럴 수 없어…."

"집구석에서 혼자 상사병만 키우지 말구 이리 나와. 운동 시작하라니깐. 떠들구 웃으면 시간은 잘 갈테니깐."

"그래. 아무튼 고마워. 난 그냥 잘까 봐. 왜 이렇게 기운이 없지? 그냥 잘게."

태경은 정말 더 이상 수정과 말할 수 없었다. 온몸에서 기운이 빠져나가 손가락 하나 까딱하기가 힘겨운 지경이었다.

태희와 만나기로 한 시간은 아직 여섯 시간이나 남아 있었다. 그 사이 한잠 자고 새 힘을 돋굴 수도 있으련만 태경은 의자 등받이에조차 기대지 않았다. 무엇인가 해야 할 일, 해결해야 할 문제가 꼭 있을 것 같은데 그것이 무엇인지 마음에 잡히지 않는 것이었다.

그날 이후, 태경은 시장에도 제대로 가지 못했다. 시장에 나간 사이 호준이 전화를 걸까 봐 걱정이 되어서였다. 집을 비우기는 고사하고 설거지를 할 때, 샤워를 할 때, 청소기를 쓸 때, 세탁기를 돌릴 때… 전화벨 소리를 잡아먹을 것 같은 모든 소리에 신경을 곤두세우고 지냈다.

그러나 그가 꿈에서도 기다리던 전화는 오지 않았다. 마치 비밀스럽게 밀려오는 저주처럼….

태경은 유리문에 기대어 뜰을 바라보았다. 새로 생긴 버릇이었다. 나무와 풀 그리고 담과 축대의 모습에는 더 이상 가을이 남아 있지 않았다. 흙빛으로 오그라든 저 단풍잎, 잎이 다 떨어져버린 앙상한 가지만 남은 은행나무, 시들고 메마른 잎을 허물처럼 매달고 있는 넝쿨장미…. 지금 저 모습에서 지난 세월… 봄날의 희망과 여름의 격정, 가을의 풍요를 추억한다는 건 차라리 쓰라린 고통일지 몰랐다. 그러나 고통일지라도 추억할 수만 있다면….

태경은 뜰을 외면했다. 그의 얼굴은 차가운 흙빛이었다.

그것은… 꿈처럼 지나간 일. 현실에는 없었던 사건. 그 남자는 이 세상에 살지 않는 사람. 내겐 남편이 있지. 김찬수라고. 중매로 만난 남자. 양쪽 집안에서 모두 만족해 하는 혼사였어. 둘째아들이라고. 그렇지만 거의 10년을 맏이처럼 살았어. 그땐 힘든 줄 몰랐지. 아이도 남들 부럽게 첫아들, 둘째는 딸을 낳았고. 남편은 중역이 되어… 지금은 저 남쪽 땅 여수에 가 있고…. 나는 마흔네 살. 친정어머니와 살지. 동생 태희가 영어 공부를 계속한다며 어머니를 모셔갔지만….

태경은 자기 자신과 집 안의 모든 사물 그리고 산과 바다, 하늘과 땅의 모든 것에다 이렇게 고해했다.

… 그렇지만, 그렇다면, 나는 뭐지? 나는 누구지? 나는 어디 있지?

고해가 무슨 소용인가.

태경이 기껏 찾아놓은 예전의 자신은 1분도 지나지 않아 다시 새로운 자기로 변해서 격정 같은 갈등에 빠져버렸다. 태경은, 넋을 갈등에 빼어주고 몸뚱이만 움직이기 시작했다. 그는 걸레를 빨아 바닥을 닦아보았다. 구석과 틈바구니까지. 그러면서 자신에게 말했다. 내가 무슨 자격이 있다구… 나 같은 평범한 여자가. 젊지도 않고 하는 일도 없으면서. 내세울 게 뭐야…. 내가 잘하는 건 가계부 적는 일, 욕망을 경멸하는 거… 가족들 비위 맞추는 거….

걸레질을 하던 태경의 손이 갑자기 주검처럼 움직이지 않았다. 살 속으로 모멸감이 근지럽게 퍼져서, 태경은 순간, 눈을 감아야 했다.

태경은 일어섰다. 집중력이 1분을 못 넘기는 아이 같았다. 그는 외출 준비를 했다. 며칠째 제대로 먹지 못하고 잠도 잘 자지 못한 몰골은 꼭 환자나 다름없었다. 열에 뜬 눈은 번들거렸고 눈에서는 그렁거리는 물기가 한시도 가시지를 않았다. 세수를 하면서, 머리를 감으면서 그는 셀 수도 없이 주문을 외웠다.

그를 잊어야 한다….

그를 잊는다….

그를 잊었다….

나는 한순간 꿈을 꾸었을 뿐.

꿈은 지나갔다.

태경은 이런 주문을 외우면서, 알몸으로 옷장 앞에 섰다. 입을 옷이 하나도 없어 보였다. 원피스, 투피스, 바지 따위를 이것저것 마구 입었다 벗기를 되풀이할 때, 그는 그만 외우고 있어야 할 주문을 깜박 잊어버렸다. 마음에 들지 않는 건 겉옷만이 아니었다. 초라한 속옷도 싫었다. 지갑에서 현금 서비스 카드와 백화점 신용 카드를 확인한 뒤, 태경은 핸드백을 들고 일어섰다.

태경은 열쇠를 찾아 들고 현관으로 나서려다 말고 아주 갑작스럽게 전화를 하고 싶은 충동을 느꼈다. 그리고 그는 자신의 충동을 억누르지 않았다. 결과가 어떻든, 태경은 개의치 않고 시내로 나가버리면 그만이라는 비상구가 있었다.

"준 건축입니다."

상냥한 목소리. 그 여자였다. 태경은 가슴이 뜨겁게 꿈틀거리는 걸 느꼈다.

"저, 안녕하셨어요? 수유리예요."

태경은 침 한 번 넘기는 시간만큼 틈을 두었다가 인사했다.

"오래간만이시네요. 그런데 지금 소장님은 외출중이세요."

"아니, 괜찮아요. 그냥 인사드릴려구… 들어오시면 안부나 전해 주세요."

태경은 이렇게 말하고, 그쪽의 알았다는 인사말을 겨우겨우 참을성 있게 듣고 나서 수화기를 내려놓았다.

그래! 됐다! 되었어!

태경의 진땀난 몸 안에서, 그의 마음이 너풀너풀 춤췄다. 준 건축의 직원이 상냥하고 반갑게 전화를 받아준 것만으로도 태경은 만세였다. 무자비하게 그의 정신을 갉아먹던 의심과 회의 그리고 모멸감은 이제 진정이 되었을까. 경비에게 열쇠를 맡길 때도 그는 당당하고 친절했다. 서너 살짜리 아이에게 자전거를 태우는 이웃의 젊은 부인에게도 먼저 인사를 건넸다.

태경은 미장원에 들렀다.

태경은 무조건 '변화'를 원했다. 헤어 디자이너는 태경의 긴 머리를 이리저리 올리고 내리고 뒤로 돌리고 하며 모양을 잡으려 애썼다.

"단발 한번 해보시겠어요?"

"여학생들처럼요?"

태경이 기겁을 하며 물었다.

"여학생 같지야 않지요."

헤어 디자이너가 맥풀린 듯 손을 떨어뜨리며 말했다.

"글쎄요. 선생님이 잘 보고 해주세요. 전 잘 모르니까요. 저를 세련되게 보이도록…."

태경이 세련되게…라고 말할 때 그의 얼굴이 발갛게 달아올랐다.

한 시간 후, 태경은 인상이 낯선 자신의 얼굴을 거울에서 바라보아야 했다. 한쪽 머리 끝은 귓밥을 보일락말락 가리웠고 다른 쪽은 턱 끝에 닿았다.

"처음엔 이상할 겁니다. 그렇지만 나가보세요."

헤어 디자이너가 당황한 빛이 감춰지지 않은 태경의 얼굴을 보며 말했다. 자기 순서를 기다리며 잡지를 뒤적이던 여자가, 보기 좋다고 훈수를 들어주었다.

이건… 내가 아니야. 꼭 무슨 소설 쓰는 여자 같애….

태경은 머리값을 계산하며 내내 이 생각을 했다. 우선 태희에게 검사를 받고, 그래도 참을 수 없으면 동네 미장원에서 다시 손을 보기로 했다.

시간은 아직 많았다. 태경은 천천히 명동 거리를 구경했다. 휴일도 아닌데 거리가 붐볐다. 구두와 가방과 액세서리를 파는 좌판 앞에서 물건을 고르는 여자들 속에 끼어 기웃거렸다. 신문 가판대 옆의 군밤 장수. 밤을 까서 입에 넣고 무엇인가 말하는 젊은 여자와 남자. 은행 건물 한켠에서 꽃을 파는 아주머니. 태경은 보라색 들국화 더미 앞에서 잠시 발을 멈췄다. 꽃을 한아름 안고 준 건축으로 들어서는 자신의 모습이 자꾸만 어른거리는 것이었다.

가을 향기 그윽한 들국화를 가득 안고 문 앞에 선 여자. 곧 문이 열리고 꽃에 싸인 여자를 반기는 남자…. 이런 장면은 제목조차 잊어버린, 그러나 언젠가 보았던 게 분명한 영화의 한 장면일지 몰랐다.

하지만 태경은 꽃을 사지 못했다. 세상이 온통 꽃으로 뒤덮였다 할지라도 지금 태경은 그것을 들고 가고 싶은 곳으로 갈 수 없기 때문이었다. 그래도 미련을 버리지 못해 두어 번이나 돌아보며 그 앞을 지나갔다. 태경은 속옷 진열장 앞에서 부끄러움을 느끼고 발을 멈췄다. 잠옷, 속치마, 팬티와 브래지어, 거들…. 검은색이 괜찮네…. 태경은 맘에 드는 속옷이 있었으나 괜히 민망해서 선뜻 들어가지를 못했다. 진열장 유리 안쪽에서 밖의 태경을 바라보며 웃는 점원 아가씨와 눈이 마주쳤을 때, 태경은 불륜이라도 들킨 것처럼 얼굴을 붉혔다. 그리고 급히 걸어 다른 쪽으로 갔다. 바람난 여자는 필경 속옷에 신경 쓴다고, 목욕탕에 가서 관찰해 보라던 친구의 애기가 느닷없이 떠올라서였다.

태경은 을지로 지하도로 들어갔다. 지하도의 가운데는 여러 방향으로 드나들어야 하는 사람들의 통행으로 복잡했다. 광장 가운데서 사람을 기다리고 있음이 분명한, 초조한 눈빛의 여자와 남자도 있었다. 태경은 을지서적으로 들어갔다. 서점은 크고 낯설었지만 웬지 가슴이 설레었다. 어린시절 한때 살았던 고장에 우연히 닿았을 때 한꺼번에 떠오르는 희미한 추억 같다고나 할까. 깨닫지도 못하고 스쳐 지나버린 옛날의 그리움을 문득 느꼈을 때의 기분 같다고나 할까.

태경은 물이 끓는 듯한 흥분에 젖어든 채 엄청난 책의 숲으로 빠져들기 시작했다. 이곳엔 한때 그가 되고 싶던 시인… 부러운 그들의 삶이 놓여 있을 것이었다. 월간 문학 잡지와 시 전문 잡지들은 조촐하지만 자기 분위기를 간직한 채 한켠에 꽂혀 있었다. 태경은 아주 오래 전, '난설'이라는 가명으로 시를 여러 편 보내보았으나 응답이 오지 않았던 잡지도 꺼내서 훑어보았다. 허난설헌의 이름에서 훔친 '난설'이라는 작명은, 사실 별다른 의미는 없었다.

그가 펼쳐서 읽어본 잡지의 시인과 소설가들의 이름은 대부분 낯설었다. 그런데도 과거가, 옛날의 꿈이 자꾸만 되살아나서 태경의 가슴을 아릿하게 했다. 부러움과 좌절의 부끄러움. 그리고 숨길 수 없는 질투…. 태경은 이미 되살릴 수 없는 희망에 대해 정직해지자고 생각했다. 그는 뒤적이던 책을 제자리에 꽂았다. 그때, 무엇이 그의 눈을 날카롭게 잡아당겼다.

〈건축과 환경〉〈건축 문화〉〈공간〉〈플러스〉 태경의 눈길을 잡아맨 것은 이런 건축 잡지였다. 그는 어쩌면 자기가 이런 책을 보기 위해 이곳에 들렀다고 생각하는 것 같았다. 이제껏 한 번도 본 적이 없는 책. 있는지 없는지도 몰랐던 잡지였다. 그런데도 태경은 반가웠다. 그는 잡지를 꺼내 사진과 글이 반씩 같이 편집된 그것들을 샀다. 그리고 그는 책방 깊숙이 들어갔다. 문학 쪽보다 그가 더 허기져 서 있는 곳은 건축 서적

모퉁이였다. 그는 '건축'을 알고 싶었다. 건축이 무엇이고 어떻게 하는 것이며 그것의 전문가들은 누구인지… 어떤 사람들은 어떤 생각을 하고 어떻게 살아가는지…. 《건축 계획》이라는 서적에서 그가 이해할 수 있는 항목은 단 한 가지도 없었다. 《건축 디자인론》도 마찬가지였다. 《아키텍춰》라는 영문이 들어간 책들도 그에겐 그저 '어렵기'만 했다. 하지만 어렵다고 반가움이 씻기는 건 아니었다. 건축 때문에, 태경은 자신의 변혁 같은 머리 모양에 대해서도 까맣게 잊었다.

결국 태경은 난생 처음 교과서라는 책을 받은 국민학교 신입생 같은 감동으로 건축 잡지를 품고 서점을 나왔다. 태희와 만날 시간이 남아 이리저리 쪼개어 쓰려던 것이 지금은 5분이나 늦어서 태경은 붐비는 백화점의 인파를 가쁘게 헤치며 걸었다. 태희와 만나기로 한 분수대 근처엔 사람들이 너무도 많았다. 어디에 태희가 앉아 있는지, 마치 빛처럼 엉키는 시선 때문에 잘 찾을 수가 없었다. 그러나 태희는 계산대 옆자리에 벽을 등지고 앉아 방금 태경의 시선이 훑고 지나간 쪽을 뚫어지게 바라보고 있었다. 태경이 먼저 태희를 알아보았다. 태희는 언니가 코앞에 다가가도록 그를 알아보지 못했다. 태경의 지금 모습으로는 평소의 언니를 미루어 짐작할 수가 없었던 것이다.

"나야!"

태경이 태희의 옆에 앉으며 말했다.

태희는 놀란 눈을 뜨고 말없이 태경을 쳐다보았다.

"오래 기다렸니?"

태경은 같은 탁자 앞자리에 합석한 중년 부인들에게 신경을 쓰며 작은 소리로 물었다.

"언니! 어쩌면 언니가… 야 이건… 무슨 일 난 거 아닌가?"

태희가 눈을 크게 뜨고 더듬거렸다.

"다른 데루 갈까? 여긴 너무 복잡하다. 학원은 다 끝났구?"

"늘 이 시간에 끝나."

태희가 먼저 일어선 태경을 따라 일어서며 말했다. 자매는 모퉁이에 있는 이태리 식당으로 들어갔다.

"언니! 정말 몰라보겠어. 웬일이야? 달라질 이유가 있나 봐."

태희는 앉자마자 캐물었다.

"달라진 거 같으니?"

"물론이지 언니. 우선 머리부터. 꼭 뭐 하는 여자 같잖아. 그런데 중요한 건 왜 이렇게 달라졌느냐는 거야."

태희는 태경에게서 놀란 눈을 떼지 못했다. 그러나 태경은 태희의 상태에 대해선 무감각했다. 즐거움에 꽉 찬 표정의 태경이 태희의 궁금증엔 아랑곳없이 들고 온 책을 태희 앞에 놓으며 자랑스럽게 이거 볼래? 라고 말했다.

태희는 어이가 없었다. 하지만 우선 눈으로 책의 제목을 훑었다.

〈건축 문화〉 〈건축과 환경〉.

그리고 태희는 즐거운 표정의 언니를 쳐다보았다. 도무지 이해할 수가 없어서 어떻게 물어야 할지, 마땅한 말조차 떠오르지 않았다.

"건축이 참 중요한 거란다. 우리가 자연환경의 영향을 받고 살 듯이 건축도…."

"언니!"

태경이 자기도 생각지 못했던 말을 쉽게 술술술 풀어내는데 태희가 툭 차고 들어왔다.

"언니가 건축하구 무슨 상관이유?"

태희가 이렇게 쏘았다. 그러자 태경의 얼굴이 갑작스럽게 붉어졌다. 태희는 언니의 부끄러움의 비밀을 알아내고야 말겠다는 듯이 태경을 쏘아보았다. 태경은 갑자기 멍청해졌다. 아무 생각도, 어떻게 움직여볼 수도 없었다.

… 언니한테… 애인이… 생겼다…. 그 남자는 건축가다…. 언니가 그를 사랑한다….

"언니. 좋은 일 있지? 그렇지? 그렇지?"

태희가 고요한 목소리로 다그쳤다. 태경이 더 이상 참을 수 없다는 듯이 고개를 끄덕거렸다.

… 설마… 설마 했더니….

태희는 놀라웠다. 너무도 뜻밖이었다.

"저어… 건… 축… 가… 구나?"

태희가 얼얼한 입술을 가늘게 떨며 겨우 이렇게 물었다. 태경은 대답하지 않았지만 그의 표정이 이미 모든 사실과 진실을 드러내고 있었다. 자매는 다시 침묵 속에 잠겼다.

"얼마나 되었어, 언니?"

태경이 가져온 잡지를 천천히 넘기며, 태희가 물었다.

"지난 봄에 처음 만났단다. 여수 가는 비행기에서."

태경은 말하면서 동생을 마주보았으나 마음은 온통 비행기에서 만난 '건축가'에게 가 있었다. 그 남자 얘기를 정말 물리도록, 지겨워질 때까지 실컷 해보면 소원이 없을 것 같은 기분이었다.

"언니가… 참 아름답다. 어쩌면 눈이 그렇게 맑지? 애기 같아…."

태희가 태경의 눈에서 시선을 떼지 않고 중얼거렸다. 이제껏 자신과 한 혈육인 언니에게서 저런 눈을 본 적이 없었다. 그런데… 태희는 마음 한켠으로 불안의 기색이 설렁이는, 그 불길한 느낌을 모른 체할 수가 없었다. 언니를 부추겨야 할지, 마구 부도덕을 질책해야 할지, 연애의 뒤끝을 어떻게 감당할 것인지…. 그러나 정작 태희가 한 말은 이것이었다.

"그 남잔 몇 살이야?"

"자세히 몰라."

"미혼인가?"

"결혼은 했대. 애기가 있다나 봐. 나보다는 젊단다."

"그쪽두 결혼했구, 언니두 그렇구… 조심해야겠네. 어떡할려구?"

"얘, 태희야. 난 그런 거 생각해 본 적이 없단다. 난 그저 그 사람이 보

고 싶어. 그게 전부야. 그게 죄가 되니? 죄…일 거야…. 하지만 더 이상
바라는 게 없단다. 그렇지만 그것마저두 얼마나 참는지 몰라. 참아야 될
것 같아서…"

태경의 목소리가 떨리는가 싶더니 벌써 눈시울이 뜨거워져 있었다. 태
희가 연민의 정이 가득한 눈으로 언니를 바라보다가 바람처럼 일어나
태경의 옆자리로 갔다. 그리고 언니의 어깨를 잡았다. 태경이 아이처럼
태희의 손을 맞잡았다.

"언니. 언니가 잘해. 상처받지 말고. 난 언니 편이야. 언제나."

태희가 나직이 속삭였다.

"그래. 고맙다 태희야."

태경이 대답했다. 자매는 맞잡은 손과 어깨로 서로의 체온이 옮아가는
걸 뜨겁게 느끼고 있었다.

"태희야. 참 이상하지?"

태경이 태희의 손가락 마디마디를 확인하듯 만지며 속삭였다.

"말해 봐, 언니."

"그 사람과 나에 대해, 내 감정에 대해 말을 하고 싶은데 말할 상대가
없는 거야. 참으면 참을수록 말은 점점 더 하고 싶고 할 상대는 없고…
내가 고립되는 것 같고… 오한 같은 게 끼칠 때가 있었단다. 이제 너한
테 다 말하니까… 어쩌면 이렇게 편하지? 마음이 놓이고. 고맙다 태희
야."

"언니 별소릴 다하네."

"난 그 남자하구 잤단다."

태경이 편한 목소리로 말했다.

"괜찮아 언니."

태경의 말이 끝나기 무섭게 태희가 마치 다 알고 있다는 듯이 편안한
목소리로 대답했다.

"난 그 일이 왜 나쁘게 느껴지지 않지? 이상해. 죄를 죄라고 못 느끼

는 걸까?"

태경이 혼잣말같이 읊조렸다. 태희는 아무 말도 하지 않았다. 말할 수가 없었다.

"그 사람이 나한테 어떤 집에서 살고 싶으냐고 물은 적이 있어. 나보고 훌륭하다고도 말했단다… 글쎄, 나보고 훌륭하다고…. 장난치는 건 아니었어. 세상에… 내가 그런 말을 들어보다니…."

태경은 꿈꾸듯 말했다. 그러나 그가 느낀 '신의 축복' 그 순간을 어떻게 말로 표현해 낼 수 있을까.

"언니가 결혼 전에 연애해 봤나?"

"아니!"

"형부하구두?"

"중매하구 이내 식 올렸잖니."

"아, 그렇구나… 그러니까…."

"지금 내가 그 남자한테 느끼는 감정은 처음 경험하는 거란다. 난 이런 감정이 생길 수 있다는 걸 전혀 모르고 살았어. 난 모르겠어. 내가 어떻게 될지. 그저 그 남자가 보고 싶을 뿐이야. 나는… 남편하고 정 붙이고 사는 게 사랑이라고 생각했어. 그런데 그게 아닌가 봐…."

태희는 건축 잡지를 뒤적이며 언니의 얘길 듣고 있었다. 이름을 되짚어 말하며 책장을 앞으로 넘겼다.

"혹시 이 사람 아닌가? 언니가 준 건축이라구… 그랬지? 그 사람 이름이 정호준인가?"

태경이 사진들을 보았다.

"얘, 그 사람이야. 이게 그 사람이 설계한 양평의 주말 주택이란다. 좋아 보이지?"

태경은 알지도 못하면서 그저 좋아 보인다고, 그렇지 않느냐고 동생에게 자꾸만 닥달하듯 물었다.

"내가 동시통역사 되면 돈을 많이 벌거든? 그럼 준 건축에 집을 지

어달랠까? 언니 동생이니 오죽 신경 쓰겠어?"

태희가 웃으며 말했다. 태희가 꼭 언니가 된 것 같았다.

"글쎄. 그렇게만 된다면…"

태경이 중얼거렸다. 태희는 한동안 주말 주택을 들여다보고 작가의 설계 의도를 읽었다. 그리고 고개를 들어, 어떤 생각에 깊이 빠져 있는 얼굴인 태경에게 말했다.

"언니. 여자두 자기를 끝없이 계발하면서 살아야 해. 결혼하자마자 주어진 틀에다 자신의 인간적 능력을 몽땅 가둬버리고 사는… 언니. 언니는 그런 거 못 느껴? 자기 자신이 없어지는 것 같은 느낌…. 난 몇 년 안 됐는데두 못 견디겠던데…. 그래서 공부를 시작한 거야. 동시통역사가 되려는 거지. 괜찮은 직종이거든. 돈두 많이 벌구…. 언니 세대들은 주어진 틀이 전부라고 믿고 그 믿음에서 벗어나는 걸 스스로 두려워하는 것 같아. 난 그런 모습이 고여 있는 물 같구… 답답하게 보여…."

그러나 이렇게 열심히 자기 생각을 전달하려는 태희의 노력은 무모했다. 태경은 또다시 불안이 느껴져, 표정이 어둡게 흔들리고 있었던 것이다. 자신이 사랑에 빠진 것 같다고 느껴지면, 반드시 그 기쁨의 뒤엔 불안이 따라붙었다. 지금도 그랬다. 그래서 자매는 아쉽고 얼떨떨하게 헤어졌다.

태경은 곧바로 좌석 버스를 만난 게 너무 기뻤다. 혼자서 집을 지키는 소영이를 위해 간식을 사고, 이것저것 도시락 반찬이나 먹을 것을 사긴 했어도, 아직은 호준에 대한 간절함과 비례해서 집 안에 마음이 비끄러매어지는 것이었다.

하지만 종로 3가에서 창가의 자리에 앉게 되었을 때, 우연히 창 밖으로 던져진 태경의 시선이, 보도 블록의 턱에 몰려 있는 낙엽을 보았을 때, 태경은 너무도 가슴이 허전해져서 그 느낌을 감당키가 어려웠다. 불과 20분 전, 자기가 이제 가야 할 당연한 방향을 찾고 서두르던 마음은 다 어디로 간 것일까. 저녁이라는 것이, 밖으로 나갔던 식구들이 돌아오고, 자신은 그 식구들을 위한 준비에 바빠지는 시간이라고만 믿었던 때가 언제였던가. 그런데 지금 태경의 시선을 꽉 채운 잿빛 저녁은, 그렇지만은 않았다. 그것은 태경의 경험과는 전혀 다른 느낌, 전혀 다른 감정을 요구하고 있었다. 어두워지는 저녁의 드넓은 공간 속으로 정처 없이 걷고 싶었다. 발바닥이 짓무르도록. 걷고 또 걸어서 지쳐 쓰러질 때까지.

그러나 정해진 목적지로 달리는 자동차는 태경의 새로운 갈망을 어루만질 수 없었다. 그래도 태경은 오래도록 창 밖에서 시선을 거두지 못했다. 어둠보다 먼저 다투어 눈뜨기 시작하는 네온사인과 건물의 불빛들 그리고 가로등 빛을 바라보았다. 길을 지나가는 사람들은 하나같이 비슷하며 달랐고, 나뭇가지에서 이미 죽은 채 매달려 있는 흙빛깔의 잎사귀도 태경의 가슴에 야릇한 문양으로 새겨졌다. 어느새 버스는 미아리를 지나 삼양동으로 접어들었고 비좁던 차 안은 점점 더 헐렁해져 갔다. 태경은 내릴 채빌 해야 했다. 그는 여러 개의 비닐 봉투들을 확인했다. 그러다가 김 봉투 속에 담긴 건축 잡지들을 발견했다. 부끄러웠다. 무엇에 대해서인지, 그저 그런 느낌이 생겨나는 것이었다.

은행 앞 정류장에서 태경의 집까지는 그의 걸음으로 15분은 걸어야 했다. 태경은 눅눅하게 가라앉은 마음으로, 고행이 일상이 된 수도자처럼 땅만 보고 걸었다. 그래도 젊고 활기찬 여자도 지나가고 연인들이 지나가고 자기 같은 여자도 지나가는 게 보였다.

나 같은 게…. 그래… 나 같은… 아줌마가….

태경은 자꾸만 자기도 모르는 사이에, 자신은 이미 늙어서 인생의 뒷전으로 물러나야 될 때라고 생각하는 것이었다. 어떤 순간 꿈처럼 다가왔던 황홀은 '착각' 같은 것인지 모른다고, 자신에게 말했다. 자기는 딸아이를 위해 부지런히 집으로 달려가는 중년의 주부라고. 철 모르고 피는 꽃은 재앙의 징조라고…. 이런 생각이 미처 마무리도 지어지기 전에 태경은 집에 닿았다.

만화를 보다가 문을 열어주는 소영이는 어머니를 본체만체했다. 순간 태경은 맥이 빠졌다.

"소영아. 너 좋아하는 거 많이 사왔어. 닭하구 피자. 만두랑 순대두 샀
단다. 좋지?"

그래도 태경은 기운을 돋구어 이렇게 말했다.

"엄마! 말 시키지 마! 나 이거 봐야 되니까!"

아이는 돌아보지도 않고 소리쳤다. 태경은 근우가 밥을 먹고 학원에
갔는지 알고 싶었다. 그러나 소영이의 기세에 눌려 묻지를 못했다. 밥 먹
은 흔적이 있는지, 식탁에서 눈치를 챌 수밖에 없었다. 식탁에는 우유가
묻어 있는 빈 유리잔 하나만 놓여 있었다. 근우는 우유 한 잔만 홀짝 마
시고 나간 게 틀림없었다. 속이 상했다. 그래도 용돈이 있을 테니까, 떡
볶이라도 사먹겠지. 태경은 자신의 자책감을 달래며 장본 것들을 꺼내놓
았다. 그런데 그 속에서 엉뚱한 〈건축과 환경〉을 꺼내야 할 때 그리고
자기도 모르는 사이에 소영이 쪽을 흘끔거릴 때, 이 책을 어떻게, 어디에
두어야 할지 허겁지겁 궁리할 때 태경은 초라하기 그지없었다. 태희가
눈치챈 생기도 없었고 44년 만에 발견한 '신의 축복'에 대한 기억도 없었
다.

태경은 우선 냉장고 위에 건축… 을 유배시켰다.

만환지 개그 손지가 끝나기 무섭게 소영이가 식탁으로 왔다. 아이는
피자가 식었다고 트집잡으며 순대를 먹기 시작했다.

태경은 잘 꺼내지 않던 밑반찬까지 식탁에 차려내었다. 저녁을 먹을
사람이라곤 어린 딸과 자기 둘뿐인데도 태경은 손님을 치르기라도 하는
안주인처럼 신경을 썼다. 그러나 소영이는 순대와 만두에 전기구이 닭을
깨작거리곤 그만이었다. 제 앞에 놓인 밥공기에는 수저도 대지 않았다.
태경은 섭섭한 얼굴로 아이를 바라보았으나 싫은 소릴 하지는 않았다.
웬지 요 몇 달 사이, 어린애처럼 귀엽게 굴던 딸과 자기 사이에 서먹한
기운이 끼었다는 느낌이 들어 기분이 스산해졌다. 하지만 그는 참으로
오랜만에 된장 뚝배기와 총각김치로 저녁밥을 달게 먹었다. 객지에서 떠

돌다 모처럼 고향집에 돌아와 어머니의 음식맛을 보는 사람 같았다.

저녁 뒷설거지를 끝내고 사과를 깎아서 텔레비전을 보고 있는 딸의 옆으로 갔다.

"재밌니?"

태경은 사과쪽 하나를 찍어 딸에게 건네며 물었다.

"몰라아…"

아이는 게으르게 말하며 기지개를 켰다. 마침 연속극이 끝나고 광고 선전이 시작된 때였다.

"아빠는 왜 안 오지?"

딸이 역시 느리고 권태로운 목소리로 물었다.

"아빠 보고 싶어?"

"그럼! 아빤데!"

아이가 도발적으로 뱉었다. 그렇게 말하는 건 소영이의 성격 탓이건만 지금은 그 말투조차 태경의 가슴패기에 가시로 박혔다.

그렇지. 너의 아빠지. 그 사람 없이 네가 어떻게 태어났겠니. 아내와 남편은 남남이지만, 그래서 헤어지면 그만이지만 부모와 자식에게 부부 같은 헤어짐이라는 게 있을까…. 태경이 이런 생각을 하는 동안, 딸은 불 만의 독이 퍼진 사춘기 소녀처럼 몸을 뒤틀며 심통 부릴 빌미를 찾는 기 색이었다.

"지금… 아빠한테 전화해 보자. 언제 오실 건지 물어보구…. 소영이가 아빠 보고 싶대면 기뻐하실 거야."

태경은 벽시계를 쳐다보고 이렇게 말했다. 그리고 이내 수화기를 들었 다. 그런데 자신있게, 마치 일상적인 행동으로 수화기를 들었으나 지역 번호가 생각나지 않았다. 신경증인지, 머릿속이 캄캄해지는 느낌이었다.

"전화 번호 몰라서?"

수화기를 내려놓고 전화번호부를 뒤적이는 태경에게 소영이가 물었 다.

"글쎄… 지역 번호가…."

태경이 중얼거렸다.

"0662야!"

어머니의 자신없는 중얼거림이 끝나기 무섭게 딸이 쏘듯 소리쳤다.

"넌 기억력두 좋다."

태경은 아이를 민망한 낯으로 흘깃거리고 나서 전화를 걸었다.

신호음이 텅 빈 공간을 울리는 소리로 들렸다. 두 번, 다섯 번, 열 번. 태경은 남편이 화장실에 있을 것을 상상했다. 어쩌면 샤워를 하는지도 모른다고 생각했다. 그래서 전화를 끊었다가 다시 걸었다. 신호음은 여전히 저 혼자서 울기만 했다.

"아빠가 안 계시나 봐. 아직 안 들어오셨어. 나중에 다시 해보지 뭐."

태경이 맥빠진 소리로 말했다. 아이는 아무 말도 하지 않고 제 방으로 들어갔다. 태경은 뉴스를 하고 있는 텔레비전 화면에 시선을 두었지만 그걸 보지 못했다. 갑자기, 사람을 지저분하게 만드는 질투와 소외감이 태경을 사로잡았기 때문이었다. 여수에서 맞닥뜨렸던 젊은 여자의 얼굴이 떠오르고, 그 여자를 배웅하던 남편의 뻔뻔스러움 그리고 그 능멸당하던 느낌이 너무도 생생하게 떠오르는 것이었다. 태경은 자신의 건강을 좀먹는 듯한 이런 기분이 정말 싫었다. 그러나 싫으면 싫을수록 그때 그 일이 더욱 또렷하게 생각났다. 어쩌면 남편을 배반할 충분하고도 필요한 이유를 붙잡으려는 듯이.

태경은 비참한 기분으로 '이혼'을 생각했다. 이혼을 생각할 때면, 태경은 자기가 꼭 별똥별과 같이 여겨졌다. 은하계로부터 낙오되는, 그래서 소멸해 버리는 기분…. 이때, 왜 태경은 단 한 순간도 호준을 생각하지 못했을까. 비록 그가 두어 시간 전에, 자신의 초라한 처지 때문에 스스로 포기해야겠다고 작정한 상대라 할지라도.

태경은 오래도록 턱을 한 손으로 싸 쥔 채 독기와 처량함이 함께 배인 모습으로 앉아 있었다. 그러다가 시간이 10시가 넘었을 때, 다시 여수로 전화를 걸었다. 첫번째 신호음이 다 끝나기도 전에, 찬수가 네에, 라고 말했다. 태경은 수화기를 내려놓고 싶었다. 곧, 찬수가 다소 긴장한 음성으로, 여보세요, 라고 말했을 때야 태경은, 저예요, 이렇게 말할 수 있었다.

"누구? 아아, 그래. 당신이야? 나두 지금 들어와서 전화 걸려구 하던 참인데…."

"왜요?"

"내가 이번 주말에두 못 올라가겠어. 당신이 괜찮으면 내려오든가."

"그래두 되나요?"

"그래두 되다니?"

"당신이 불편할까 봐요."

"마누라가 오면 편해지지 불편하다는 건 다 뭐야?"

"그럼 갈게요, 여보."

"장모님 잘 계시지?"

"예. 잘 계세요."

태경은 자기도 모르게 전씨가 태희네로 간 것을 감춰버렸다.

찬수는 여수 시장, 방송사 사장 등과 저녁을 같이하느라 이제 들어왔노라고, 묻지도 않은 말을 하고, 태경에겐 토요일 오후 비행기로 오라고 말했다.

태경은 전화를 끊고 났을 때, 야릇한 기분에 빠졌다. 지친 듯하다고나 할까? 아니면 아무런 흥미도 느낄 수 없는 무의미한 상태라고나 할까.

태경은 의자 등에 몸을 내맡기고 눈을 감았다.

자신의 인생이 자기의 눈앞에서 자기를 놓아둔 채 흘러가는 것 같은 기묘한 느낌에 젖어들었다. 이때 태희가 전화를 걸어왔다. 태경의 기운 없는 목소리를 듣더니 금방 걱정을 태산같이 하였다. 그리고 통화중이던데 누구와 전화를 했느냐고 물었다.

"형부가 주말에 못 올라온다구… 내가 내려가기루 했단다…."

"잘됐네, 언니."

태희가 반색을 했다.

"그런데 언니 기운 없어 보이는데…."

태희가 말없는 태경에게 다시 물었다.

"글쎄. 기운이 좀 없네."

태경이 대답했다. 그는 모든 게 귀찮아졌다. 남편에 대한 한동안의 병적인 혐오와 증오에 지친 것일까? 자기가 소외된 채 흘러가는 자기 인생의 느낌 때문일까?

"건축가하군 연락이 되었어?"

태희가 조심하는 말소리로 물었다.

"아니."

"해보지 그래, 언니."

"아니야. 그냥 정리했어. 나 혼자. 너무 피곤해…. 한순간의 착각이었는지 몰라…."

태경이 자포자기한 목소리로 말했다. 이번엔 태희가 입을 닫고 있었다. 태경이 먼저 잘 있으라고 인사하고는 수화기를 내려놓았다.

이상했다.

태경이 원하던 질서로 돌아왔음에도 불구하고 왜 태경이 자신은 세상 바깥으로 내던져진 것같이 허전하고 허망할까. 태경은 손끝 하나 까딱하기도 싫었다. 태경은 지친 배추벌레처럼 소파에 모로 쓰러졌다.

세상이 아무것도 보이지 않았다. 가을의 아쉬운 볕이며 낙엽이나 그늘 같은 것, 태경이 근래에 와서 새삼스럽게 발견한 자연의 여러 현상들에 대한 감각이 새까맣게 마비된 것 같았다. 여전히 몸은 스스로 가눌 힘이 없었고 마음은 나락으로만 떨어져내렸다. 불현듯 떠오르는 것은, 태경이 돌아왔을 때, 딸이 힐끗 쳐다보며 하던 말―자기가 뭐 고등학교 언니라구… 하며 비웃던 모습이었다. 필경 태경의 단발을 두고 한 소리였다. 그런데 그땐 급하고 당황해서 귓등으로 들어넘긴 소리가 왜 잊혀지지도 않고 이제 새파랗게 떠오르는 것일까.

태경은 사경의 고통을 표현하는 배우처럼, 혹은 무용수처럼 손을 어깨 너머로 올려 머리털을 움켜잡았다. 부끄러움이 뼈를 발라내는 통증으로 느껴졌다. 한순간 암흑이 깨어지고 세상이 열리는 듯한 황홀을 경험했던 일조차 지금은 차라리 죽고만 싶은 흔적으로 기억되었다.

그건 다 거짓!

태경은 속으로 악을 썼다. 회오와 수치가 송충이처럼 태경의 몸과 마음에 다닥다닥 붙어서 꿈틀거렸다. 거짓이 아니라면 이렇게 일주일이 넘도록 전화 한번 하지 않을 리가 없어! 태경은 몸을 말리러 나온 지렁이가 마른 몸을 꿈틀거리듯 필사적으로 몸을 뒤틀었다. 부끄러움이 살을 태우는 것이었다.

내가 뭐라고. 주제도 모르고. 이런 머리 모양을 하고 이제 어느 하늘을 볼 것인가…. 자기가 뭐 고등학교 언니라구….

소영이의 비웃는 목소리가 여러 겹으로 들려왔다.

그래. 그 일은 없던 일이다…. 나는 외간 남자를 만난 적이 없다…. 사랑을 한 적이… 없다….

태경은 최면을 걸 듯 자신에게 말했다.

그러나 태경은 최면에 걸리지 않았다. 그 남자가 단지 자기를 농락했었다고 생각하려 해도 그렇게 되지 않았다. 만일 농락한 것이 사실이라면 정호준은 사기꾼이어야 했다. 그 남자가 사기꾼이라고? 그럴 리가 없었다. 하지만 태경의 마음은 좀체 편해지지가 않았다. 그는 어항 속의 열대어를 살펴보듯, 정호준의 자기에 대한 마음을 들여다보고 싶은 것이었다. 그는 자기에 대해 어떻게 생각하는지. 그리움이 같은지. 보고 싶은 걸 자기처럼 모질게 참는지. 그 사람은 어려운 서로의 처지에 대해 갈등하는지. 괴로움을 느끼는지.

태경이 알고 싶은 건 이런 것만이 아니었다. 그는 비행기에서 호텔까지의 길고도 짧은 날들을 다시 돌아보고 싶었다. 영화 보듯 자세히 보고 싶은 것이었다. 그렇게 보면, 정호준의 진실이 무엇인지, 그에게 자신이 무엇인지 알 수 있을 것 같아서였다. 그리고 미래는 어떻게 될 것인지 …. 태경은 잊기로 한 남자에게 또다시 함몰되고 있었다. 늪으로 빠져들 듯이.

　도대체 어떻게 된 일일까. 마치 오랜 항해에서 마침내 부두에 닿은 배처럼 남편에게 의지하려던, 그 자연스럽던 태경의 감정이 어느새 이런 폭풍 속에 휘말린 것일까.

　수정이에게 물어봐야지. 처음부터 다시 자세하게 설명해 주고, 그가 나를 '사랑'하는 게 틀림없는지 판단해 보라고 해야겠어. 아니야. 태희가 더 나아. 아무래도 동생이니까. 잘 얘기해 볼까? 아니야. 용한 점쟁이를 찾아가자. 비밀도 보장되고, 내 얘길 다 들어줄테니까. 그렇지만 어디서부터 어떻게 얘기해야 하지? 그리움을 어떻게 설명하지? 사실은 그가 죽도록 보고 싶은 것, 그리운 것밖에 할말이 없는데….

　하지만 태경은 열병환자 같은 모습으로 일어나 앉았다. 그리고 태희에게 전화를 걸었다. 태희가 전화를 받았다. 전씨가 외손주를 얼르는 목소리가 가까이서 들려왔다.

　"언니야."

　"아니 왜 또 그래? 몸살 났어?"

　"아니."

　태경은 죽어가는 목소리로 말했다. 문득 부질없다는 느낌이 스쳤다. 태흰들 무슨 소용이랴. 지금 태경을 위로하고 진정시킬 수 있는 묘약은 오직 하나뿐이나, 태경은 감히 그 묘약을 마실 수가 없는 것이었다.

　"잠깐 기다려, 언니. 내가 방에 들어가서 전화 받을게."

　태희가 말했다.

　수화기를 바꾼 태희가 진지하고 걱정스런 목소리로 물었다.

　"언니. 괴로워하는 거지? 그렇지? 괴로워서 그러지?"

　태경은 뻔히 속을 들여다본다는 투의 태희에게 아무 말도 하고 싶지 않았다.

"언니. 마음을 편하게 가져. 연애두 해버릇해야 능숙하게 할 수 있다는데… 춧춧 언니가 차암 딱하다…."

태희는 다 늙어서 폭 빠져가지구, 라고 덧붙이려다 입을 다물었다. 연애를 감미롭게 즐기면서 할 일이지 뭐 저렇게 죽기살기로 야단이냐고, 꾸짖어주고도 싶었다. 그러나 태희는 다른 때와는 달리 신중해졌다. 웬지 언니가 가엾어서였다. 그런 느낌이 비안개처럼 태희의 가슴을 지핀 것이었다.

"언니. 아무 걱정하지 말어. 그냥 마음을 편히 가지구 형부한테나 갔다와 봐. 기분이 달라질지 알게 뭐야?"

태희가 말했다. 처음과는 달리 가라앉은 목소리였다.

태희는 태경의 한숨소리를 들었다.

저러다가 언니가 무슨 일 저지르는 건 아닐까? 연애를 왜 생활하구 혼동하지?

태희는 언니가 답답하고 연민의 정도 우러났다.

자매는 수화기만 든 채, 서로의 한숨과 숨소리를 들으면서 잠시 침묵했다.

"언니. 언니두 말이야. 어디 무얼 배우러 다녀봐라. 요새 중년 부인들을 위한 프로그램이 아주 많아. 언니는 문학에 소질이 있으니까 문학강좌를 들으면 되잖아. 시 공부를 해봐. 시인으로 등단하게 되는지 알아? 건축가에게 느낀 감정이 거름이 되어서 말이야. 내 생각 괜찮지? 언니 시인 되라! 얼마나 좋아?"

태경에겐 태희의 말이 제대로 이해되지 않았다. 웬지 태희가 사는 세상은 자기가 사는 세상과 다른 것처럼 생각되었다. 자기의 세상은 이렇게 힘겹고 무거운데 태희는 어떻게 저리 세상을 가뿐하게 사는 걸까.

태경은 태희가 묻는 말에 대답할 생각은 않고 이런 궁금증에 빠져들었다. 그러나 궁금증은 오래가지 못했다. 진통 같은 괴로움이 다시 도지기 시작한 것이었다.

"나는 어떡하지?"

태경이 절망적인 목소리로 말했다.

"언니, 지금껏 내가 한 말 하나두 안 들었구나!"

태희가 어이없다는 투로 목소리를 높였다.

"들었어…. 그런데 뭐라구 그랬지?"

태경이 태희라도 놓칠세라 겁내며 말했다.

"그거 봐! 언니는 지금 생각이 온통 한 군데만 가 있다니깐. 그러니 내 얘기가 들릴 리 없지! 안 그래?"

"그렇게 보이니?"

말없이 두어 번 숨소리만 내고 있던 태경이 힘없는 목소리로 물었다.

"언니는 우선 자기 자신에게 솔직해야 돼. 그래야 뭐가 뭔지 확실하게 보일 거 아냐? 언니가 지금 어디에 정신을 팔고 있지? 그 남자잖아. 보고 싶은데 만날 수 없고, 동침까지 했는데 그 사실을 스스로 정리하지 못하고…."

태희의 말이 '… 동침까지…'에 이르렀을 때, 태경의 귀가 제풀에 멀어버렸다. 그러다가 '… 정리하지 못하고…'에서 태경은 자신도 모르는 사이에 수화기를 떨어뜨리듯 내려놓았다.

태희가 무섭게 느껴져서였다. 사람같이 여겨지지 않아서였다. 똑똑해서 사리분별은 잘하는 것 같지만 태경은 그런 분별력이 싸늘해서 싫었다. 그리고 마침내 태희의 사리분별이 어디까지 뻗칠지, 두렵기도 했던 것이다. 곧, 전화벨이 울렸다. 태경은 받고 싶지 않았다. 화가 난 태희가 언니의 정정당당하지 않은 태도를 따지고 들 게 틀림없었다. 그래서 태경은 전화벨이 세 번이나 울릴 때까지 몸을 도사리고 있다가 자신없게 수화기를 들었다. 그래도 여느 때처럼 자연스럽게 입이 떨어지지가 않았다.

기이한, 어쩌면 '실수' 같은 침묵이 생겼다.

"여보세요?"

그쪽에서 한 남자의 목소리가 조심스럽게 이쪽을 두드렸다.

"아, 네. 저예요!"

태경이 기겁해서 떨리는 목소리로 말했다.

세상에! 이런 일도 있다니! 태경은 머리가 핑 도는 느낌 때문에 소파 등에 몸을 기댔다.

"잘 계셨어요? 이제 급한 일을 손털구… 늦었지만 혹시나 하구… 다행입니다. 잘 계셨어요?"

호준이 말했다.

"네. 잘 있었어요."

태경은 기쁨과 슬픔이 뒤범벅된 목소리로 대답했다.

"일주일 동안 집엔 하루 들어갔다 왔나요? 옷 갈아입으러 잠깐 들어가곤… 근처에 여관 하나를 잡아놓구 직원들이 교대로 가서 자고 나오구… 제가 이렇게 삽니다."

호준이 말했다.

"그… 러… 셨… 군… 요."

태경이 감동적으로 더듬거렸다. 그런 것두 모르고. 얼마나 애를 끓였는지. 마흔이 넘으면 무얼해. 한 치 앞도 모르면서. 태경은 자신의 오두방정이 되짚어지자 몸이 화끈거렸다.

"태경 씨는 어떻게 지내셨어요?"

"늘… 그래요. 나는…."

태경이 말끝을 흐렸다. 당신만 생각했다. 얼마나 보고 싶었는지 아느냐. 이제 몸이 날아갈 것 같다…. 태경이 하고 싶은 말은 이런 것이었다.

"이제 좀 쉬셔야겠네요."

태경이 말했다.

"글쎄요. 어떻게 하면 잘 쉴 수 있을는지…. 일이라는 게 늘 꼬리를 무는 거고… 태경 씨하구 바다나 볼 수 있으면…."

"바다?!"

태경이 낮게 소리쳤다.

"왜 놀라세요?"

"아니요. 너무 낯선 낱말 같아서요. 그렇지만 아니예요. 나두 바다를 좋아해요. 보고 싶구요."

태경이 말했다. 왜, 호준이 '바다'라고 했을 때 그 낱말이 그렇게 낯설게 느껴졌을까. 이런 계절, 이런 시간에 이런 특별한 외간 남자로부터 그 말을 들었기 때문일까?

"아무튼 목소리를 들어서 다행입니다. 아무래두 내일은 온종일 곯아 떨어져야 할 것 같구… 모레나 글피쯤 연락을 드릴게요. 괜찮으세요?"

"네, 괜찮아요."

"편히 쉬십시오."

"네, 호준 씨두."

두 사람은 이렇게 인사하고, 목소리로나마 이별을 했다.

태경은 한동안 멍하니 앉아 있었다. 방금 자신에게 일어난 일이 현실인지 아닌지 분간이 안 갔다. 전화를 받기 전까지 그가 빠져 있던 고통과, 현재의 느낌이 너무나도 달라서 둘 다 자기가 겪은 일인지 아닌지 도무지 실감이 나지 않았다. 그러나 이런 멍한 상태 속으로 시냇물같이, 속삭임같이, 봄같이 살아오르는 느낌이 있었다. 그것은 기쁨과 행복, 그런 느낌이었다.

그거 봐! 그 사람은 다만 바빴던 거야! 그래서 그 동안 연락을 못 했다잖아. 일을 끝내기 무섭게 나한테 전화했어. 그 사람은 그런 남자라니깐! 태경은 속으로 누군가에게, 이렇게 자랑을 했다. 한껏 뻐기고 싶은 기분이었다. 하지만 호준이 다시 연락하겠다고 말한 내일 모레나 글피가, 태경이 자신이 남편에게로 가야 하는 날이라는 걸 왜 떠올리지 못했을까. 지금 그는 남편이 없는 여자 같은 정신 상태인가?

태경은 다문 입술 사이로 즐거움이 연기처럼 퍼져나오는 걸 느꼈다.

즐거움은 입술의 여린 살갗을 장난꾸러기같이 간지럽혔다. 태경은 간지러움 때문에 입술을 빈틈없이 여몄다. 그러면 즐거움은 가슴으로 한데 모여서 지글지글 끓었다. 태경은 마구 뒹굴고 싶은 충동을 느꼈다. 누구에게라도, '그 남자'의 얘기를, 물리고 지겨워질 때까지 하고 싶었다.

… 그이가 전화를 했단다. 너무 바빴대. 건축가들은 밤낮없이 일을 한다니까. 푹 쉬고 싶대요. 바다를 보면서. 나랑 함께. 바다를 보면서 함께 쉬자는 거야. 그이가 그렇게 말했어. 따뜻하고 자상한 남자란다. 같이 있으면 내가 귀한 사람이 되는, 그런 기분을 알겠니? 그런 기분은 난생 처음 느껴보는 것이었어. 그런데 참 이상하지? 이건 정말 비밀인데… 남편하고 있을 땐 내가 뭔가 그 사람을 위해 움직여야 될 것 같구, 어렴풋이나마 주눅드는 기분인데… 그 남자는 다르단다. 우선 따뜻하니까. 편안하구. 나를 자기와 똑같이 대해 준다고나 할까? 아니야. 그건 정확하지가 않아. 뭐랄까. 아마 이럴지 몰라. 내가 진짜 여자라는 걸 느끼게 된다고나 할는지…. 비교하기가 까다로운데, 왜 남편하고 있을 땐 이런저런 시중들고 일하면서, 그런 걸 해야 하니까 여자이거니 하는데 그 남자와 있으면 그런 일을 하지 않아도 내가 '여자'가 되는 거야. 여자라는 사실이 기쁘고 자랑스러워지는 거. 생활을 같이하지 않아서일까? 하지만 이런 건 그다지 알고 싶지 않아. 난 지금 행복하니까. 정말 이런 상태를 행복이라고 하겠지. 정말 그럴 거야….(계속)